M Europa – Nordafrika – Westasien (Antike)

Die ägyptische Hochkultur am Nil (und die Hochkultur im Zweistromland von Euphrat und Tigris) lernst du in **Kapitel 3** kennen.
Das Leben in Griechenland, die Ausbreitung der griechischen Kultur und das griechische Reich Alexanders des Großen sind Thema von **Kapitel 4**.
Um die Ursprünge und die Ausbreitung des Römischen Reichs geht es in **Kapitel 5**. Wie das Römerreich unterging und was an seine Stelle trat, erfährst du im **Kapitel 6**.

DAS WAREN ZEITEN

1

herausgegeben von
Dieter Brückner
und Julian Kümmerle

C.C.Buchner

Das waren Zeiten – Baden-Württemberg

Unterrichtswerk für Geschichte an Gymnasien, Jahrgangsstufe 5/6

Herausgegeben von Dieter Brückner und Julian Kümmerle
Unter Beratung von Nicola Brauch

Bearbeitet von Markus Benzinger, Nadja Braun, Caroline Galm, Volker Herrmann, Julian Kümmerle, Markus Sanke und Miriam Sénécheau

2. Auflage, 1. Druck 2016
Alle Drucke dieser Auflage sind, weil untereinander unverändert, nebeneinander benutzbar.

Dieser Titel ist auch als digitale Ausgabe unter *www.ccbuchner.de* (Eingabe im Suchfeld: 31041) erhältlich.

Das Werk folgt der reformierten Rechtschreibung und Zeichensetzung. Ausnahmen bilden Texte, bei denen künstlerische, philologische und lizenzrechtliche Gründe einer Änderung entgegenstehen.

Auf verschiedenen Seiten dieses Buches finden sich Mediencodes. Sie enthalten optionale Unterrichtsmaterialien und/oder Verweise (*Links*) auf Internetadressen. Haftungshinweis: Trotz sorgfältiger inhaltlicher Kontrolle wird die Haftung für die Inhalte externer Seiten ausgeschlossen.

Redaktion: Markus Sanke
Korrektorat: Kerstin Schulbert
Layout, Satz, Grafik und Karten: ARTBOX Grafik & Satz GmbH, Bremen
Umschlag: ideen.manufaktur, Dortmund
Druck- und Bindearbeiten: creo Druck und Medienservice GmbH, Bamberg

www.ccbuchner.de

ISBN: 978-3-661-**31041**-1

Inhalt

* fakultativer Inhalt laut Bildungsplan ** alternative Möglichkeiten

4 Leben im antiken Griechenland

5 Rom – ein Weltreich auf drei Kontinenten

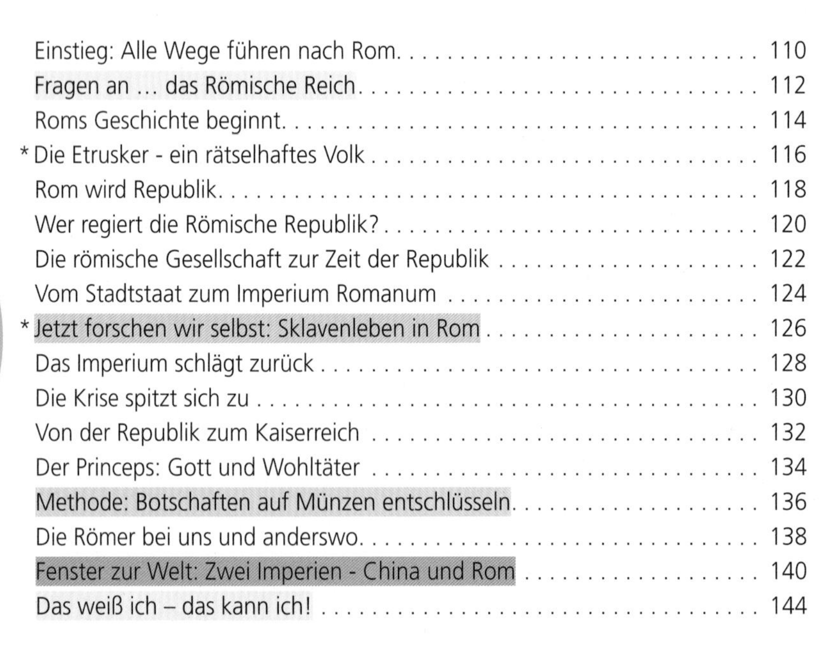

* fakultativer Inhalt laut Bildungsplan

6 Von der Spätantike ins Mittelalter

Service-Anhang

Lexikon zur Geschichte

Register

So findet ihr euch im Buch zurecht

„*Geschichte*" – ein neues Fach steht auf dem Stundenplan und ein neues Buch liegt vor euch auf dem Tisch. „*Das waren Zeiten*" wird euch durch dieses Schuljahr begleiten. Es ist ein Arbeits- und Entdeckungsbuch. Ihr könnt mit diesem Buch verschieden umgehen. Man kann es durchblättern, darin schmökern, damit arbeiten, innehalten und Ausschau halten. Man kann erstaunt sein, sich wundern, Fragen stellen und Rätsel lösen – all dies geht mit diesem Buch.

Wie auch immer ihr mit diesem Buch arbeiten werdet, eines solltet ihr dabei nicht verlieren: die *Orientierung*. Um sich zurechtzufinden, nutzten die Menschen früher oft einen Kompass. Heute nutzen wir hierfür eher ein Navigationsgerät mit GPS. Als „Kompass" oder „GPS" sollen euch auch die folgenden Erklärungen der verschiedenen Seiten dieses Buches dienen.

Der „Einstieg" – damit ihr wisst, worum es geht
Jedes Hauptkapitel beginnt mit einem großen Bild. Zu ihm geben wir kurze Hinweise. Der Leitgedanke dieser Seiten lautet: „Wo kann ich dem Thema des Kapitels *heute noch* begegnen?"
Unten rechts findet ihr einen Vorschlag, wie ihr das Bild selbst befragen könnt. Vielleicht wollt ihr in der Klasse darüber sprechen?

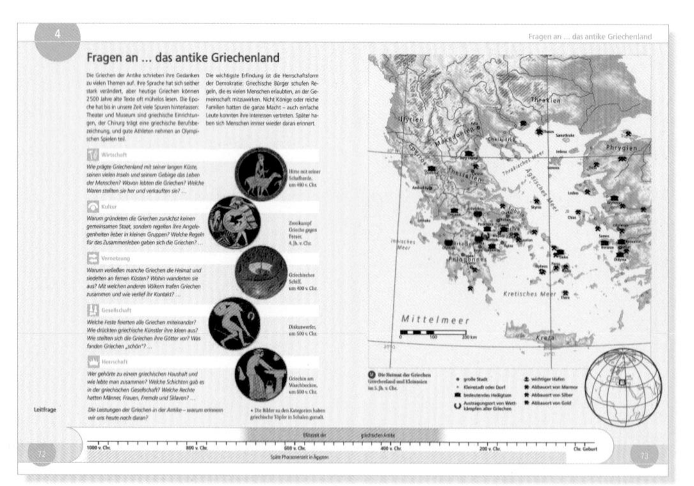

„Fragen an ..." – euer Informationszentrum
Die Doppelseite ist euer *Informationszentrum* für das folgende Kapitel. Sie wirft Fragen auf, warum wir uns heute mit diesem Teil der Vergangenheit befassen.
Die *Karte* zeigt, wo die Ereignisse stattfanden, die ihr kennenlernen werdet. Sie enthält alle Orte, die im Kapitel vorkommen. Die *Zeitleiste* hilft dabei, euch den Zeitraum vorzustellen und mit der Zeit der vorigen Kapitel zu vergleichen.
In jedem Kapitel haben wir das Thema übersichtlich in fünf wichtige Bereiche (*Kategorien*) gegliedert und mit einem Zeichen (Symbol) gekennzeichnet. Dazu könnt ihr wiederum Fragen stellen. Wichtig ist die *Leitfrage*: Sie soll euch durch das Kapitel begleiten und am Ende beantwortet werden.

Teilkapitel – das Wichtige, übersichtlich geordnet

Auf der *linken Seite* haben die Verfasser aufgeschrieben, was sie für wichtig halten. Hier erfahrt ihr das Wesentliche zum Thema. Neue *Lernbegriffe* sind fett gedruckt und werden unten wiederholt. Hier zeigt der Fettdruck, welche Begriffe der Bildungsplan als besonders wichtig bezeichnet. Das euch schon bekannte *Symbol* oben zeigt, welche *Kategorie* vor allem behandelt wird.
Außerdem enthält das Buch viele *Materialien*. Diese Texte, Bilder und Zeichnungen sind mit M gekennzeichnet und nummeriert. Mit ihnen könnt ihr eigenständig arbeiten. Die *Zeitleiste* enthält die Daten der Doppelseite. *Arbeitsvorschläge* stehen unten rechts. Zu kniffligen Fragen geben wir Hilfen.

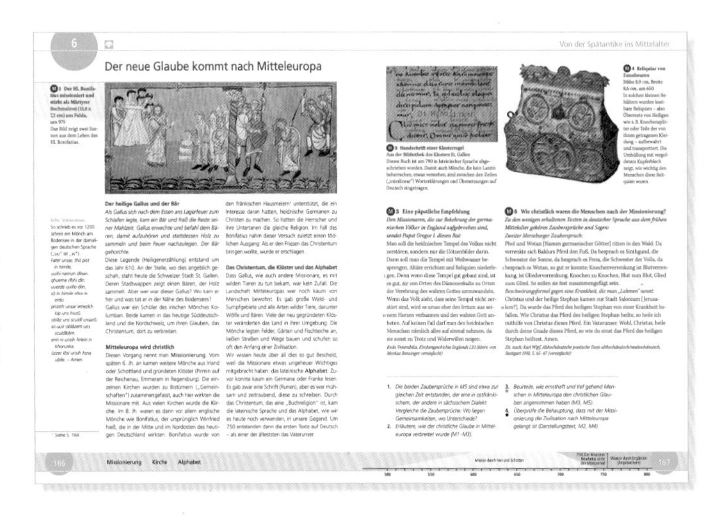

Methoden – Aufgaben schrittweise lösen

Wer die Geschichte verstehen will, muss die richtigen Fragen stellen und zu ihrer Beantwortung schrittweise vorgehen. Dafür braucht ihr *Methoden*. Wir zeigen euch an Beispielen, wie ihr Material auswertet. Auf den Methodenseiten könnt ihr das gleich selbst erproben:
M **1** bearbeiten wir mit euch gemeinsam. *Jetzt bist du dran:* Zu M **2** machen wir keine Vorschläge. Mit den *Hilfen zur Formulierung* könnt ihr diese und kommende Aufgaben sicher allein lösen!

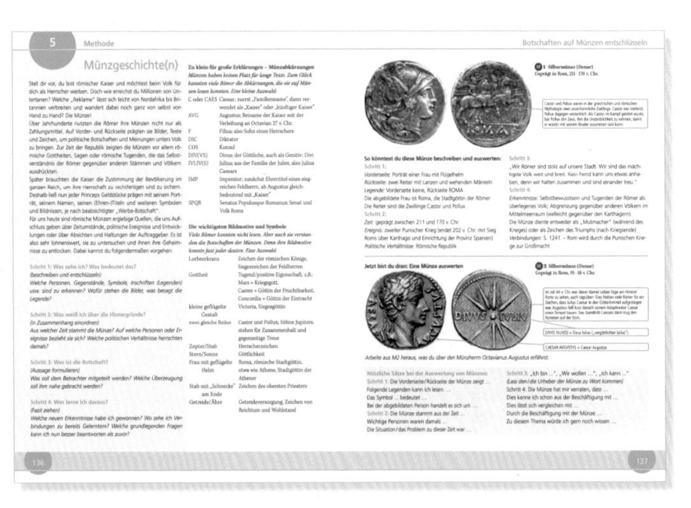

„Fenster zur Welt" – Einblick in andere Kulturen

Ein Haus ohne Fenster wäre etwas ziemlich Merkwürdiges: Man könnte nur die Dinge in seiner eigenen Wohnung sehen. Was draußen vorgeht, bliebe unsichtbar. Für den Durchblick braucht man auch den Ausblick. Solche Ausblicke stellen die *„Fenster zur Welt"* dar. Sie ermöglichen euch Einblicke in andere Kulturen, die zu anderen Zeiten auf anderen Erdteilen gelebt haben. Sie verdeutlichen euch aber auch, wie eines mit dem anderen zusammenhängt und wie es zu Begegnungen zwischen Menschen kam – über tausende von Kilometern hinweg.

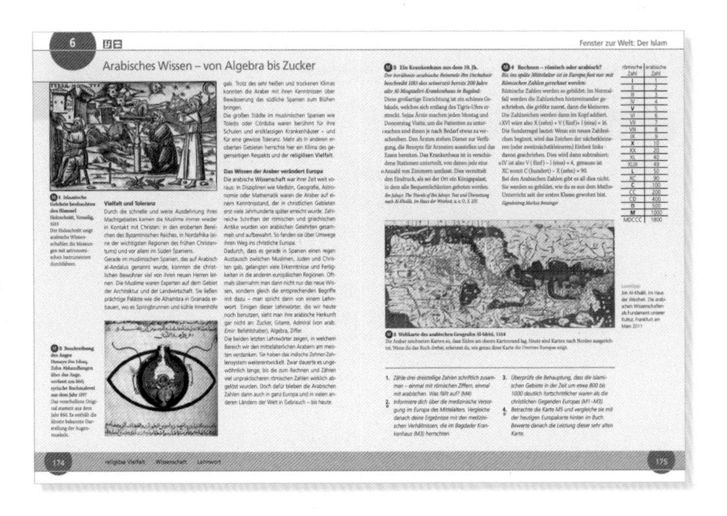

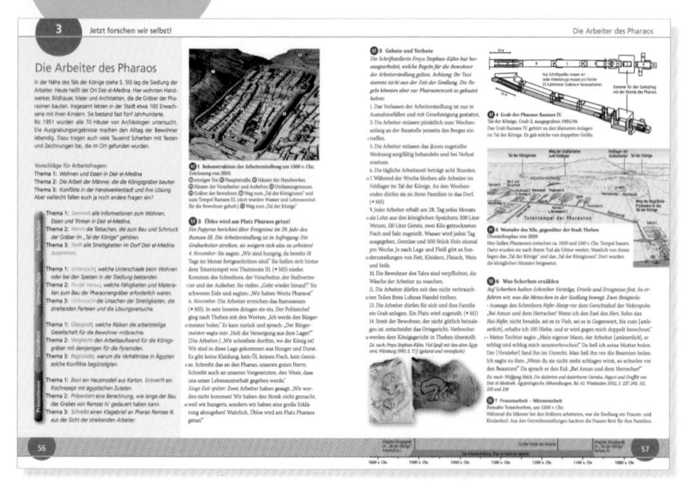

„Jetzt forschen wir selbst!"

Solche Doppelseiten findet ihr in fast jedem Großkapitel. Die Materialien, die wir zusammengestellt haben, gehören *zu einem Thema* des Kapitels. Wir machen euch *Vorschläge*, welche Fragen ihr an die Bilder und Texte stellen könnt.

Um mehr über das Leben in der Vergangenheit herauszufinden, geht ihr am besten *schrittweise* vor – unsere Aufgaben helfen euch dabei.

So übt ihr nach und nach, Zeugnisse aus der Vergangenheit zu *beschreiben*, zu *untersuchen*, *einzuordnen* und eure Ergebnisse zu *präsentieren*.

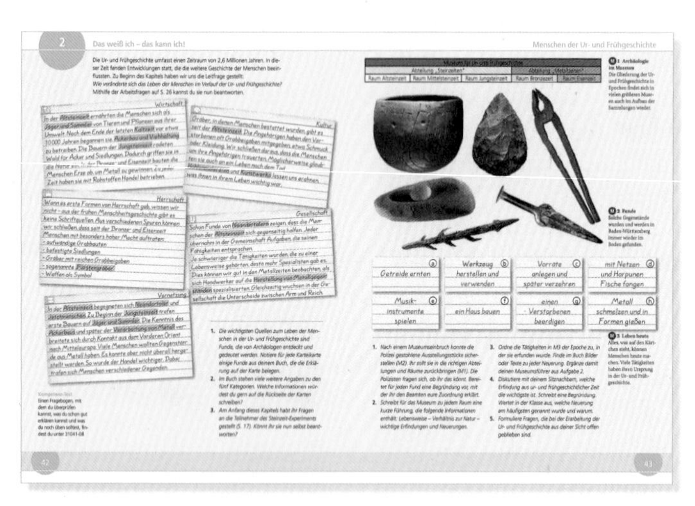

„Das weiß ich, das kann ich!" – Testet euch selbst

Am Ende des Kapitels seid ihr Experten für die behandelte Zeit!

„Das weiß ich – das kann ich!" kommt auf die *Leitfrage* von der „Fragen an ..."-Seite zurück:

Links geben wir Hilfestellungen, damit ihr die Fragen zu den *Kategorien* selbst beantworten könnt. *Rechts* findet ihr neues Material und passende Aufgaben. Damit könnt ihr prüfen, wie gut ihr euch jetzt auskennt und wie sicher ihr die Methoden anwenden könnt.

Noch unsicher? Besucht im Internet die Seite *Kompetenz-Test*! Hier könnt ihr checken, was ihr schon gut erklären könnt und was ihr noch üben solltet.

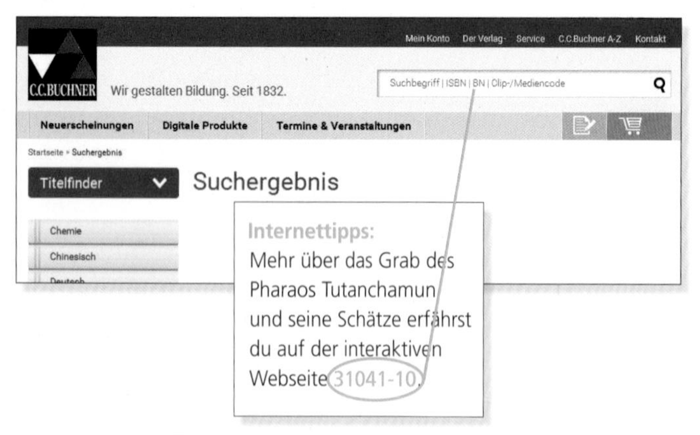

Lust auf mehr? Geht ins Netz!

Vielleicht bekommt ihr ja Lust darauf, zu dem einen oder anderen Thema noch etwas mehr zu erfahren. Dann achtet auf die Internettipps, die wir auf vielen Seiten dieses Buches abgedruckt haben.

Wenn ihr die Links aufrufen wollt, müsst ihr keine langen Internetadressen abtippen. Geht einfach auf unsere Homepage *www.ccbuchner.de*. In das Suchfeld oben rechts müsst ihr nur den Code des Internettipps eingeben, z. B. „31041-10".

1. ● *Überlege, welche Folgen ...*
   ... ...
2. ● *Verfasse einen Brief an den Autor von M4 ...*
   ... ...

Aufgaben-Kennzeichnungen

Zu Aufgaben, die mit dem Symbol ● gekennzeichnet sind, geben wir dir im Anhang eine *Hilfestellung*.

Aufgaben mit dem Symbol ● sind etwas *kniffliger* oder brauchen etwas *längere Zeit*.

Überreste, Zeugen und Detektivarbeit

Liebe Schülerinnen und Schüler,

Die Goldmaske vorne auf dem Einband eures Geschichtsbuches stammt aus dem Grab des ägyptischen Königs Tutanchamun. Er lebte vor rund 3300 Jahren, starb schon als junger Mann und war eigentlich ein unbedeutender Herrscher. Berühmt wurde er nur durch die Schätze, die man in seinem Grab gefunden hat. Auch seine Mumie wurde gefunden. Und trotzdem haben wir von ihm weder ein Foto noch eine Zeichnung. Auch aus den Zeugnissen seiner Zeitgenossen erfahren wir wenig über ihn. Wie er wirklich aussah und wie er lebte, wissen wir also nicht. Wie kommt es dann, dass dieser junge Mann heute so bekannt ist? Und was hat er mit uns zu tun?
Von dem Mann neben ihm wissen wir bedeutend mehr. Er lebte vor rund 1200 Jahren, starb als für damalige Verhältnisse alter Mann und sein Grab befindet sich in Aachen. Heute gilt er als einer der berühmtesten und bedeutendsten Herrscher Europas. Es handelt sich um den fränkischen König und Kaiser Karl. Karl ließ viele Urkunden schreiben und Gebäude errichten, von denen bedeutende Überreste erhalten sind. Einen Großteil seines Lebens verbrachte er mit Kriegszügen. Einer seiner Mitarbeiter hat eine Lebensbeschreibung Karls verfasst. Und schon einige seiner Zeitgenossen nannten ihn „den Großen". Aber bezeichnet man ihn zu Recht als „groß" und „bedeutend"?
Dass wir nach so langer Zeit überhaupt noch etwas über Tutanchamun und Karl wissen, verdanken wir der Arbeit vieler Menschen, die sich mit der Vergangenheit beschäftigen. Wie Detektive oder Kriminalisten, die einen kniffligen Fall lösen müssen, suchen sie nach Spuren und Zeugen, nach Hinweisen und Beweismaterial. Sie tragen zahllose Beobachtungen zusammen und kombinieren wie Sherlock Holmes. So erschließen sie aus wenigen Überresten wie Büsten, Reliefs oder Inschriften auf Tempeln, wie etwa Tutanchamun damals ausgesehen, wie er geherrscht und gelebt haben könnte. Und aus vielen einzelnen Informationen, die sich oft widersprechen, gelingt es ihnen, uns Karl als Menschen und König vorzustellen. Gleichzeitig erzählen sie uns etwas über die Zeit, in denen diese Menschen gelebt haben, und vieles mehr.

Doch auch gute Detektive und Kommissare tappen manchmal im Dunkeln, weil ihnen ein wichtiges Beweisstück fehlt. Sie können sich auch irren, wenn sie die Beweisstücke falsch kombinieren, zu früh meinen, genau zu wissen wie alles gewesen ist, und voreingenommen sind, wenn wichtige Zeugen schweigen, sich widersprechen oder sogar lügen. Das ist bei der Erforschung früherer Zeiten nicht anders.
Tutanchamun und Karl dem Großen werdet ihr in diesem Geschichtsbuch begegnen. An diesen beiden und vielen anderen Beispielen werdet ihr sehen, wie versucht wurde, knifflige „Fälle" der Geschichte zu lösen. Und Schritt für Schritt werdet auch ihr immer fitter darin werden, selbst Fragen an die Geschichte zu stellen, Fakten zu überprüfen und eure Schlussfolgerungen gut zu begründen, sodass ihr euch schließlich ein eigenes Bild von Personen, Ereignissen und Zuständen früherer Zeiten machen könnt.

Wir wünschen euch viel Freude und Erfolg dabei.
Dieter Brückner und
Julian Kümmerle

1 Wir begegnen der Geschichte

Kann man Vergangenheit „nachbauen"? In St. Gallen (Schweiz) hat sich ein 1 200 Jahre alter Bauplan für ein ganzes Kloster erhalten. Von der Kirche bis zum Gästehaus, vom Kräutergarten bis zur Bäckerei verzeichnet er alle Bauten, die ein Kloster damals haben musste.
Seit 2013 versuchen Handwerker und freiwillige Helfer, auf einem Grundstück bei Meßkirch (Lkr. Sigmaringen) den Plan in die Tat umzusetzen. Sie wollen dabei nur Werkzeuge und Arbeitstechniken der Zeit um 800 anwenden. Erst in 40 Jahren soll das Kloster fertig sein.

M Ein „mittelalterliches Kloster" wird gebaut
Foto aus dem „Campus Galli" von 2014
• *Stellt euch vor, beim Sonntagsausflug mit eurer Familie in den Naturpark Obere Donau besucht ihr auch das Kloster-Projekt und spaziert zufällig an den beiden Mädchen und dem Mann vorbei. Was geht euch dabei durch den Kopf?*

Fragen an … die Geschichte

M1 Das magische Baumhaus
Buchtitel, 2012
In den Romanen von Mary Pope Osborne reisen die Geschwister Anne und Philipp mit einem magischen Baumhaus durch die Zeit und zu allen Orten der Welt. Dabei lernen sie längst vergangene Zeiten und berühmte Persönlichkeiten der Geschichte kennen und erleben spannende Abenteuer.

Zeitreisen in die Vergangenheit

Stellt euch vor, ihr könntet – wie Anne und Philipp – in der Zeit zurückreisen. Was würdet ihr euch ansehen? Wem würdet ihr gerne begegnen und wem lieber nicht? Den Menschen in der Steinzeit oder lieber den alten Ägyptern? Würdet ihr eine Ritterburg erkunden oder beim Bau einer Pyramide zuschauen?

Leider sind Zeitmaschinen reine Fantasie. Die Vergangenheit ist ein für alle Mal vorbei und kann nicht wieder zum Leben erweckt werden.

Geschichte ist nicht gleich Vergangenheit

Aber ist es dann nicht merkwürdig, dass „Das magische Baumhaus" Millionen junger Leser weltweit begeistert, wenn die Vergangenheit doch „Schnee von gestern" ist? Vielleicht hat das mit dem Unterschied zwischen Vergangenheit und Geschichte zu tun. Beides ist nicht dasselbe. Machen wir dazu ein Gedankenexperiment: Nehmen wir an, es gäbe einen „Super-Computer", der einfach alles, was geschieht, aufzeichnen kann – ohne Lücken, Fehler und Verfälschungen. Damit wäre jedes Ereignis der Vergangenheit, ja die Vergangenheit selbst gespeichert.

Diese vollständige Datensammlung wäre aber keineswegs „die Geschichte". Denn unsere „Vergangenheitsaufzeichnungsmaschine" hat einen entscheidenden Nachteil: Sie hat kein „Gefühl" für Vergangenheit, Gegenwart und Zukunft. Sie kann nicht sagen, wie ein Ereignis, das vorgestern begonnen hatte, gestern weitergegangen ist und was es für uns heute bedeutet. Menschen hingegen können das. Wenn wir von heute aus in die Vergangenheit zurückschauen, wissen wir von vielen Ereignissen, wie sie zu Ende gegangen sind. Außerdem wäre unserer Maschine ziemlich egal, was sie eigentlich tut. Auch das würde sie vom Menschen unterscheiden.

Aber warum interessieren sich Menschen überhaupt für die Vergangenheit, wenn sie doch vorbei ist? Warum gibt es Geschichtsinteressierte und sogar Geschichtsforscher und wie arbeiten sie? Um diese Fragen geht es in unserem ersten Kapitel – und letztlich auch in diesem ganzen Buch.

Museumsweinberg in Stetten-Weinstadt

Auto- und Spielzeugmuseum Boxenstop in Tübingen

Schwarzwälder Freilichtmuseum Vogtsbauernhof

Wirtschaft

Wir fragen danach:

- *Wie gewannen Menschen ihre tägliche Nahrung?*
- *Wer stellte die Dinge her, die die Leute benötigten?*
- *Wie wurden die Erzeugnisse der Arbeit an alle verteilt?*
- *Was dachten sich Menschen aus, um leichter und schneller arbeiten zu können?*
- …

Leitfrage *Geschichte – was, wie und warum eigentlich?*

M 2 Geschichtsorte in Baden-Württemberg

Museen sammeln Objekte aller Art und stellen sie aus. In Freilichtmuseen kann man ganze Dörfer aus früheren Zeiten besichtigen. Einzelne Gebäude wie Schlösser, Burgen und alte Fabriken sind auch Orte der Geschichte.

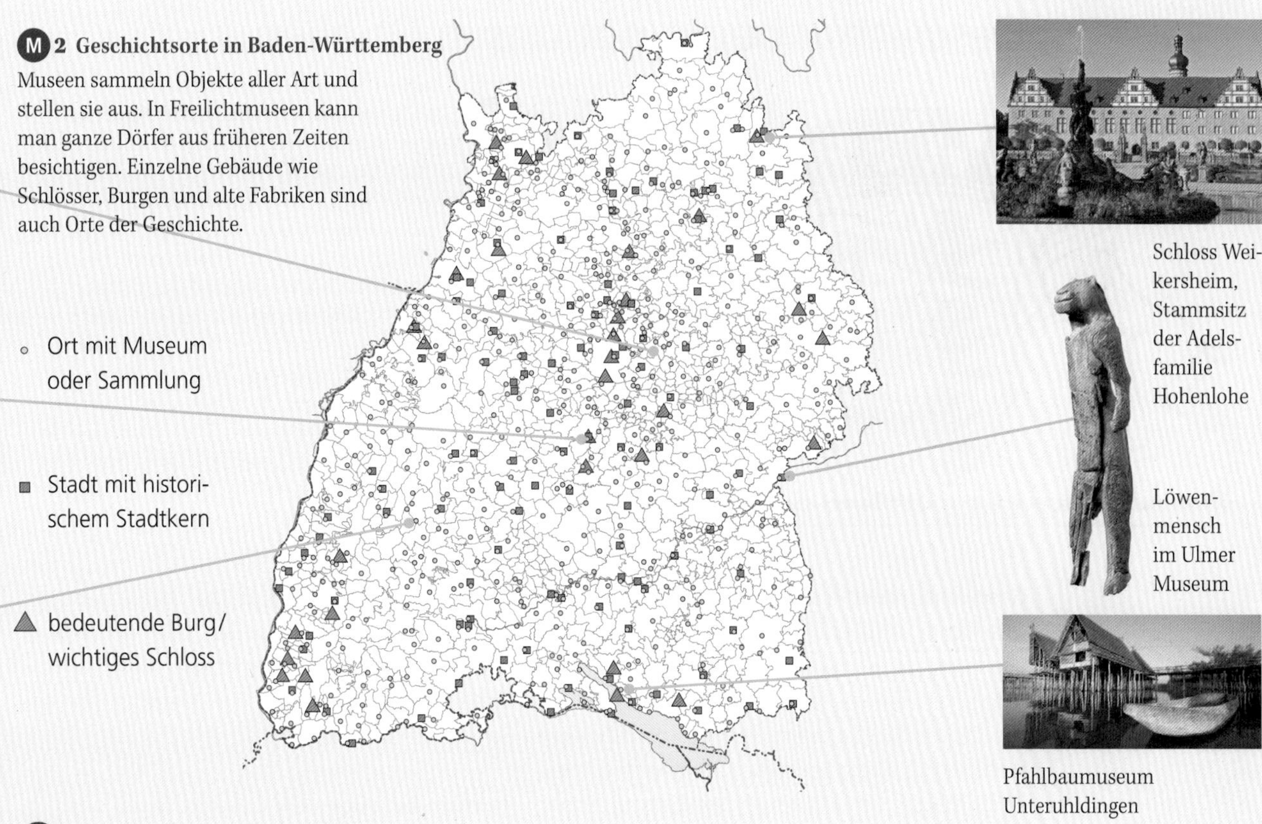

Schloss Weikersheim, Stammsitz der Adelsfamilie Hohenlohe

Löwenmensch im Ulmer Museum

Pfahlbaumuseum Unteruhldingen

M 3 Gut sortiert ist gut gefragt!

Sicher habt ihr viele Fragen zu verschiedensten Themen der Geschichte. Wir sollten sie sortieren, um den Überblick zu behalten. Dabei helfen uns fünf „Frage-Bereiche". Wir nennen sie „Kategorien".

Vernetzung

Wir fragen danach:

- *Wie hielten Menschen miteinander Kontakt?*
- *Mit welchen Mitteln wurden Neuigkeiten verbreitet?*
- *Wann und wo trafen sich Menschen mit unterschiedlicher Lebensweise?*
- *Was lernten die Leute von Menschen anderer Länder?*
- …

Gesellschaft

Wir fragen danach:

- *Wie viele Alte und Junge, Arme und Reiche gab es?*
- *Worin unterschieden sich die Menschen eines Landes?*
- *Hatten verschiedene Gruppen unterschiedliche Rechte und Pflichten?*
- *Wann und warum änderten sich Rechte der Menschen?*
- …

Herrschaft

Wir fragen danach:

- *Wer hatte viel Macht, wer konnte nur wenig bewirken?*
- *Warum wurden Mächtige von den Leuten anerkannt?*
- *Welche Rechte hatten verschiedene Menschen?*
- *Wann und warum änderte sich, wer viel Macht hatte?*
- …

Kultur

Wir fragen danach:

- *Woran glaubten die Menschen in anderen Zeiten?*
- *Mit welchen Mitteln drückten Menschen ihre Gedanken über die Welt aus?*
- *Was wussten die Leute über die Welt und ihre Gesetze?*
- *Wie gingen Menschen mit unterschiedlicher Religion miteinander um?*
- …

---

1. *Stellt weitere Fragen an die Geschichte .Überlegt dann, in welche der fünf Kategorien sie sortiert werden können. Nicht immer ist die Zuordnung eindeutig. Erklärt, woran dies liegt.*
2. *Suche auf M2 deinen Heimatkreis und ermittle, welche Museen, Altstädte und Burgen oder Schlösser es in deiner Nähe gibt. Welchen Geschichtsort würdest du gern besuchen?*

Geschichte begegnet uns in Quellen

M1 Landeswappen von Baden-Württemberg
Das Wappen zeigt im goldenen Schild drei Löwen mit roten Zungen. Dies ist das Wappen der Staufer, die im Mittelalter Könige des Reiches und Herzöge von Schwaben waren. Darüber siehst du sechs kleine Wappen von Ländern, die in der Vergangenheit auf dem Gebiet des heutigen Baden-Württemberg bestanden: Franken (weiß-roter „fränkischer Rechen"), Hohenzollern (schwarz-weiß gevierter Schild), Baden (roter Schrägbalken im goldenen Feld), Württemberg (drei Hirschstangen), Kurpfalz (staufischer Löwe) und Vorderösterreich (rot-weiß-roter Bindenschild). Gehalten wird der Schild vom württembergischen Hirsch und dem badischen Greif. Der Greif ist ein Mischwesen, das aus verschiedenen Tieren besteht.

Geschichte: überall und um uns herum

Geschichte ist überall! Das Fernsehen berichtet über ägyptische Pharaonen oder mittelalterliche Ritter. Vielleicht hast du über berühmte Herrscher wie Caesar gelesen oder Bilder aus dem Zweiten Weltkrieg gesehen. In deiner Stadt gibt es viele Zeugnisse der Geschichte: Kirche, Rathaus, Bahnhof, alte Häuser oder eine Burgruine sind Überreste der Vergangenheit. Straßennamen erinnern an berühmte Menschen („Mozartstraße"), an die frühere Nutzung eines Ortes („Schmiedgasse") oder bedeutende Ereignisse („Straße der Einheit"). Sicherlich haben dir Eltern und Großeltern von früher erzählt. Denn wir alle haben eine Geschichte und sind gleichzeitig Teil der Geschichte. Von dem, was heute geschieht, können vermutlich spätere Generationen etwas in Geschichtsbüchern lesen.

Quellen: Zeugnisse aus der Vergangenheit

Was weißt du über die Geschichte deines Wohnortes, seiner Gebäude und seiner berühmten Persönlichkeiten? All das kannst du erforschen. Bücher und Internetseiten geben darüber Auskunft. Im Museum, im Rathaus oder bei Geschichtsforschern kannst du ebenfalls Informationen einholen.
Aber woher haben diese Menschen ihr Wissen über Ereignisse, bei denen sie gar nicht dabei waren? Sie gewinnen es durch Zeugnisse aus der Vergangenheit. Geschichtsforscher nennen diese Zeugnisse Quellen. Sie bezeugen und belegen, stehen also für etwas. Wir unterscheiden **schriftliche Quellen** wie Urkunden, Briefe oder Tagebücher und **nichtschriftliche Quellen**. Dazu gehören vor allem Bilder, aber auch Werkzeuge, Kleidung, Ton- und Filmaufzeichnungen oder Überreste von Häusern und Siedlungen.

Quellen bezeugen die Geschichte um uns

Bringen wir nun beides zusammen: Geschichte kann man begegnen. Diese Begegnung geschieht durch Quellen. Sicher bist du schon oft Geschichte begegnet – auf deinem Schulweg, in deinem Wohnort oder deiner Heimatregion. All diese Orte mögen ganz unterschiedlich sein, haben jedoch eines gemeinsam: Sie liegen im heutigen Bundesland Baden-Württemberg.
Seit rund 600 000 Jahren ist menschliches Leben in Südwestdeutschland durch Quellen nachweisbar. Erste Siedlungen auf dem Gebiet des heutigen Bundeslandes Baden-Württemberg gibt es seit über 7 000 Jahren. Später entwickelten sich hier über 250 einzelne Herrschaftsgebiete.
Der eigentliche Geburtstag unseres Bundeslandes ist jedoch der 25. April 1952. An diesem Tag schlossen sich Baden, Württemberg-Baden und Württemberg-Hohenzollern zu einem Bundesland zusammen. Stuttgart ist seitdem die Landeshauptstadt.

schriftliche Quellen nichtschriftliche Quellen

M 3 Stuttgart, Marktplatz
Foto von 2015

M 2 Stuttgart, Marktplatz
Foto von 1919

M 4 Quellen
Fotomontage von 2015

① Mit dieser Urkunde nahm 814 König Ludwig das Kloster Ellwangen in seinen Schutz.
② 1848 wollten viele Menschen mehr Freiheit. Sie zogen auf die Straßen. In Lörrach spielte dabei jemand diese Trommel.
③ Mit diesem Plakat warben 1952 die Anhänger einer Vereinigung von Baden und Württemberg.
④ Im Ulmer Münster wurde dieser jüdische Grabstein gefunden. Seine Rückseite trägt eine zweite Inschrift für einen 1377 gestorbenen Priester.
⑤ Christian von Martens (1793 - 1882) war Offizier der königlich-württembergischen Armee. Auf seinen Reisen schrieb er Tagebuch und malte Bilder dazu.
⑥ 1903 erfand Margarethe Steiff ein neues Spielzeug – den „Teddy".
⑦ Um 270 wurden die Römer oft von Germanen angegriffen. Ein Römer vergrub sein Geld lieber im Boden.

1. *Erkläre, warum das Große Landeswappen (M1) als Quelle zur Geschichte Baden-Württembergs bezeichnet werden kann.*
2. *Überprüfe, ob es sich bei den Beispielen in M4 um schriftliche oder nichtschriftliche Quellen handelt. Erkläre, warum die Zuordnung manchmal schwierig ist.*
3. *Quellen sind Zeugnisse aus der Vergangenheit. Wähle deine „Lieblingsquelle" aus M4 und zeichne eine Skizze davon in dein Heft. Erläutere in einer Sprechblase, die von der Quelle ausgeht, was diese „bezeugt".*
4. *Untersuche die beiden Fotos M2 und M3. Beschreibe die Veränderungen zwischen den Bildern. Kannst du Gründe nennen?*
5. *Ein Fotoprojekt: Suche alte Ansichten von deinem Schul- oder Wohnort. Mache möglichst aus der gleichen Perspektive ein Foto. Stelle in einer Tabelle alle Unterschiede zwischen der alten und der neuen Ansicht zusammen.*

um 5500 v. Chr.: erste Dörfer auf dem Gebiet des heutigen Baden-Württemberg
um 1080: Gründung der Grafschaft Württemberg
um 1100: Gründung der Markgrafschaft Baden
1806: Württemberg wird Königreich, Baden wird Großherzogtum
1952: Gründung des Bundeslandes Baden-Württemberg

5000 v. Chr. | 1000 | 1100 | 1200 | 1300 | 1400 | 1500 | 1600 | 1700 | 1800 | 1900 | 2000

Wie rechnet man mit Zeit?

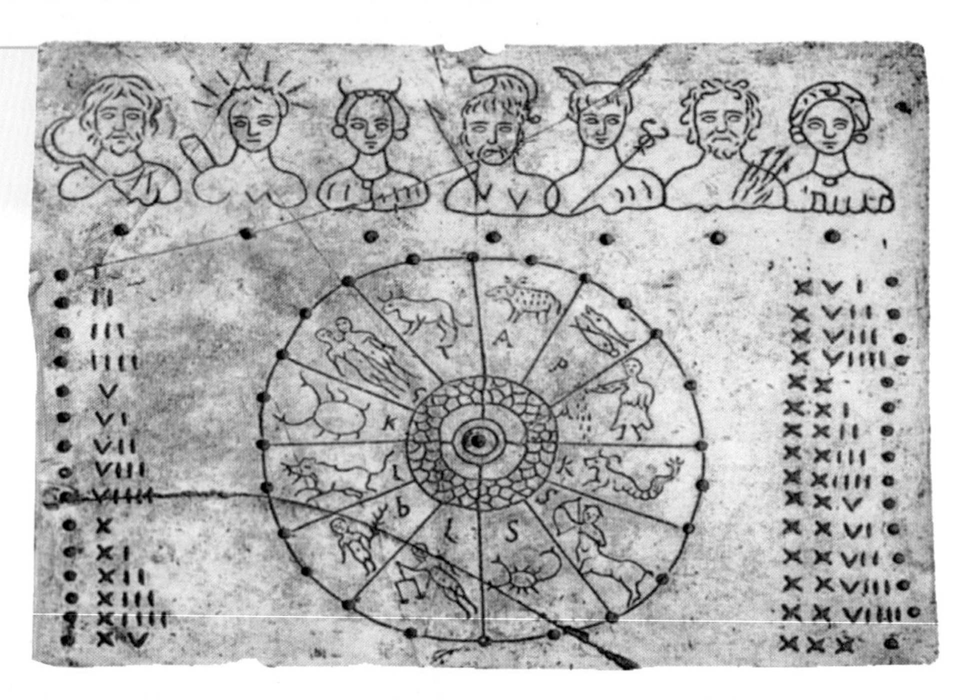

M 1 Römischer Steckkalender
Rom, 4. Jh.
Beim Steckkalender wurden im Kreis die zwölf Monate (mit ihren Tierkreiszeichen) und an der Seite die Tage markiert. Dazu verwendete man kleine Pflöcke aus Holz.
Die sieben Figuren in der oberen Reihe stehen für römische Götter, die jeweils einem Wochentag zugeordnet waren.

Die Erfindung des Kalenders

Welchen Tag haben wir und wie spät ist es? Das finden wir heute mit einem Blick auf **Kalender** und Uhr heraus. Außerdem gibt die Natur Hinweise. Der Wechsel von Tag und Nacht, der Sonnenstand, die Jahreszeiten und der Sternenhimmel helfen uns ebenfalls, die Zeit zu gliedern.

Dies erkannten schon vor 5 000 Jahren die Ägypter. Sie bemerkten, dass der Nil immer dann über die Ufer trat, wenn im Osten vor Sonnenaufgang der Stern Sirius hell am Himmel leuchtete. Damit begann für sie ein neues Jahr.

Die Ägypter teilten die Zeit zwischen den Neujahrstagen in zwölf Monate mit jeweils 30 Tagen ein. Am Jahresende fügten sie fünf weitere Tage hinzu und hatten ein Jahr mit 365 Tage. Der erste Kalender war erfunden.

Welchen Kalender verwenden wir? Nach mehreren Verbesserungen setzte vor mehr als 400 Jahren Papst Gregor XIII. den noch heute gültigen Gregorianischen Kalender in Kraft.

Wie ordnet man Zeit?

Wenn wir Jahre zählen und ordnen wollen, benötigen wir einen festen Bezugspunkt wie die Geburt Christi. Die Jahre werden in die Zeit vor und nach Christi Geburt eingeteilt (v. Chr./n. Chr.). Diese **Zeitrechnung** nutzen wir seit etwa 1 400 Jahren. Davor orientierten sich die Menschen an den Regierungszeiten von Herrschern.

Im Islam ist das Jahr 622 unserer Zeitrechnung der Bezugspunkt, als der Prophet Mohammed aus Mekka vertrieben wurde. Die Juden haben die Erschaffung der Welt als Bezugspunkt. Vor langer Zeit haben jüdische Gelehrte dieses Ereignis aus Angaben in der Bibel errechnet. Das erste Jahr des jüdischen Kalenders entspricht dem Jahr 3761 v. Chr. nach unserer Zeitrechnung.

Größere Zeiträume lassen sich in Jahrhunderte oder Jahrtausende zusammenfassen. Das 19. Jahrhundert beispielsweise umfasst den Zeitraum von 1801 bis 1900. Eine noch längere Einheit ist die **Epoche**. Geschichte gliedern wir in mehrere Epochen: Die Frühgeschichte ist erste Epoche. Darauf folgt das Altertum, das die griechische und römische Geschichte zwischen 1000 v. Chr. und 500 n. Chr. umfasst. Dann kommt das Mittelalter, das um 1500 n. Chr. in die Neuzeit mündet. Unter Zeitgeschichte verstehen wir die Epoche, in der wir leben und aus der uns Zeitzeugen noch etwas davon berichten können, was sie selbst miterlebt haben.

M 2 Kalender – gar nicht mal so einfach!

Ein Kalender teilt die Zeit ein. Jeder verwendet ihn, um Feiertage nachzuschauen und Termine zu markieren. Die Entstehung des Kalenders war aber keine so einfache Sache. Viele kluge Leute haben sich mit Zeitrechnung beschäftigt.

Ein *Jahr* ist die Zeit zwischen dem kürzesten Tag im Winter und dem kürzesten Tag im nächsten Winter. Das dauert lange, daher nutzten die Menschen schon früh kleinere Einheiten: Die Zeit 5 zwischen zwei Vollmonden nannten sie *Monat* und teilten das Jahr in 12 Monate. Zwischen zwei Vollmonden vergehen 29 bis 30 Tage, 12 Monate dauern 354 Tage. Zwischen zwei kürzesten Wintertagen vergehen aber etwa 365 Tage (genau 10 365,242... Tage). So fehlten den alten Römern jedes Jahr etwa elf Tage. Die glichen sie aus, indem sie ab und zu einen 13. Monat einschalteten.

Der römische Feldherr Julius Cäsar legte 46 v. Chr. bessere Regeln fest: Jedes Jahr hat 365 Tage. Jedes 15 vierte Jahr wird Ende Februar ein zusätzlicher Tag eingeschaltet. Der *„Julianische Kalender“* war recht genau: sein Jahr dauert 365 ¼ Tage.

Aber es war doch ein bisschen zu lang! Von einem Jahr zum nächsten merkte man nichts, aber 20 im Laufe der Jahrhunderte kam der kürzeste Tag des Jahres auf einen immer früheren Kalendertag! 1580 war er nicht am 21. Dezember, sondern schon am 11. Wenn es so weiterginge, würde Weihnachten eines Tages im Sommer sein!

25 Papst Gregor schuf die Lösung: Er kürzte das Jahr 1582 um 10 Tage – auf den 4. Oktober folgte direkt der 15. Auch in seinem *„Gregorianischen Kalender“* hat ein Jahr 365, jedes Vierte 366 Tage. Aber von dieser Regel Caesars schuf er Ausnahmen: In 30 Jahrhundertjahren, die nicht durch 400 teilbar sind, entfällt der Schalttag. Seither können wir sicher sein, dass der kürzeste Tag des Jahres immer am 21. 12. im Kalender steht.

Eigenbeitrag Markus Sanke

M 3 Zeitmessung früher und heute
Wenn wir die Uhrzeit wissen wollen, sehen wir auf eine Uhr. In früheren Zeiten hatten die Menschen ebenfalls Zeitmessgeräte. Diese unterscheiden sich aber deutlich von modernen Uhren. Auch ein alltäglicher Gegenstand wie eine Uhr hat also eine eigene Geschichte.

1. *Vergleicht den römischen Kalender (M1) mit einem heutigen. Benennt die Unterschiede und überlegt, welche Nachteile der römische Kalender hatte.*
2. *Erklärt, warum wir heute den Gregorianischen Kalender verwenden (M2) und nicht mehr den der Römer oder Ägypter.*
3. *Besprecht in der Klasse, welches der Instrumente zur Zeitmessung (M3) am ältesten und welches am jüngsten ist. Überlegt, zu welcher Kategorie (vgl. S. 12 f.) diese Zusammenstellung passt. Recherchiert, welche neuen Entwicklungen es bei Uhren gibt, die in der Aufstellung fehlen.*
4. *Mit den sechs Quellen auf dem Sammelbild M3 kannst du eine kurze Darstellung „Die Geschichte der Zeitmessung“ schreiben.*

Wozu dient ein Zeitstrahl?

Ein Zeitstrahl ist ein Hilfsmittel für die Orientierung in der Zeit. Er stellt Ereignisse und Zeiträume grafisch dar. Dabei stellt man sich die Zeit als Pfeil oder Gerade vor.
Meist ist der Zeitstrahl waagerecht angeordnet, die ältesten Ereignisse sind links eingetragen. Je weiter wir uns in Richtung des Endpunktes bewegen, desto näher ist die Gegenwart.
Der räumliche Abstand von Punkten auf dem Zeitstrahl zeigt den zeitlichen Abstand zwischen den Ereignissen. Je weiter die Punkte voneinander entfernt sind, desto mehr Zeit liegt dazwischen.
Mit einem Zeitstrahl (auch „Zeitleiste" genannt) erkennen wir auf einen Blick, in welcher Reihenfolge Ereignisse geschahen, ob Entwicklungen aufeinander folgten oder zwei Personen gleichzeitig gelebt haben. Außerdem können mehrere Zeitleisten parallel angeordnet werden. So können wir feststellen und vergleichen, was zur selben Zeit an verschiedenen Orten passiert ist.

Einen Zeitstrahl kannst du in diesen Schritten lesen:

Schritt 1:
- Kläre zuerst, welchem Thema sich der Zeitstrahl widmet. Das sagt dir oft eine Über- oder Unterschrift.

Schritt 2:
- Finde heraus, welche Zeitspanne die Zeitleiste behandelt. Beachte dazu die Jahreszahlen an der Linie, besonders an Anfang und Ende.
- Beschreibe, welche Zeitpunkte oder Zeiträume eingetragen sind.
- Bestimme die Dauer oder den Abstand von eingetragenen Ereignissen, die dir für die Fragestellung wichtig scheinen.

Schritt 3:
- Formuliere deine Ergebnisse in ganzen Sätzen.

Dabei kannst du diese Formulierungen verwenden:
1. Der Zeitstrahl zeigt die Entwicklung von … / die zeitliche Abfolge von …. Auf der Zeitleiste sind wichtige Schritte der Geschichte des … eingetragen.
2. Der Zeitstrahl beginnt im … Jahrhundert / Jahrtausend und reicht bis ins Jahr … / in die Gegenwart.
3. Wir erfahren die Zeit, zu der es … gab / die Lebenszeit von … . Man sieht, dass … X Jahre früher / später geschah als ….

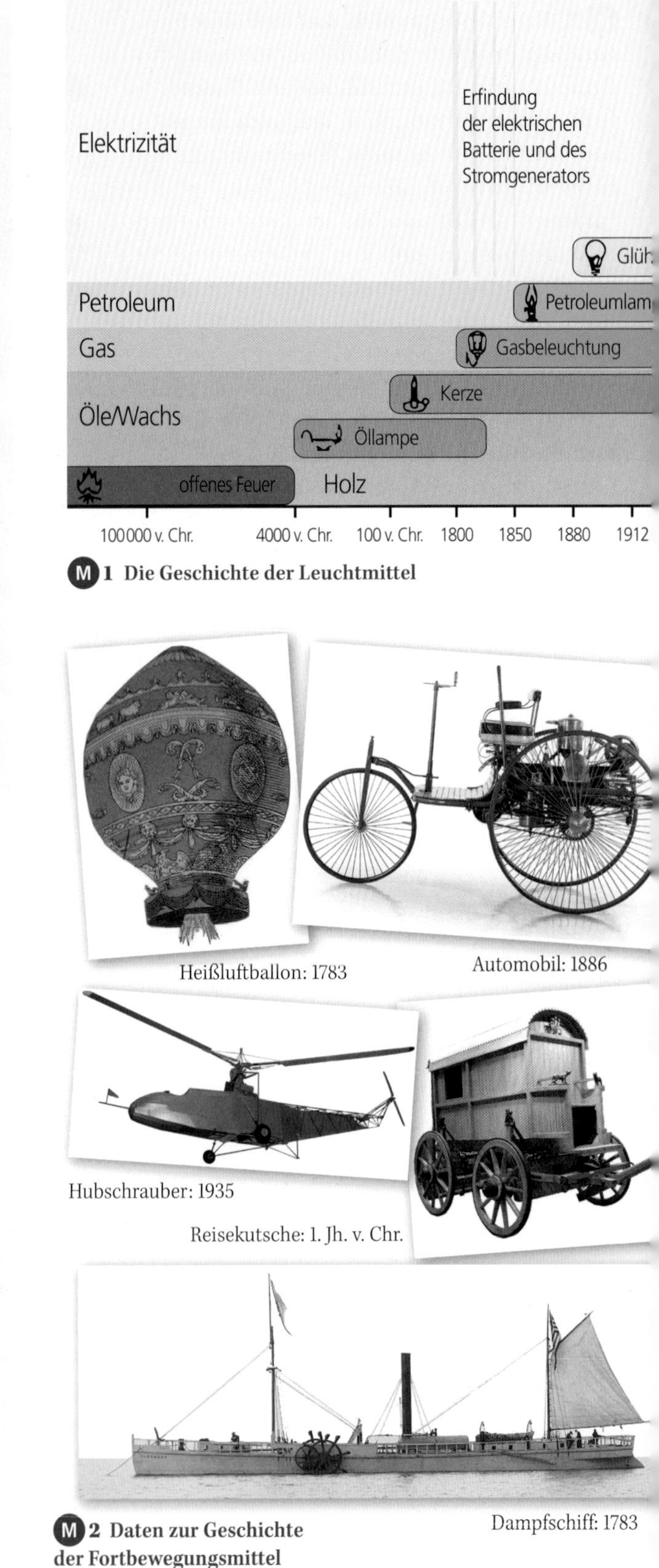

M1 Die Geschichte der Leuchtmittel

Heißluftballon: 1783

Automobil: 1886

Hubschrauber: 1935

Reisekutsche: 1. Jh. v. Chr.

Dampfschiff: 1783

M2 Daten zur Geschichte der Fortbewegungsmittel

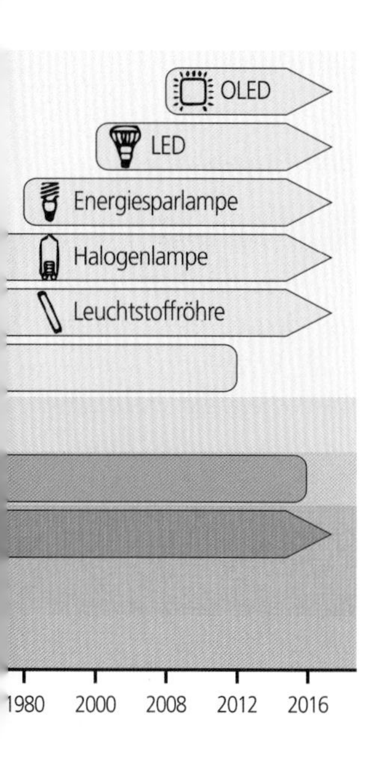

1. *Zähle die Informationen des Zeitstrahls M1 auf, die für die Geschichte der Leuchtmittel bedeutsam sein könnten.*
2. *Wie viel Zeit ist zwischen der Erfindung der Gasbeleuchtung und der ersten Glühlampe vergangen?*
3. *Beschreibe mithilfe der Zeitleiste, welche Auswirkungen die Entdeckung von Elektrizität auf die Entwicklung hatte.*
4. *Untersuche, was der Zeitstrahl über die Geschwindigkeit der Entwicklung aussagt.*
5. *Beschreibe mit eigenen Worten, wie sich der Maßstab der Zeitleiste von links nach rechts verändert. Erschließe, warum der Zeichner so vorgegangen ist.*

1. Schon vor 100 000 v. Chr. offenes Feuer als erstes Leuchtmittel. Dann viele weitere Erfindungen bis hin zum künstlichen Licht in der Gegenwart. Verschiedene Energiequellen: Öle/Wachs, Gas, Petroleum und Elektrizität
2. etwa 80 Jahre
3. Seit Erfindung der Glühlampe kamen stetig neue Leuchtmittel. Die allermeisten Leuchten werden heute mit Elektrizität betrieben.
4. Viele Jahrtausende waren Menschen auf Feuer angewiesen. Seit dem 19. Jh. ist die Entwicklung dann rasant fortgeschritten.
5. Der Maßstab wird von links nach rechts größer: Eine Strecke entspricht links einer langen Zeit, rechts nur wenigen Jahren. Die Zeitleiste wäre sonst so lang, dass sie nicht auf die Seite passt.

Segelboot: spätestens 3500 v. Chr.

hrrad: 1817

Eisenbahn: 1825

otorflugzeug: 1903

Jetzt bist du dran: Einen Zeitstrahl anlegen

Du solltest nach dem Muster von M1 mithilfe der Abbildungen aus M2 einen Zeitstrahl entwickeln zum Thema „Geschichte der Fortbewegungsmittel"

1. *Diskutiert hierzu in der Klasse:*
   a) *Welche Fakten und Erkenntnisse soll der Zeitstrahl vermitteln?*
   b) *Welche Informationen fehlen euch noch, wenn ihr nach dem Vorbild von M1 vorgehen wollt?*
   c) *Welchen Maßstab werdet ihr wählen?*
2. *Bildet Gruppen zu vier bis fünf Schülerinnen und Schülern und erstellt euren Zeitstrahl.*
3. *Ergänzt euren Zeitstrahl um weitere Fortbewegungsmittel. Die Informationen zu ihrer Erfindungszeit könnt ihr im Internet ermitteln, z. B. unter www.was-war-wann.de/geschichte/fortbewegungsmittel.html.*
   Vielleicht wollt ihr die Fortbewegungsmittel auf eurem Zeitstrahl noch untergliedern, etwa in Land-, See- und Luftfahrzeuge oder nach dem Energieträger, den sie benötigen?
4. *Stellt eure Zeitleisten in der Klasse vor und vergleicht die Lösungen.*

Geschichte wird gemacht!

M 1 „Vergangenheit – Gegenwart – Zukunft“
Skulptur der Bildhauerin Christiane Püttmann, 2004
Die Skulptur steht im Hof von Schloss Burg an der Wupper bei Solingen (NRW).

Wie Geschichtsforscher arbeiten

Vielleicht hast du dich über die Überschrift dieses Kapitels gewundert und gefragt, warum Geschichte „gemacht" wird? Erinnere dich an unser Gedankenexperiment mit der „Vergangenheitsaufzeichnungsmaschine"[1]: Selbst wenn es so eine Maschine gäbe, wären Geschichtsforscher – man nennt sie **Historiker** – nicht arbeitslos, denn ihre Arbeit unterscheidet sich von der reinen Vergangenheitsaufzeichnung der Maschine. Historiker können viel mehr als eine solche Maschine: Aussagen wie „Jetzt beginnt eine neue Zeit" oder „Diese Erfindung war entscheidend für die weitere Entwicklung der Menschheit" könnte der Computer nie machen – der zurückschauende Historiker aber schon. Er wendet sich der Vergangenheit zu, lebt aber ganz in der Gegenwart.

Jeder Historiker wäre natürlich brennend daran interessiert, in den Besitz der vollständigen Datensammlung zu kommen. Aber selbst wenn es sie gäbe, wäre noch kein Problem gelöst. Der Historiker müsste aus dieser „Super-Quelle" zuerst ganz viel aussortieren, was ihn nicht weiterbringt. Er müsste die Daten, die ihn interessieren, auswählen. Diese müsste er dann ordnen und deuten, also einen Sinn herausarbeiten. Wenn es ein guter Historiker ist, macht er das nicht irgendwie und einfach so, sondern geht „mit Methode" vor. Daher wirst auch du im Laufe des Schuljahres einige dieser Methoden kennenlernen.

Geschichte entsteht durch Fragen und Erzählen

Besonders erfolgreich scheint bei diesem „In Ordnung bringen" und „Sinn herausarbeiten" etwas zu sein, was seit Jahrtausenden bei allen Völkern der Welt anzutreffen ist: die **Erzählung**. In ihren Erzählungen versuchen Menschen, die Vorkommnisse der Vergangenheit auf einen „roten Faden" aufzufädeln. Damit versuchen sie, Sinn oder Unsinn in der Vergangenheit zu erkennen.

Auch Historiker schaffen Geschichts-Erzählungen. Sie sind dabei bemüht, nichts, was sie nicht durch Quellen belegen können, hinzuzudichten. Sie dürfen auch nichts Wichtiges verschweigen. Trotzdem unterscheidet sich der rote Faden der Erzählung von Historiker zu Historiker. Den einen Historiker interessiert vielleicht die Frage nach dem, was Menschen in vergangenen Zeiten geglaubt haben. Der andere fragt, wie sie Handel trieben. Natürlich wirkt die Frage ganz entscheidend mit bei dem, wie Geschichte „gemacht", also erzählt wird.

Am Ende der oft recht mühsamen Arbeit des Historikers steht ein Text – eine Darstellung auf Grundlage der Quellen. Dieser Text ist aufgebaut wie eine Erzählung: mit einem Anfang, einem Ende und einer Absicht, die erzählt werden soll. Solche Darstellungen findest du auch in diesem Buch: Die längeren Texte auf den linken Seiten haben Historiker auf der Grundlage von Quellen und mithilfe von Darstellungen anderer Historiker für euch geschrieben.

Die Perspektive des Historikers

Historiker sind also keine „Vergangenheitsaufzeichner", sondern „Vergangenheitsdeuter". Deshalb ist noch etwas ganz wichtig: Kein Mensch gleicht dem anderen vollkommen, und auch die Herangehensweise zweier Historiker an ein und dieselbe Quelle ist nie ganz gleich. Und das, was dabei herauskommt, eben auch nicht. Diese Sichtweise auf die Quellen nennen wir **Perspektive**. Unterschiedliche Perspektiven haben in der Geschichtswissenschaft immer wieder zu Streit geführt. Und dass Historiker sehr streitbar sind, wirst du auch in diesem Buch immer wieder feststellen.

[1] siehe S. 12

M2 Steckbrief Johann Martin Chladenius

- geboren 1710 in Wittenberg
- gestorben 1759 in Erlangen
- Beruf: Schulleiter, Theologieprofessor
- Was ihm wichtig war:

In jeder Wahrnehmung vergangener Ereignisse kommt immer auch der persönliche Standort des Betrachters zum Ausdruck. Diesen nannte er „*Sehepunckt*". Es ging ihm also um die Betonung der Perspektive: „*Personen, die eine Sache aus verschiedenen Sehepunckten sehen,* [müssen] *auch verschiedene Vorstellungen von der Sache haben.*" Damit ist jede Darstellung vergangener Ereignisse abhängig von den Lebensumständen des Betrachters, seinen persönlichen Einstellungen und Interessen: „*Eine Rebellion* [Aufstand] *wird anders von einem getreuen Untertanen, anders von einem Rebellen* [Aufständischen], *anders von einem Ausländer, anders von einem Hofmann, anders von einem Bürger oder Bauern angesehen.*" Auf der anderen Seite dürfe dies aber nicht zur Parteilichkeit führen. Parteilichkeit verstand Chladenius als das bewusste Verdrehen von Tatsachen, obwohl man es eigentlich besser weiß.

M3 Steckbrief Leopold von Ranke

- geboren 1795 in Wiehe (Thüringen)
- gestorben 1886 in Berlin
- Beruf: Gymnasiallehrer, Geschichtsprofessor
- Was ihm wichtig war:

Er forderte möglichst große Sachlichkeit und Neutralität bei der Darstellung vergangener Ereignisse. Er wollte also, dass die Beschäftigung mit der Vergangenheit unabhängig ist von der Perspektive des jeweiligen Betrachters. Die Darstellung eines Historikers könne daher „*zeigen, wie es eigentlich gewesen* [ist]." Dass dies nicht so einfach ist, war Ranke aber durchaus klar. So schrieb er einmal: „*Ich wünschte, mein Selbst* [meine persönliche Sichtweise] *gleichsam auszulöschen und nur die Dinge reden [...] zu lassen.*" Dennoch hielt Ranke eine solche Sachlichkeit (Objektivität) für möglich und Unparteilichkeit für die Pflicht des Historikers. Die Aufgabe der Geschichtswissenschaft sah er im genauen Studium der Quellen und der objektiven Darstellung der eigenen Erkenntnisse.

1. *Erkläre, warum man die Skulptur „Vergangenheit – Gegenwart – Zukunft" (M1) auch „Die drei Gesichter des Historikers" nennen könnte.*
2. *In M1 fehlt auch Wichtiges, wenn die Arbeit des Historikers dargestellt werden soll. Ergänze mit Hilfe deines Wissens von S. 14/15.*
3. *Vergleiche die Position von Johann Martin Chladenius (M2) mit der Position von Leopold von Ranke (M3). Welche überzeugt dich eher?*
   - *Überprüfe, ob ein Kompromiss möglich ist.*
4. *Chladenius und Ranke sind schon sehr lange tot. Dennoch haben ihre Erkenntnisse noch heute grundsätzliche Bedeutung – nicht nur in der Geschichtswissenschaft. Sammelt Beispiele aus eurem Alltag, bei denen es um das Problem von „Parteilichkeit" bzw. „Unparteilichkeit" und „Perspektive" geht.*

Der bekannte Historiker Werner Dahlheim hat ein Buch über die Geschichte der Römerzeit geschrieben. Im Vorwort steht:
„Gewidmet ist dieses Buch meiner Enkelin Elisabeth. Sie wird einmal als Kommandantin eines Raumschiffes neue Welten erkunden. Von den alten erzählt ihr auf den langen Fahrten das Buch ihres Großvaters."
Ist das nicht eine schöne, bildhafte und sehr persönliche Antwort auf die Frage, wozu Geschichte gut ist?

Am Beginn dieses Kapitels haben wir uns eine ganz ähnliche Leitfrage gestellt:
Geschichte – was, wie und warum eigentlich?
Mit dem, was ihr in diesem Kapitel erfahren habt, könnt ihr diese Frage nun beantworten.

Die Straße der Geschichte

Unsere „Straße der Geschichte" (M) stellt die Geschichte als Straße dar. Am ihrem Rand sind Bauwerke abgebildet. Auf der Straße stehen Spielfiguren. Diese stellen entweder berühmte Persönlichkeiten der Geschichte dar oder Menschen, die typisch sind für ihre Zeit. Die Bilder auf der linken Straßenseite zeigen berühmte Bauwerke aus der Weltgeschichte. Auf der rechten Seite finden sich Bilder aus der Geschichte Baden-Württembergs. Aus der Mischung von Realität und Nachbildung (Spielfiguren) können sich spannende Fragen ergeben.

---

1. *Die obige Karteikarte ist noch leer. Gestalte sie, indem du mindestens eine der drei Teilfragen unserer Leitfrage (was? wie? warum?) mit einer Zeichnung oder einem kurzen Text beantwortest. Klebe dann diese Antwort in dein Heft ein. Natürlich kannst du auch eine ganze Heftseite gestalten. Am Ende des Schuljahres kannst du Rückschau halten und überprüfen: Würde ich meine Antwort noch genauso geben oder hat sich meine Perspektive inzwischen verändert?*

2. *Beschreibe mit eigenen Worten, was der Autor der „Straße der Geschichte" darstellen will (M).*

3. *„Die Geschichte ist doch kein fest vorgezeichneter Weg!" So könnte ein Historiker kritisch über unsere „Straße der Geschichte" urteilen. Diskutiert darüber in der Klasse.*

Internettipp:
Eine Erklärung zu den Figuren, die auf der „Straße der Geschichte" gehen, erhältst du unter 31041-01

M Die Straße der Geschichte
Nach einer Idee der Zeitschrift „Skalk"

In der Welt:
① Pyramiden in Gizeh, Gräber ägyptischer Könige, um 2600 v. Chr.
② Athena-Tempel in Athen (Parthenon), 447 - 433 v. Chr.
③ Größtes Amphitheater in Rom (Kolosseum), 72 - 80 n. Chr.
④ Glockenturm am Dom von Pisa („Schiefer Turm"), 1173 - 1372
⑤ Schloss Versailles, Hauptschloss französischer Könige, 1668 - 1689
⑥ Eiffelturm Paris, Wahrzeichen der Weltausstellung 1889, gebaut 1887

Bei uns in Baden-Württemberg:
Ⓐ Am Ende der letzten Kaltzeit vor rund 10 000 Jahren hinterließen die zurückweichenden Gletscher das Becken des Bodensees.
Ⓑ Um 550 v. Chr. wurde beim heutigen Ort Hochdorf ein keltischer Herr mit prächtigen Beigaben bestattet.
Ⓒ Etwa ab 150 n. Chr. war das Kastell Aalen das größte römische Militärlager am Limes.
Ⓓ Im 12. Jh. gründeten Mönche das Kloster Maulbronn. Es wurde ein Zentrum von Herrschaft, Wirtschaft und Kultur.
Ⓔ 1715 begann Markgraf Karl Wilhelm von Baden-Durlach mit dem Bau des Karlsruher Schlosses. Bis 1918 lebten hier die Herrscher von Baden.
Ⓕ 1904 zog die Daimler-Motorengesellschaft in ihr Werk in Türkheim ein. Seit 1902 baut sie Kraftfahrzeuge namens „Mercedes".

2 Menschen der Ur- und Frühgeschichte

Im Sommer 2006 begann für dreizehn Personen ein Abenteuer: Sie lebten zwei Monate wie in der Steinzeit. Die Zeitreisenden wohnten in einem nachgebauten Dorf am Bodenseeufer, wie es vor etwa 5 000 Jahren dort gestanden haben könnte. Kinder und Erwachsene: Alle halfen mit beim Fischen, Ernten, Mehlmahlen, Feuermachen, Kochen in Keramikgefäßen und vielem mehr.

M Abenteuer Steinzeit
Bild aus einer Fernsehdokumentation von 2007
Häuser, Kleidung, Werkzeuge und Speisen im Dorf sollten genau dem Alltag vor 5 000 Jahren entsprechen.

- *Für eure Schülerzeitung wollt ihr über das Steinzeit-Experiment berichten. Entwerft ein Interview mit drei bis fünf Fragen an die Teilnehmer.*

Fragen an …
Menschen der Ur- und Frühgeschichte

Das Leben in einem Dorf vor 5000 Jahren kommt uns fremd und altmodisch vor. Dabei war diese Lebensweise einmal modern. Sie war das Ergebnis einer langen Entwicklung vom Leben der Menschen als Jäger und Sammler zu Bauern und Viehhaltern.

In diesem Kapitel erfährst du, was die Unterschiede zwischen beiden Lebensweisen sind, wie die frühen Menschen ihr Leben gestalteten, für Nahrung sorgten, woran sie möglicherweise glaubten, welche Tätigkeiten sie untereinander aufteilten und wie neue Werkstoffe den Alltag veränderten.

Wirtschaft

Wie bestimmte die Natur das Leben der Menschen?
Wann und warum gingen die Menschen dazu über, Pflanzen anzubauen und Vieh zu halten?
Wodurch begannen sie ihre Umwelt zu ändern? …

Harpunenspitzen für die Jagd. Brillenhöhle bei Blaubeuren. Rengeweih, Länge: bis 15 cm.

Kultur

Welche Bilder schufen die Menschen der Frühzeit?
Wie können wir solche Bilder heute deuten?
Können wir herausfinden, was die Menschen über das Leben und den Tod dachten? …

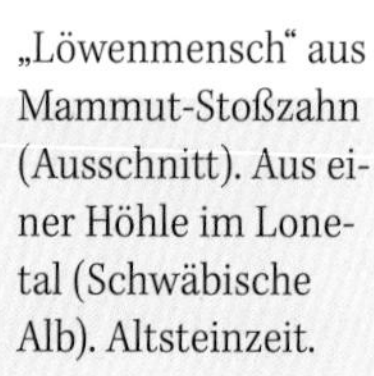

„Löwenmensch“ aus Mammut-Stoßzahn (Ausschnitt). Aus einer Höhle im Lonetal (Schwäbische Alb). Altsteinzeit.

Vernetzung

Wann begegneten sich Menschen mit unterschiedlicher Lebensweise?
Wie verlief ihre Begegnung – friedlich oder feindlich?
Konnten die Menschen etwas voneinander lernen? …

Begegnung von letzten Jägern und ersten Bauern (Bild aus einem Jugendbuch). Jungsteinzeit.

Gesellschaft

Wie teilten die Menschen Aufgaben unter sich auf?
In welchen Gruppen lebten sie zusammen?
Warum und wann entstanden spezielle Berufe?
Seit wann gibt es reiche und arme Menschen? …

Rasiermesser aus Metall, Länge: 11 cm. Grabfund aus Stuttgart-Bad Cannstatt. Bronzezeit.

Herrschaft

Können wir herausfinden, ob es Menschen mit besonders großer Macht über andere gab?
Wie lebten die Leute, die mit reichen Beigaben bestattet wurden? Waren es mächtige Fürsten? …

Beigaben aus dem „Fürstengrab“ von Hochdorf. Eisenzeit.

Leitfrage *Die Menschen in der Ur- und Frühgeschichte – fremdartig und altmodisch?*

Altsteinzeit

2,5 Mio. Jahre v. Chr. **10000 v. Chr.** **9000 v. Chr.** **8000 v**

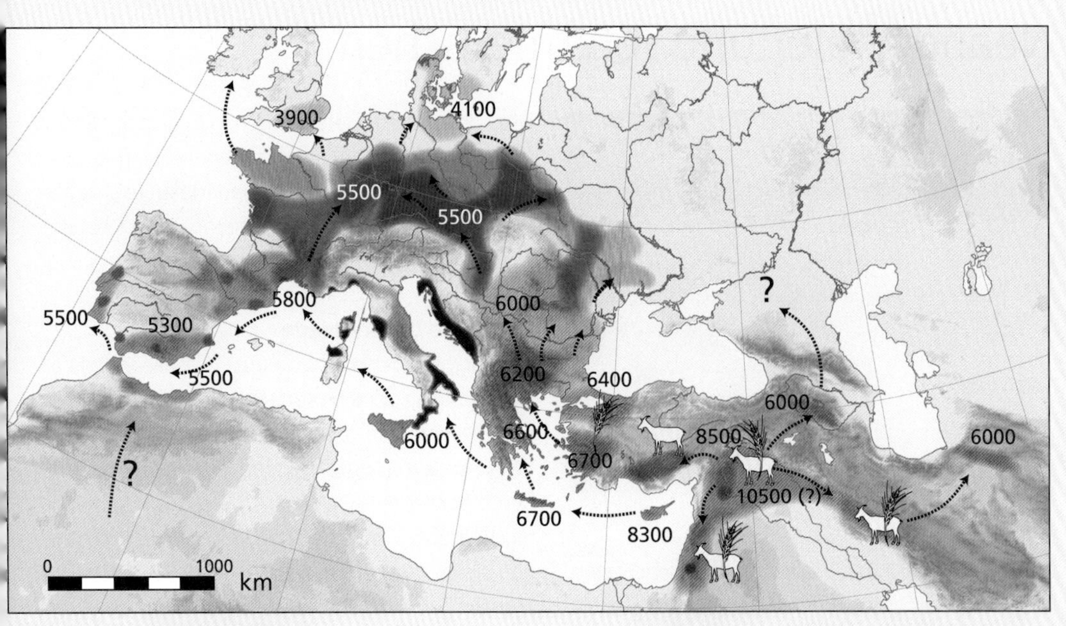

M1 Beginn von Ackerbau und Viehhaltung in verschiedenen Regionen Europas und Asiens
Aus Vorderasien und Anatolien stammen die wilden Formen von Weizen und Gerste, Schaf und Ziege.

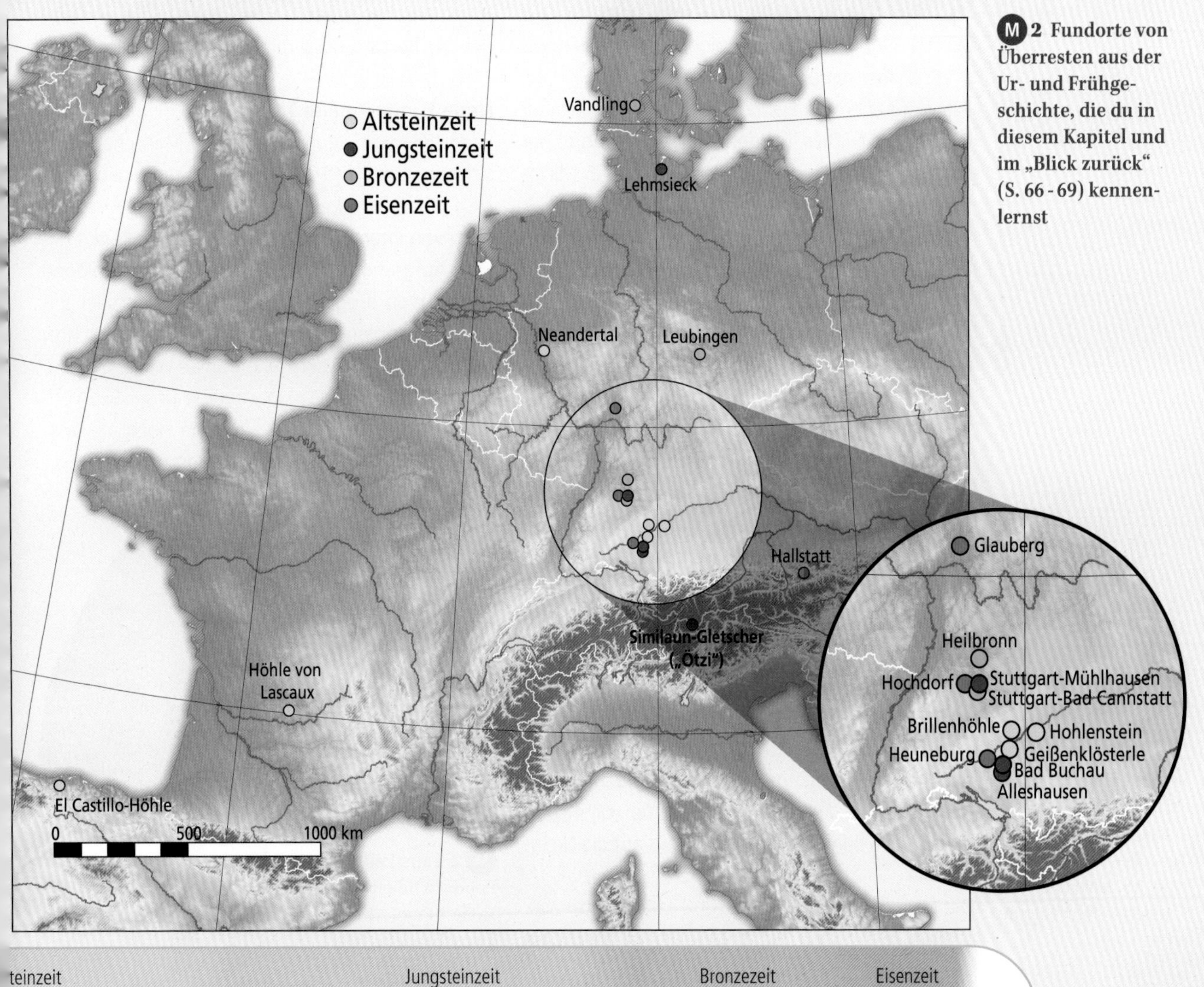

M2 Fundorte von Überresten aus der Ur- und Frühgeschichte, die du in diesem Kapitel und im „Blick zurück" **(S. 66 - 69)** **kennenlernst**

Neandertaler und Jetztmenschen

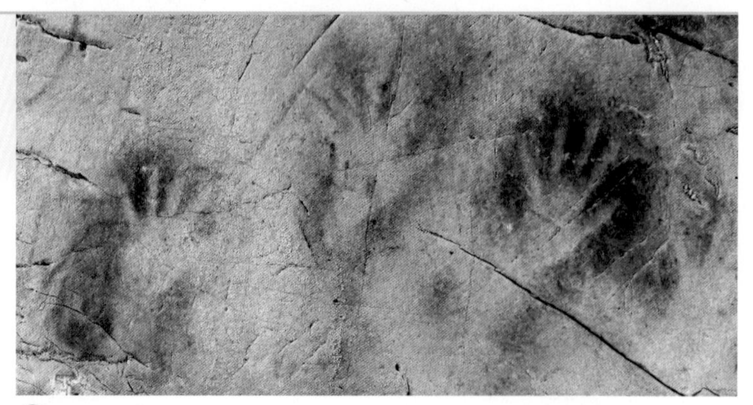

M 1 Handumrisse auf einer Höhlenwand
El Castillo (Spanien), ca. 40 000 Jahre alt
Bisher wurden keine älteren Funde entdeckt, in denen Menschen so eindeutig ein bewusstes Zeugnis von sich selbst hinterlassen haben.
Die rote Farbe wurde vermutlich mit dem Mund aufgesprüht.

Altsteinzeit

Als im Jahr 2012 Zeitungen darüber berichteten, dass einige der Wandbilder in der Höhle El Castillo (Spanien) älter als 40 000 Jahre sind, stellte dies die Vorstellungen vieler Archäologen auf den Kopf. Wer hat hier seine Spuren hinterlassen?
Eines ist sicher: Die Handumrisse stammen aus der **Altsteinzeit**. Dies ist der älteste Abschnitt der Menschheitsgeschichte. Er begann vor 2,6 Millionen Jahren und dauerte bis 10 000 vor heute. Die Menschen lebten als **Jäger und Sammler** von Pflanzen, die in ihrer Umgebung wuchsen, und vom Fleisch der dort lebenden Tiere. Sie wechselten häufig ihre Wohnplätze. Reisighütten, Zelte aus Tierhäuten, Felsüberhänge und Höhleneingänge boten ihnen Schutz.

Neandertaler und Jetztmenschen

Als die Handumrisse von El Castillo entstanden, lebten in Europa zwei Menschenformen: **Neandertaler** und **Jetztmenschen**. Die Neandertaler waren vergleichsweise klein und schwer, ihre Knochen dick, ihre Kiefer kräftig. Sie lebten vor etwa 130 000 bis 30 000 Jahren in Europa und Teilen Asiens. Zeitgleich lebten in Afrika Menschen, die sich von uns heute im Körperbau nicht unterscheiden. Forscher sehen in ihnen unsere direkten Vorfahren und bezeichnen sie als Jetztmenschen. Im Laufe ihrer Ausbreitung über die Welt erreichten sie vor 42 000 Jahren auch Europa – und trafen dort auf die Neandertaler.
Die Neandertaler starben 10 000 Jahre später aus. Warum, wissen wir nicht. Möglich ist aber, dass Neandertaler und Jetztmenschen sich miteinander mischten. So könnte ein bisschen Neandertaler auch in dir stecken. Da Neandertaler und Jetztmenschen gemeinsame Vorfahren in Afrika haben, sind sie auf alle Fälle miteinander verwandt.

Info: Neandertal
Tal in der Nähe von Düsseldorf. 1856 wurden hier Knochen von einer bis dahin unbekannten Menschenform entdeckt.

Kulturelle Unterschiede

Die Forscher gehen davon aus, dass Neandertaler eine einfache Sprache sprechen konnten, Kleidung aus Fellen trugen, Zelte und Hütten bauten sowie Werkzeuge für die Jagd und die Zerlegung von Beute herstellten. Ob sie auch ihre Toten aufwändig begruben, ist umstritten. Möglicherweise trugen sie Tierzähne und Muscheln als Schmuck. Die meisten Schmuckstücke stammen aber von den Jetztmenschen, ebenso wie Höhlenbilder und eindeutige Bestattungen mit besonderen Beigaben.

Neue Funde – neue Theorien

Unser Bild vom Leben der frühen Menschen setzt sich aus alten und neuen Forschungsergebnissen zusammen – und aus Vorstellungen, die wir allgemein von ihren Eigenschaften und Fähigkeiten haben. Aufgrund bisheriger Funde sind Archäologen nicht davon ausgegangen, dass Neandertaler Bilder auf Höhlenwänden hinterließen. Betrachtet man nur das Alter der Handumrisse von El Castillo, wäre es doch möglich. Das würde unser Bild vom Neandertaler verändern – und ihn noch ein bisschen mehr zu unserem Verwandten machen.

M 2 Faustkeil aus Feuerstein
Fundort: Jülich (Rheinland)
Höhe: 14 cm, Alter: ca. 70 000 Jahre
Typisches Arbeitsgerät der Neandertaler.

Altsteinzeit Jäger und Sammler Neandertaler Jetztmensch

M 3 Rekonstruktion eines Neandertalers, 1909
Abbildung aus einer Londoner Zeitung
Der Künstler setzte um, wie sich der Entdecker eines Skelettfundes in Frankreich vor etwa hundert Jahren einen Neandertaler vorstellte. Später erst fand man durch eine Untersuchung der Knochen heraus: Dieser Neandertaler von La Chapelle-aux-Saints war zum Todeszeitpunkt schon ein älterer Mann. Er konnte aufgrund von Alterserscheinungen nur gebückt stehen. Trotzdem stellen sich bis heute viele Menschen Neandertaler ungefähr so vor.

M 4 Der Neandertaler „Shanidar I“

1957 ist in der Shanidar-Höhle (Irak) ein Neandertaler-Skelett gefunden worden. Eine Forscherin schreibt:

Der Neandertaler Shanidar I hatte es nicht leicht: Sein rechter Arm war vermutlich aufgrund eines Geburtsfehlers unterentwickelt. Infolge einer späteren Verletzung verlor er dann einen großen Teil dieses Armes ab dem Ellenbogengelenk. Die stark beanspruchten Zähne zeigen, dass er sein Handicap ausglich, indem er den Mund als zusätzliche Hand benutzte. Außerdem erblindete er aufgrund einer vorangegangenen Verletzung auf dem linken Auge. Er starb im vergleichsweise hohen Alter von 40 Jahren, aber nicht wegen einer seiner vielen körperlichen Einschränkungen, sondern weil die Höhle über ihm einstürzte und die Felsbrocken ihn unter sich begruben. Die Tatsache, dass Shanidar I mit seinen Behinderungen in einer Gemeinschaft integriert war, die wahrscheinlich sogar Aufgabenteilung entsprechend der Fähigkeiten ihrer Mitglieder praktizierte, änderte das Bild vom brutalen, dummen Neandertaler fast über Nacht.

Zit. nach: Marie Rahn und Daniela Szymanski, Mosaik Menschwerdung, Frankfurt am Main 2009, S. 26 (verändert)

M 5 Rekonstruktion zweier Neandertaler
Lebensgroße Figuren im Neanderthal Museum Mettmann, von Elisabeth Daynès, 1996

1. *Erstelle mit Informationen aus dem Darstellungstext, aus M2 und M4-M5 einen Steckbrief der Neandertaler.*
2. *Affen oder Menschen wie wir? Vergleiche M3 und M5. Beschreibe, welche Eigenschaften die Künstler, die diese Rekonstruktionen schufen, den Neandertalern jeweils zuschreiben.*
3. *Erkläre, weshalb der Fund von „Shanidar I“ (M4) frühere Vorstellungen über die Neandertaler (M3) stark veränderte.*
4. *Führt ein Streitgespräch, bei dem ihr die Rolle von Wissenschaftlern übernehmt: Eine Gruppe vertritt die Meinung, die Handumrisse von … El Castillo (M1) stammen von Neandertalern. Die andere Gruppe hält daran fest, dass Jetztmenschen sie geschaffen haben. Nutzt dazu alle Informationen dieser Doppelseite.*

Zeit der Jetztmenschen
Zeit der Neandertaler
Altsteinzeit
M1 M2
2,6 Mio. Jahre — 200 000 Jahre — 100 000 Jahre — heute

Jäger und Sammler der Altsteinzeit

M 1 Rohstoffnutzung in der Altsteinzeit
Rekonstruktionszeichnung, 1996
Werkzeuge aus Stein sind die häufigsten Funde aus der Frühzeit des Menschen. So erhielt die Epoche ihren Namen: Steinzeit. Doch längst nicht alles fertigten die Menschen aus Stein. Aus der Gesamtheit aller Funde können wir schließen, wie die Menschen lebten: wie sie wohnten, wovon sie sich ernährten, und vielleicht auch, woran sie glaubten.

Internettipps:
Ein Klangbeispiel für eine Knochenflöte kannst du dir unter 31041-02 anhören.

Mehr Informationen zum Löwenmenschen findest du unter 31041-03

Leben in Kalt- und Warmzeiten

In der Altsteinzeit wechselten sich warme und kalte Zeitabschnitte ab. Das hatte Auswirkungen auf die Tier- und Pflanzenwelt und damit auf die Nahrungsquellen der Menschen. Die Pflanzenwelt erschließen Forscher aus Samen oder Blütenpollen. Die sehen für jede Pflanze anders aus. Wenn Archäologen an Wohnplätzen Tierknochen ausgraben, können sie herausfinden, welche Tiere gejagt wurden. Pflanzen- und Tierreste helfen ihnen auch, auf das Klima zu schließen.
Am Ende der Altsteinzeit vor 40 000 bis 12 000 Jahren war eine **Kaltzeit**. Die Temperaturen lagen um etwa 10 °C niedriger als heute. Es wuchsen Gräser, Sträucher, Kräuter und Moose. Sie waren die Nahrung für Wildpferde, Mammuts, Rentiere, Wildrinder und Wollnashörner. Pferde, Rentiere und Kleintiere wie Schneehasen, Vögel und Fische waren den Menschen eine willkommene Beute. Daneben sammelten sie Beeren, Nüsse, Wurzeln und Eier. Innerhalb eines Jahres wechselten die Menschen ihre Wohnplätze, um sich mit Nahrung versorgen zu können.

Werkzeuge und Kunst

Die Menschen verfeinerten ihre **Werkzeuge** immer mehr und passten sie so ihren Bedürfnissen an. Sie stellten scharfkantige Jagd- und Schneidegeräte aus Feuerstein her, mit denen sie Tiere jagen und das Fleisch zerlegen konnten. Speerschleudern aus Knochen und Geweih dienten der Rentierjagd, Harpunen und Angelhaken aus Knochen und Geweih dem Fischfang, Nähnadeln aus Knochen der Fertigung von Kleidung und anderen Gegenständen aus Leder. Aus Muscheln und Tierzähnen machten die Menschen Schmuck. Darüber hinaus gibt es Gegenstände, die wir als **Kunst** bezeichnen würden: zum Beispiel aus Mammutelfenbein geschnitzte Tierfiguren oder die ersten Musikinstrumente.

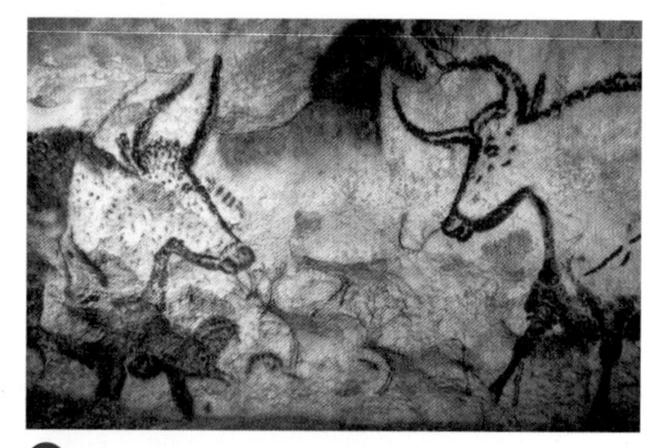

M 2 Tierbilder auf einer Höhlenwand
Höhle von Lascaux, Frankreich, Alter: ca. 17 000 Jahre
Die Farbe aus Kohlestaub und anderen Pigmenten wurde vielleicht mit Pinseln aufgetragen.

Woran glaubten die Menschen?

Warum haben Menschen der Altsteinzeit in Höhlen Handabdrücke oder Tierbilder hinterlassen? Dienten sie vor einer Jagd dazu, die Geister der Tiere zu beschwören, wie es in manchen Geschichten zu lesen ist? Oder haben die Menschen in Höhlen Feste gefeiert, etwa mit Jugendlichen am Übergang zum Erwachsenwerden, wie Forscher schon vermutet haben? Ganz werden wir das nie herausfinden. Sicher ist nur, dass die Menschen sehr gute Beobachter waren und die Tiere mit vielen Einzelheiten lebendig wiedergeben konnten. Die Mühe, die sie sich machten, zeigt, dass die Kunstwerke für sie eine besondere Bedeutung hatten.

Kaltzeit Werkzeug Kunst

M3 Tanz mit dem Löwenmann

Die Kunst der Altsteinzeit weckt unsere Fantasie. Die Schriftstellerin Gabriele Beyerlein hat sich folgende Geschichte ausgedacht:

„Tanzt!", forderte der Löwenmann sie auf, nahm eine Trommel und begann zu singen. Hundertfach warfen die Tiergeister seine Stimme zurück. Der Rhythmus der Trommel erfüllte die Höhle, 5 fuhr den Jungen in die Glieder. Sie tanzten. Und je länger sie tanzten, desto lebendiger wurden ihnen die Bilder an den Wänden, desto mehr erfüllte sie die Schönheit, die Kraft und die Weisheit der Tiere, desto vollständiger ergriff sie deren 10 Geist.

Eins fühlten sie sich mit der gesamten Natur. Eins fühlten sie sich mit der unsichtbaren Welt der Geister. Eins fühlten sie sich mit sich selbst. Sie tanzten, bis sie in einen tiefen Schlaf fielen. Die 15 Trommel verstummte. Der Stammesälteste nahm Löwenmaske und Löwenfell ab und bettete beides in eine Nische der Höhle, bis er sie wieder brauchen würde für eine Einweihungsfeier von anderen Jungen. Für diese hier war seine Aufgabe 20 vollbracht. Sie würden Männer werden, die nie die Ehrfurcht verlören vor den Tieren, den Geistern und der Größe der Natur.

So etwa könnte es gewesen sein.

Gabriele Beyerlein und James Field, Steinzeit. Die Welt unserer Vorfahren, Würzburg 2008, S. 41

M4 Flöte aus Schwanenknochen
Gefunden in der Geißenklösterle-Höhle bei Blaubeuren, Länge: 12,6 cm, Alter: über 35 000 Jahre
Die Flöte zählt zu den ältesten bisher entdeckten Musikinstrumenten der Welt. Wie mag es wohl geklungen haben, als Menschen darauf spielten?

M5 Werkzeuge aus Feuerstein
Gefunden in Höhlen der Schwäbischen Alb, Alter: 10 000 - 15 000 Jahre
Schaber für die Fellbearbeitung, Stichel zum Bohren von Löchern, Messer zum Schneiden.

M6 „Löwenmensch"
Mammutelfenbein, Höhe: 28 cm, Alter: 35 000 - 40 000 Jahre
Figur aus der Höhle „Hohlenstein-Stadel" bei Ulm. Forscher streiten, ob hier eine Frau, ein Mann oder ein geschlechtsloses Wesen dargestellt ist.

1. *Arbeite aus dem Darstellungstext, aus M1 - M2 und M4 - M6 heraus, welche Rohstoffe die Menschen der Altsteinzeit nutzten und was sie daraus herstellten.*
2. *Erläutere, warum das Klima einen Einfluss auf das Leben der Menschen hatte.*
3. ● *Erkläre, welche Bestandteile der Geschichte M3 auf Funden beruhen könnten und welche vermutlich frei erfunden sind.*
4. *Beschreibe die Unterschiede zwischen den Höhlenbildern M2 und S. 28, M1. Achte auf Alter, Machart und den Inhalt der Darstellung.*
5. *Erstelle ein Plakat zu deinem Lieblingsfund von der Eiszeitkunst der Schwäbischen Alb. Suche ein Bild heraus und notiere Alter, Fundort, Material und Besonderheiten. Erkläre deinen Mitschülern, was man über den Gegenstand weiß und warum er dein Lieblingsstück ist.*
6. ● *Erfinde eine Geschichte zur Knochenflöte (M4). Erzähle, wie sie gebaut wurde und wie sie zum ersten Mal erklingt. Nutze hierfür Informationen aus Darstellungstext und den Materialien. Vergleicht eure Geschichten. Was stellt ihr fest?*

Alles wird anders: Leben in der Jungsteinzeit

M 1 Leben in einem Dorf um 5500 v. Chr.
Rekonstruktionszeichnung, 2008
Für die Zeit ab 5500 v. Chr. finden Archäologen in Süddeutschland auf einmal Spuren von Dingen, die es vorher nicht gegeben hat: Häuser, Tongefäße, Getreidekörner, Reibsteine für das Zerkleinern von Getreide, Sicheln für die Getreideernte, Knochen von Haustieren, Steinbeile zum Bäumefällen und für die Holzbearbeitung. Was war geschehen?

Das Klima verändert sich

Ab 10 000 v. Chr. wurde es in Europa wärmer. Statt Steppe wuchs Wald. Kälte liebende Tiere zogen fort. Die Menschen stellten sich darauf ein, indem sie an Waldrändern, Flüssen und Seen Lagerplätze errichteten. Von dieser Umstellung zeugen Erfindungen wie Pfeil und Bogen und erste Boote aus ausgehöhlten Baumstämmen. Archäologen nennen diesen Abschnitt der Steinzeit **Mittelsteinzeit**.

Eine neue Lebensweise aus dem Osten

Gleichzeitig begannen Menschen in sehr fruchtbaren Regionen östlich des Mittelmeeres, Getreide anzubauen und Tiere zu halten, um Fleisch und Milch zu gewinnen. Sie bauten Dörfer, in denen sie dauerhaft wohnten. Zu ihren Haustieren zählten zunächst Schafe und Ziegen, dann auch Rinder und Schweine. Im Laufe vieler Jahrhunderte verbreitete sich die sesshafte Lebensweise über ganz Europa. Mit ihr begann die **Jungsteinzeit** (Fachbegriff: das Neolithikum). In dieser Epoche griffen Menschen erstmals stark in ihre Umwelt ein: Sie wählten Tiere und Pflanzen aus, die sie weitervermehren wollten, und rodeten Wälder für den Feld- und Hausbau. Weil das Leben im Neolithikum so ganz anders war als das Leben der Jäger und Sammler, sprechen manche Archäologen von der **„Neolithischen Revolution“**.

Fortschritt oder Rückschritt?

Mit **Ackerbau und Viehhaltung** konnten mehr Menschen ernährt werden. Aber die Abhängigkeit von einer guten Ernte und Vorratshaltung war groß. Die Menschen hatten viel zu tun: Tiere hüten, Getreide ernten und mahlen, Brot backen, Wasser holen, Kleidung herstellen, Vorräte trocknen und einlagern, Bäume fällen, Äcker anlegen, Häuser bauen, Tontöpfe brennen, Werkzeuge herstellen ... Wissenschaftler fanden bei der Untersuchung von Knochen heraus: Erwachsene wie Kinder haben körperlich hart gearbeitet.

Unterschiede entstehen

Zu Beginn der Jungsteinzeit in Süddeutschland (ab 5500 v. Chr.) siedelten die Bauern in der Nähe größerer Flussläufe auf besonders fruchtbaren Böden. Ihre Lebensweise ähnelte sich über große Gebiete hinweg. Später entstanden Unterschiede, die vom Lebensraum abhängig waren. Menschen, die an Seeufern siedelten, spezialisierten sich mehr auf Fischfang. Andere konzentrierten sich auf Getreideanbau oder Viehhaltung. Wie schon in der Altsteinzeit wurde mit kostbaren Rohstoffen über weite Strecken Handel betrieben. Zum Beispiel mit Feuerstein, den Menschen der Jungsteinzeit in Bergwerken abbauten.

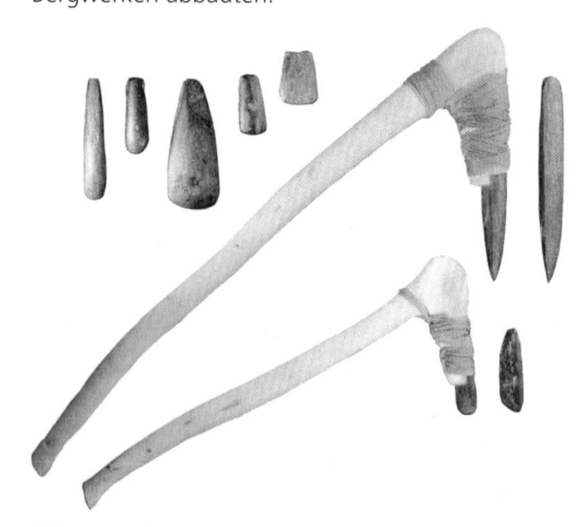

M 2 Steinbeile der Jungsteinzeit
Funde aus Stuttgart-Mühlhausen und Rekonstruktion
Bei solchen „Dechseln“ waren die Schneiden quer zum Stiel befestigt. Mit ihnen konnten Bäume gefällt und z. B. zu Balken weiter bearbeitet werden.

M 3 Vorfahren heutiger Nutztiere
Rekonstruktionszeichnung, 2002
① Wilde Ausgangsformen von Rind, Schwein und Schaf
② Jungsteinzeitliche Haustiere im Vergleich

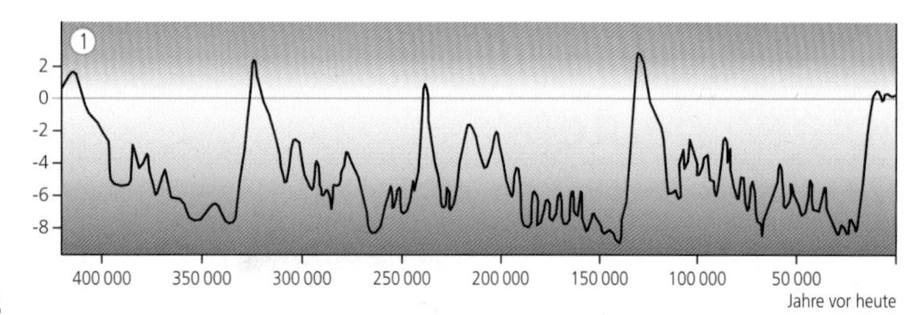

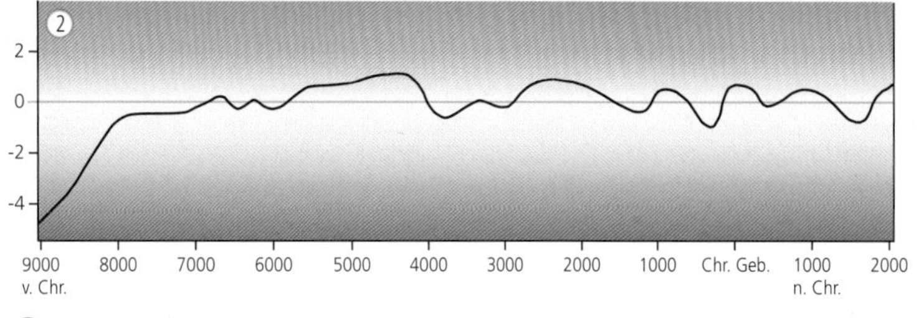

M 4 Klimaschwankungen in den letzten 400 000 Jahren
Das Diagramm zeigt die durchschnittlichen Abweichungen (schwarze Kurve) vom heutigen Mittelwert (grüne Linie) (Temperaturveränderung in °Celsius).
① Altsteinzeit: Wechsel von Warm- und Kaltzeiten
② Mittelsteinzeit bis heute: relativ stabile Warmzeit

M 5 Jäger und Bauern begegnen sich
Gabriele Beyerlein erfindet diese Geschichte:
Aus dem Wald heraus sahen sie, wofür sie keine Worte kannten. Da standen riesige Häuser mit schilfgedeckten Dächern. Schweine wühlten im Dreck, und Menschen gingen einer seltsamen Tätigkeit nach: Sie traten und schlugen Körner aus Unmengen vertrockneter Halme, welche die Kinder nicht kannten. Ein Mädchen der Bauern kam vom Fluss her und trug ein großes Ding auf dem Kopf. Die Kinder starrten. Ein Junge unter ihnen fasste sich ein Herz und lief zu dem Mädchen, fragte: „Was machst du da?" Es lachte: „Ich hole Wasser!" und setzte das Tongefäß ab. Neugierig sah es den Jungen an. „Du kommst aus dem Wald?" Er nickte. „Ich heiße Rikut", sagte er. „Und ich Mire", erwiderte das Mädchen. Sie schwiegen und sahen sich an. „Willst du?", fragte Rikut und hielt Mire seinen Beutel Haselnüsse hin. Mire nahm den Beutel und lächelte. „Warte!", sagte sie, rannte ins Haus und kam mit einem Beutel zurück. „Das ist Brot!", erklärte sie. Er bedankte sich. „Abends bin ich immer am Fluss!", sagte sie und ging. Das Brot teilte Rikut mit den anderen. Doch nach dem Nüsse-Sammeln lief er nicht mit zurück zum Lager. Er lief zum Fluss.
So etwa könnte es gewesen sein.

Gabriele Beyerlein und James Field, a. a. O., S. 45 (gekürzt)

Info: Neolithische Revolution
Weil die Sesshaftwerdung in der Jungsteinzeit so weitreichende Folgen für das Leben der Menschen hatte, haben Forscher diesen Vorgang schon als **Neolithische Revolution** bezeichnet (Neolithikum = Jungsteinzeit). Da die Veränderungen aber nicht plötzlich, sondern über viele Jahrhunderte hinweg stattfanden, sprechen Archäologen heute von **Neolithisierung**.

1. *Arbeite aus M1 - M2 und dem Darstellungstext Funde heraus, die neu sind für die Jungsteinzeit. Notiere jeweils, wofür die Menschen sie genutzt haben.*
2. *Nenne die Namen der heutigen Staaten, die im Ursprungsgebiet der bäuerlichen Lebensweise liegen (S. 27, M1).*
3. *Vergleiche die Schaubilder in M4. Erkläre, warum Forscher einen Zusammenhang zwischen der Klimaveränderung und der Entstehung der bäuerlichen Lebensweise vermuten.*
4. *Beschreibe die Unterschiede zwischen den altsteinzeitlichen Wildtieren und jungsteinzeitlichen Haustieren (M3). Vergleiche mit den entsprechenden heutigen Nutztieren. Erkläre, wie es zu diesen Unterschieden kam.*
5. *Schreibe eine Fortsetzung der Geschichte (M5): Rikut zeigt Mire die Zeltsiedlung der Jäger und Sammler und erklärt ihr, wie seine Gruppe lebt.*

Spuren deuten

Auf dieser Seite lernst du eine wichtige Arbeitsweise der Archäologen kennen: das Spurenlesen im Boden. Funde allein sagen noch nicht aus, wie die Menschen, die sie verloren oder vergraben haben, lebten. Es gehört zu den spannendsten Fragen der Archäologie, wo und wie die Menschen der Ur- und Frühgeschichte gewohnt haben, bevor sie Häuser aus Stein bauten. Archäologen, die das erforschen, gehen vor wie im Krimi: sie sichern den „Tatort", sammeln Spuren und ziehen daraus Rückschlüsse.

In Alleshausen-Grundwiesen nördlich des Federsees bei Bad Buchau fanden sie eine Siedlung der Jungsteinzeit mit mindestens fünf Häusern. Im feuchten Boden haben sich sogar Bauteile aus Holz erhalten (M1). Forscher konnten das Alter der Hölzer bestimmen. Sie stellten fest, dass die Siedlung etwa 3000 v. Chr. gebaut wurde. Weil mehrere Schichten Fußböden übereinanderlagen, schlossen sie, dass die Dorfbewohner immer wieder neue Häuser an der Stelle der ersten errichtet haben (M2).

Archäologen fanden auch die Reste eines hölzernen Wagenrades. Es stammt vermutlich von einem Ochsenkarren und ist eines der ältesten Räder nördlich der Alpen. Unzählige Überreste von Flachspflanzen zeigen: Hier lebten Menschen, die auf den Anbau von Flachs spezialisiert waren. Flachs, auch Lein genannt, ist eine Pflanze, aus deren Fasern Stoff gewebt werden kann: Leinen.

Außerdem schlossen die Archäologen ...

- aus Hausresten: auf Größe und Bauweise der Häuser,
- aus Knochenfunden: darauf, welche Tiere in der Siedlung lebten oder gegessen wurden,
- aus Überresten von Pflanzen: wie die Natur um die Siedlung aussah, welche Pflanzen die Dorfbewohner anbauten und welche Früchte sie sammelten,
- aus Überresten von Gegenständen: auf Tätigkeiten, die in der Siedlung stattfanden.

Auf der Grundlage der Grabungsergebnisse hat ein Künstler eine Rekonstruktionszeichnung angefertigt, die zeigt, wie die Siedlung einmal ausgesehen haben mag (M3). Im Federseemuseum bei Bad Buchau wurden einzelne Häuser der Siedlung nachgebaut. Besucher können dort viel über das Leben in der Ur- und Frühgeschichte erfahren und Techniken von damals ausprobieren.

M1 Häuser von Alleshausen-Grundwiesen während der Ausgrabung
Foto, um 1990
Im feuchten Boden haben sich Reste der Holzfußböden erhalten.

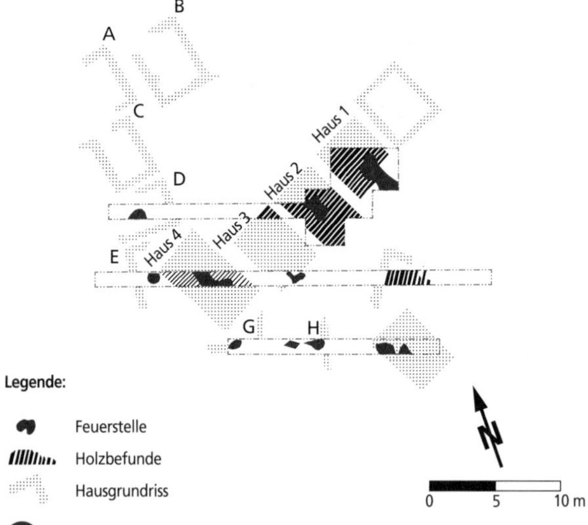

M2 Grabungsplan von Alleshausen-Grundwiesen
Wissenschaftliche Zeichnung, 1992

M3 Alleshausen-Grundwiesen in der Jungsteinzeit
Rekonstruktionszeichnung, um 2000

Jetzt bist du dran: Spuren lesen üben

Südlich des Federsees haben Archäologen die jungsteinzeitliche Siedlung Bad Buchau-Torwiesen II ausgegraben. Mit den Funden könnt ihr die Geschichte des Dorfes und die Tätigkeiten seiner Bewohner deuten.

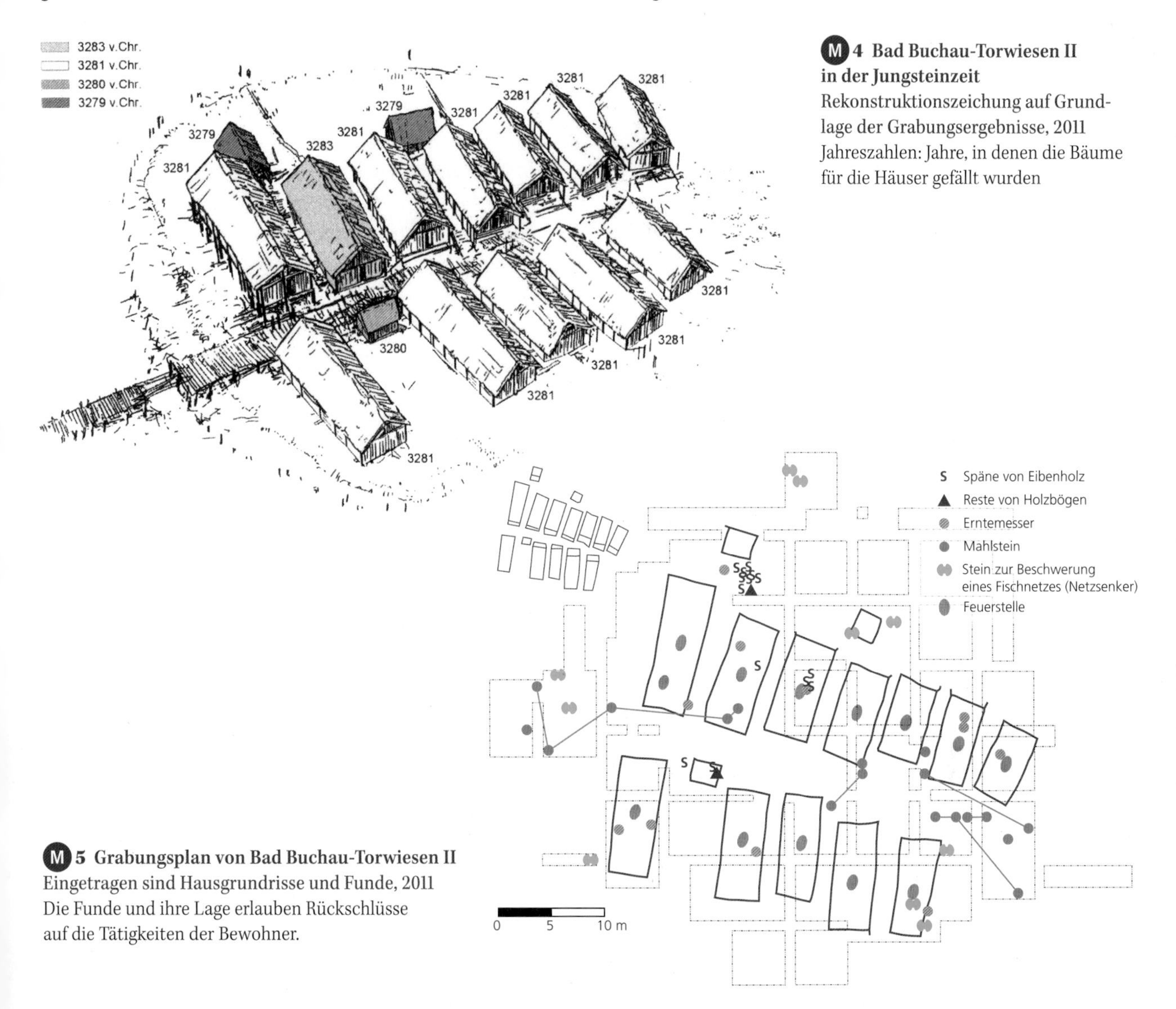

M4 Bad Buchau-Torwiesen II in der Jungsteinzeit
Rekonstruktionszeichung auf Grundlage der Grabungsergebnisse, 2011
Jahreszahlen: Jahre, in denen die Bäume für die Häuser gefällt wurden

M5 Grabungsplan von Bad Buchau-Torwiesen II
Eingetragen sind Hausgrundrisse und Funde, 2011
Die Funde und ihre Lage erlauben Rückschlüsse auf die Tätigkeiten der Bewohner.

1. *Schreibe auf, in welcher Reihenfolge die Häuser in Bad Buchau-Torwiesen II gebaut wurden (M4).*
2. *Erläutere anhand der Funde: Welche Arbeiten verrichteten die Bewohner dieser Siedlung in ihrem Alltag? Wovon ernährten sie sich? (M5)*
3. *Im Federseemuseum sollt ihr ein Haus von Bad Buchau-Torwiesen II nachbauen.*
   - *Beschreibt, wie das Haus aussehen soll (Größe, Wände, Dach, Eingang …).*
   - *Nennt Gegenstände und Nahrungsmittel, die im Haus sein sollen, damit eure Rekonstruktion lebendig wirkt.*
   - *Erstellt eine Liste von Tätigkeiten, die im Haus zu sehen sein sollen.*
   - *Wo seid ihr bei eurer Rekonstruktion unsicher? Formuliert Fragen, die ihr an die Archäologen habt. Erörtert, ob und wie Archäologen Antworten auf eure Fragen finden.*

Internettipp:
Mehr über das Leben am Federsee in der Jungsteinzeit erfährst du unter 31041-04

Metalle verändern die Welt

M1 „Ötzis" Beil
Beilklinge aus Kupfer, Schaft aus Eibenholz
Die 9,5 cm lange Beilklinge wurde mit Teer und Lederriemen im Schaft befestigt.

Internettipps:
Mehr Informationen zum „Ötzi" findest du unter 31041-05

Mehr Abbildungen zum Grab von Leubingen (M5) findest du unter 31041-06

Vom Stein zum Metall

1991 machten Wanderer in den Ötztaler Alpen an der Grenze zwischen Italien und Österreich einen außergewöhnlichen Fund: Die Leiche eines Menschen ragte aus dem Eis. Auch Ausrüstungsgegenstände und Teile der Kleidung hatten sich – gefriergetrocknet – erhalten, sodass Wissenschaftler sie untersuchen konnten. Schon früh vermuteten Archäologen aufgrund der Funde: „Ötzi", wie der Mann bald genannt wurde, lebte in der Jungsteinzeit. Wie aber war er zu seinem Kupferbeil gekommen?

Kupfer – Bronze – Eisen

Kupfer kommt nur als Erz vor: mit anderen Mineralien in Stein gebunden. Zuerst haben Menschen im Vorderen Orient aus Erz Metall gewonnen. Ab dem 7. Jahrtausend v. Chr. gibt es dort Schmuck aus Gold und Kupfer. Beides sind recht weiche Metalle. Das Wissen um die Herstellung von Kupfer und seine Weiterverarbeitung zu Gegenständen erreichte Mitteleuropa gegen 3800 v. Chr. „Ötzi" war vielleicht einer der ersten Alpenbewohner, die selbst Erze suchten oder als Schmiede tätig waren. Kupfer war der Ausgangspunkt für eine weitere Erfindung: Gemischt mit Zinn entstand Bronze. Sie kann mit dem Hammer bearbeitet oder in Formen gegossen werden und ist härter als Gold oder Kupfer. Die Menschen machten daraus Schmuck und Gegenstände mit scharfen Schneiden. Die Erfindung erreichte Mitteleuropa um 2200 v. Chr. und gab einem neuen Abschnitt der Ur- und Frühgeschichte seinen Namen: **Bronzezeit**.
Ab dem 6. Jahrtausend gelang es Menschen, Eisen zu gewinnen. Eisen wird bis heute geschmiedet, also glühend gemacht und mit dem Hammer geformt. Aus Eisen bestehen stabile Schwerter oder Geräte für die Landwirtschaft. In unseren Gegenden gewannen und verarbeiteten die Menschen ab 800 v. Chr. Eisen. Die **Eisenzeit** begann.

M2 Gussformen
Sandstein, um 850 v. Chr., Länge der oberen Gussform: 80 cm; zusammen gefunden bei Heilbronn
Mit diesen Formen konnten Gegenstände aus Bronze gegossen werden: Schwerter, Sicheln, Messer, Hämmerchen und Pfeilspitzen. Der Sandstein wurde in der Region abgebaut.

Rohstoffe, Handel, Spezialisten

Die Ausgangsstoffe für Metall kommen nicht überall vor. Man braucht besonderes Wissen, um Erze aufzufinden, abzubauen, Metall zu gewinnen und daraus Gegenstände zu machen. Zweierlei wurde durch die **Metallverarbeitung** noch wichtiger als in den Steinzeiten: der Handel und die Spezialisierung. Die Spezialisten würden wir heute vielleicht Bergleute, Erzgießer, Schmiede und Händler nennen. Ob sie ausschließlich von einer Tätigkeit lebten und ob sie im Dienst anderer Menschen oder selbstständig arbeiteten, wissen wir nicht.

Metalle machen reich – und mächtig?

Die Unterschiede zwischen armen und reichen Menschen wurden in den Metallzeiten deutlicher. Aus der Bronze- und Eisenzeit gibt es Gräber mit so kostbaren Beigaben und so aufwändigem Bau, dass Archäologen sie als „Fürstengräber" bezeichnen. Waren diese Männer und Frauen durch Handel reich geworden? Bestimmten sie über die Dorfgemeinschaft? Herrschten sie über eine ganze Region? Hatten sie vielleicht besondere Aufgaben in Religion und Kult? Die Deutung der reichen Gräber ist bis heute nicht abgeschlossen.

M3 Was Wissenschaftler über „Ötzi“ herausgefunden haben

Mit vielfältigen Methoden haben Wissenschaftler die Eismumie untersucht:

untersucht	gefunden	Schlussfolgerung
Kupferbeil	in dieser Zeit noch sehr selten	besondere Stellung des Mannes im Leben?
Oberschenkel	Knochenmerkmale	starb mit etwa 45 Jahren
Haare	hohe Kupferkonzentration	zeitweilig mit Kupferverhüttung in Kontakt
Fingernägel	tiefe Furchen („Beau-Linien“)	körperlicher Stress durch Krankheiten
Zähne	Karies	aß viel Brot und Brei, kein Zähneputzen
Lunge	schwarz durch Rauchpartikel	viele Aufenthalte am offenen Feuer
Zähne, Knochen, Darminhalt	Einlagerungen bestimmter Mineralstoffe	lebte in Südtirol in einer Talsiedlung
Mageninhalt	Speisereste	kurz vor dem Tod: Mahl aus Getreide, Steinbockfleisch, Apfel
Lage einer Pfeilspitze im Körper	durchschoss eine Arterie	Tod durch Verbluten

M4 Kupfer, ein kostbares Metall

Text vom Südtiroler Archäologiemuseum:

Die Alpen, vor allem das heutige Tirol (Österreich) und das Trentino (Italien), sind reich an Kupfererzen, die dort bereits am Ende der Jungsteinzeit abgebaut wurden. Das zermahlene und geröstete Erz wurde in Öfen bei über 1000 °C geschmolzen. Die hohe Temperatur wurde durch Verbrennen von Holzkohle und Luftzufuhr mit Blasebälgen erreicht. Nach mehreren Schmelzvorgängen gewann man rohes Kupfer. Der Rohstoff wurde in die Siedlungen gebracht oder weiter gehandelt. In den Siedlungen schmolz man Kupfer in Tiegeln. Das flüssige Metall goss man in Formen zu Waffen, Schmuck oder Geräten. Aus hartem Stein flüssiges Metall zu machen und daraus nützliche Gegenstände zu formen, musste auf die Menschen wie Zauberei gewirkt haben. Aus diesem Grund dürften Schmelzer und Gießer eine besondere Rolle in der Gesellschaft eingenommen haben.

Zit. nach: www.iceman.it/de/kupfer (gekürzt und vereinfacht)

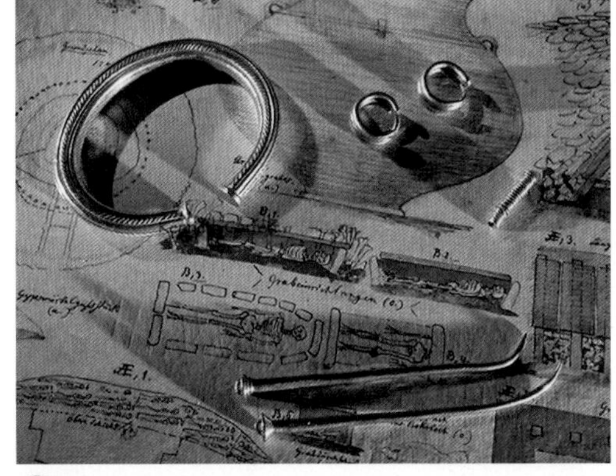

M5 Goldfunde der Bronzezeit

Aus dem „Fürstengrab“ von Leubingen (bei Erfurt), um 1900 v. Chr.

Der Tote war zusammen mit einem 10-jährigen Kind in einer Grabkammer aus Holz bestattet. Darüber hatten die Menschen einen mächtigen Hügel aus Steinen errichtet. Im Grab fanden sich außerdem Dolch- und Beilklingen aus Bronze und ein Amboss-Stein. Die Bronzebeile dieser Zeit deuten Archäologen als Zeichen einer besonderen Stellung der Person in der Gesellschaft. Das Grab lag in der Nähe wichtiger Handelswege.

1. *Informiere dich über die natürlichen Lagerstätten von Gold, Kupfer und Zinn. Beschreibe die Zusammenhänge zwischen Rohstoffvorkommen und Handel.*
2. *Arbeite aus M3-M4 Hinweise heraus, die folgende Fragen beantworten können: War „Ötzi“ auf die Gewinnung von Kupfer spezialisiert? Hat er sein Beil möglicherweise selbst hergestellt? Begründe deine Auswahl.*
3. *Beschreibe die Funde in M5. Erkläre an diesem Beispiel den Zusammenhang zwischen Metallen, Reichtum, Handel und Macht.*
4. *Nennt Beispiele für Gegenstände, mit denen Menschen heute zeigen, dass sie viel Geld oder eine besondere Stellung haben. Erläutert Gemeinsamkeiten und Unterschiede im Vergleich mit M5.*

„Ötzi“ (M1, M3) · Fürstengrab Leubingen (M5) · Gussformen (M2)

Jungsteinzeit · Kupferzeit · Bronzezeit · Eisenzeit

4000 v. Chr. · 3000 v. Chr. · 2000 v. Chr. · 1000 v. Chr. · Chr. Geb.

Salz – das weiße Gold

Salz war vom Beginn der Menschheitsgeschichte an überlebenswichtig: Drei Gramm Salz am Tag braucht ein Erwachsener, um gesund zu bleiben. Mit Salz lassen sich Lebensmittel haltbar machen. Es kommt im Meer vor, aber auch als festes Gestein.

Das älteste bekannte Salzbergwerk der Welt liegt bei Hallstatt in Österreich. Schon in der Bronzezeit haben Menschen hier Salz abgebaut. Aus der Eisenzeit gibt es in Hallstatt auch ein großes Gräberfeld: Über 4000 Menschen wurden in der Nähe des Bergwerkes beerdigt. Aus ihren Gräbern wissen wir, dass sie im Berg gearbeitet haben und der Salzhandel sie reich gemacht hat.

Vorschläge für Forschungsfragen:

Thema 1: *Bergbau – wie bauten die Bergleute der Eisenzeit das Salz ab?*

Thema 2: *Frauen, Männer, Kinder – wer arbeitete im Salzbergwerk von Hallstatt?*

Beschreiben

Thema 1: *Notiert in Stichworten, wie die Bergleute das Salz abbauten und transportierten.*

Thema 2: *Nennt Funde, die Auskunft über Alter und Geschlecht der Bergarbeiter geben.*

Untersuchen

Thema 1: *Findet heraus, wofür die Bergleute die abgebildeten Gegenstände benutzt haben.*

Thema 2: *Untersucht, welche Schlüsse die Forscher aus den Kleidungs- und Knochenfunden ziehen.*

Einordnen

Thema 1: *Vergleicht den eisenzeitlichen Bergbau in Hallstatt mit Bergbau heute. Beschreibt Unterschiede in Ausrüstung und Arbeitsweise.*

Thema 2: *Begründet, warum die Ergebnisse aus Hallstatt unsere Vorstellungen über die Aufgaben von Frauen, Männern und Kindern verändern können.*

Präsentieren

Thema 1: *Zeichnet ein Bild vom Bergbau in Hallstatt. Berücksichtigt Abbau, Transport und Beleuchtung.*

Thema 2: *Schreibt eine Geschichte: Ein Tag im Leben einer Bergarbeiterfamilie aus Sicht eines Kindes.*

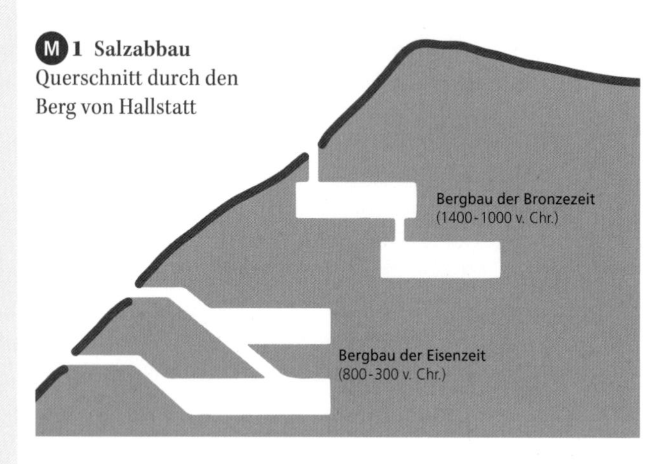

M 1 Salzabbau
Querschnitt durch den Berg von Hallstatt

M 2 Salzabbau in der Eisenzeit

Text aus einem Ausstellungskatalog über Hallstatt:

Die Bergleute der Eisenzeit trieben ihre Schächte bis in Tiefen von 330 m. Dem Salz folgten sie mit Bronzepickeln in waagerechten Stollen. Das Salz wurde in großen flachen Stücken von bis zu 40 kg herausgelöst. Das zeigen Abbauspuren an den Stollenwänden. Feuer am Boden spendeten Licht, dienten als Kochstelle und sorgten für eine ausreichende Luftzirkulation. Wahrscheinlich wurden die Salzplatten mit Lederriemen verschnürt und auf dem Rücken aus den Stollen getragen. Bisher wurde kein anderer Tragebehelf gefunden.

Iris Ott, Das weiße Gold der Kelten, Frankfurt am Main 2008, S. 13, 15 und 16 (gekürzt)

M 3 Experimentelle Archäologie heute
Foto, 2008
Die Bergleute der Eisenzeit haben große herzförmige Salzplatten aus dem Gestein gebrochen. Zwei Archäologen versuchen, mit nachgebauten Werkzeugen diese Technik nachzuvollziehen.

M 4 Bergbau: reine Männersache?

Text aus dem Begleitbuch zu einer Ausstellung:

Der Bergbau ist in den Köpfen der meisten Menschen eine reine Männersache. Die Arbeit gilt als anstrengend und gefährlich. [Es] scheint naheliegend anzunehmen, dass Bergbau „schon immer“ 5 Männersache gewesen sei. Entsprechend gingen auch Archäologen lange davon aus, dass es Männer waren, die in Hallstatt das Salz abbauten. Die Auswertung der archäologischen Funde in Kombination mit den Untersuchungen an den Skelet- 10 ten legen aber jetzt nahe, dass beide Geschlechter von Kindheit an im Bergbau tätig waren.

Doris Pany-Kucera und Hans Reschreiter, in: Brigitte Röder (Hrsg.), Ich Mann. Du Frau. Feste Rollen seit Urzeiten?, Freiburg 2014, S. 168 und 176 (gekürzt)

M 5 Kinderarbeit in Hallstatt

Text aus dem Begleitbuch zu einer Ausstellung:

Die einzigen, die keine aktive Rolle im Bergwerk gehabt haben werden, waren wohl die Säuglinge. Etwas ältere Kinder, möglicherweise schon ab drei Jahren, könnten bereits die Betreuung der Leucht- 5 späne übernommen haben. Spätestens mit fünf Jahren ist der Beginn schwerer körperlicher Arbeit anzusetzen. Interessant ist, dass auch Kinderskelette in reich ausgestatteten Gräbern durch Belastung verursachte Veränderungen aufweisen. 10 Schwere körperliche Arbeit war im frühgeschichtlichen Hallstatt demnach nicht auf die „Armen“ beschränkt, sondern war für alle üblich.

Doris Pany-Kucera und Hans Reschreiter, a. a. O., S. 176 (gekürzt)

Fundort	Beobachtungen	Schlussfolgerungen
Bergwerk	Lederschuhe in den Größen 31 bis 37; Sohle dort abgenutzt, wo sie beim Steigen auf Leitern oder Stiegen besonders beansprucht wird	Kinder waren im Bergwerk anwesend. Jugendliche oder Frauen waren für das Tragen von Lasten zuständig.
	kleine Mütze aus Schaffell, passt nur einem Baby	Babys waren im Bergwerk anwesend.
Gräberfeld: Skelette von Frauen, Männern und Kindern	robuster Knochenbau	schwere körperliche Arbeit
	ausgewogenes Verhältnis von Frauen, Männern und Kindern auf dem Gräberfeld	normale Dorfbevölkerung, keine Bergwerkssiedlung nur von Männern
	Veränderungen an den Gelenken	früh begonnene, hohe körperliche Belastung
Gräberfeld: Skelette von Frauen	Belastung der Wirbelsäule, am Hals z. T. einseitig	Frauen waren für Transporte zuständig. Sie trugen schwere Lasten einseitig.
	bestimmte Beinmuskeln stärker als bei Männern	
Gräberfeld: Skelette von Männern	Muskeln für Schlagbewegungen stark entwickelt	lebenslanges Arbeiten mit Bronzepickeln
Gräberfeld: Skelette von Kindern und Jugendlichen	Belastung der Arm- und Beingelenke	Kinder und Jugendliche arbeiteten im Berg.
	Kinder ab 8 Jahren: Belastung der Hals- und Brustwirbelsäule	trugen Lasten auf dem Kopf oder mit Stirnband (Wasser, Holz, Babys)
	bei 4 Skeletten: verheilte Eindellung am Schädel	Stürze oder Schläge auf den Kopf
	Viele Kinder starben im Alter von 7-13 Jahren.	Überlastung, Schwächung, Anfälligkeit

M 6 Wer arbeitete im Bergwerk?
Forscher haben Funde aus dem Bergwerk und Skelette aus dem Gräberfeld von Hallstatt untersucht. Die Tabelle zeigt, was sie herausfanden und welche Schlüsse sie daraus zogen.

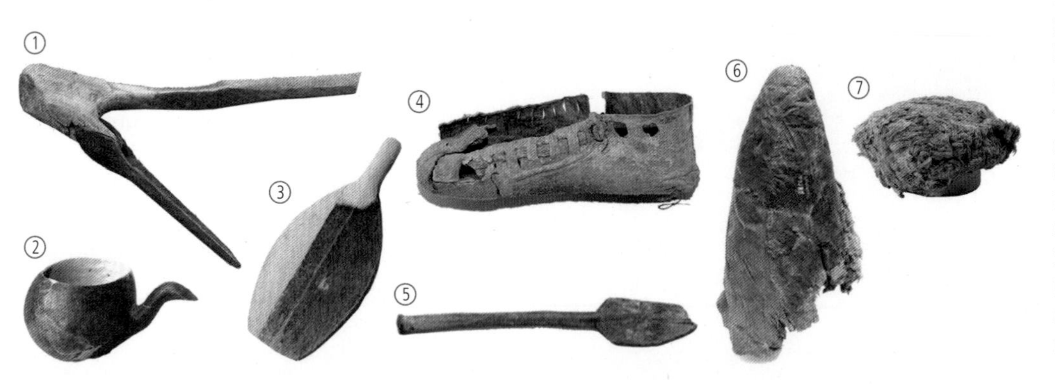

M 7 Bergbaufunde aus der Eisenzeit
① Pickel, Holz, Bronze. Länge Griff: 44 cm ② Schöpfgefäß, Holz. Höhe: 8 cm ③ Glutfächer (Hilfe beim Entfachen von Feuer), Holz. Länge: 40 cm ④ Schuh, Schuhgröße 37 ⑤ Kochlöffel, Holz, Breireste. Länge: 62 cm ⑥ Zipfelmütze, Fell. Höhe: 30 cm ⑦ Babymütze, Schaffell. Kopfumfang 41 cm

bronzezeitlicher Salzabbau in Hallstatt | bislang keine Funde zum Salzbergbau | eisenzeitlicher Salzabbau in Hallstatt

1600 v. Chr. | 1400 v. Chr. | 1200 v. Chr. | 1000 v. Chr. | 800 v. Chr. | 600 v. Chr. | 400 v. Chr. | 200 v. Chr.

Die Kelten: Krieger, Fürsten, Handelspartner

M1 „Kelten" der Gegenwart
Mitglieder der Keltengruppe „Carnyx", aufgenommen bei einem Keltenfest im Federseemuseum Buchau, 2012

[1] Siehe S. 114-117.

M2 Kopiert!
① Griechische Goldmünze, um 324 v. Chr. Geprägt unter dem griechischen König Alexander III. Mit ihr wurden u. a. Soldaten bezahlt. Im Heer dienten auch Kelten aus Mitteleuropa.
② Keltische Goldmünze, um 110 v. Chr. Gefunden in Frankreich. Ab etwa 300 v. Chr. stellten die Kelten selbst Münzen her: aus Gold, aus Silber oder aus Metallmischungen. Viele waren nach griechischen Vorbildern geprägt.

Freunde und Feinde

Die Menschen der Ur- und Frühgeschichte haben ihre Geschichte nicht aufgeschrieben. Erst nachdem Griechen und Römer über ihre Nachbarn nördlich und westlich der Alpen berichteten, sind uns Bevölkerungsgruppen Mitteleuropas mit Namen bekannt. Zu ihnen zählen die **Kelten**, damals Keltoi, Galli oder Celtae genannt. Antike Autoren beschreiben sie oft als ihre Feinde: 387 v. Chr. hätten keltische Krieger die Stadt Rom überfallen und 279 v. Chr. das griechische Heiligtum in Delphi. Der Römer Gaius Julius Caesar führte im 1. Jh. v. Chr. Krieg gegen die Kelten. Er siegte, und Gallien, das etwa dem heutigen Frankreich entspricht, wurde Teil des Römischen Reiches.
Die Kelten waren aber auch Handelspartner der Mittelmeeranwohner. Davon zeugen wiederum die archäologischen Quellen.

Eine keltische Stadt?

Um 450 v. Chr. schrieb der Grieche Herodot von einer keltischen Stadt namens Pyrene an der Quelle der Donau. Archäologen glauben, sie gefunden zu haben: Auf und neben dem Felsplateau Heuneburg nahe der Stadt Herbertingen entdeckten sie Spuren von Häusern, Reste einer Umfassungsmauer und unzählige Gegenstände aus der Eisenzeit. Alles deutet darauf hin, dass hier von 620 bis 450 v. Chr. ein wichtiges Handelszentrum bestand. Die Funde belegen Kontakte der hier lebenden Kelten zu den Völkern des Mittelmeeres: Die um 600 v. Chr. errichtete Lehmziegelmauer hatten die Einwohner nach dem Vorbild griechischer Befestigungsmauern gebaut. Griechisches Trinkgeschirr und Gefäße mit Wein waren wohl von Griechenland über Südfrankreich bis zur Heuneburg gelangt.

„Fürsten" und „Fürstinnen"

Rund um die Heuneburg liegen zahlreiche Grabhügel. In einigen fanden sich Bestattungen mit ungewöhnlich reichen Beigaben. Auch diese Funde zeugen von weitreichenden Handelsbeziehungen der Kelten – untereinander sowie zu den Etruskern[1] in Norditalien und den Griechen am Mittelmeer. Wissenschaftler nehmen an, dass die Kelten in einer gegliederten Gesellschaft lebten. An der Spitze standen politische Anführer. In „**Fürstengräbern**" haben sich möglicherweise Spuren dieser Oberschicht erhalten. Die Beigaben deuten darauf hin, dass diese Kelten Trink- und Festsitten der Etrusker und Griechen übernommen hatten.

Handwerker, Bauern, Händler

Manche keltische Schmiede schufen Schwerter von so hoher Qualität, dass Römer sie ihnen abkauften. Gegen Ende der Keltenzeit verarbeiteten Spezialisten auch Metalle zu Münzen und Glas zu Schmuck. Die meisten Kelten lebten wie ihre Vorfahren in Jungsteinzeit und Bronzezeit von Ackerbau und Viehhaltung. Aus der Wolle ihrer Schafe und aus Flachs webten sie bunte Stoffe für ihre Kleidung. Manche Menschen von heute machen es ihnen nach, um bei Museumsfesten oder in Sachfilmen als „Kelten" aufzutreten.

M 3 Die Heuneburg bei Herbertingen um 600 v. Chr.
Digitale Rekonstruktion, 2011
Die Heuneburg war eine befestigte Siedlung der Eisenzeit. Die Bauweise der oberen Umfassungsmauer aus Lehmziegeln ist in Deutschland einzigartig und sonst nur aus Griechenland bekannt.

M 4 Grab des „Fürsten" von Hochdorf, gestorben um 530 v. Chr.
Rekonstruktion der Grabkammer und der Beigaben im Keltenmuseum Hochdorf/Enz
Der Tote lag auf einer bronzenen Liege. In seiner Kammer befand sich ein Wagen mit Zubehör für zwei Pferde. Neun Trinkhörner, eines davon besonders prunkvoll, hingen an der Wand. Neun Schalen aus Bronze standen auf dem Wagen, zusammen mit drei großen Schalen und einem Schlachtbesteck. Der große, wahrscheinlich von griechischen Handwerkern hergestellte Kessel aus Bronze fasst 300 Liter. Archäologen fanden darin Reste von Met (Honigwein). Mit dieser Ausstattung konnte der „Fürst" Gastgeber für ein Gastmahl sein, wie es auch bei Etruskern und Griechen der Oberschicht Brauch war.

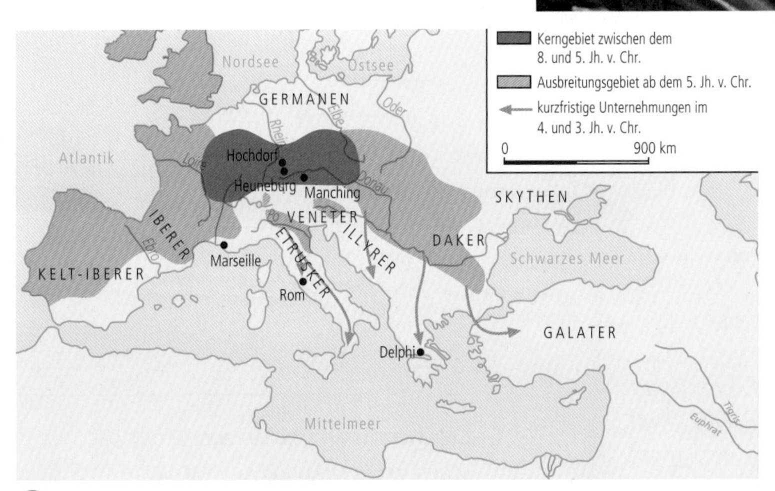

M 5 Verbreitungsgebiet der keltischen Kultur

1. *Nenne Beispiele für das Aufeinandertreffen von Kelten und ihren Nachbarn sowie für kulturellen Austausch (Darstellung, M2-M5).*
2. *Nenne heutige Länder, in denen Zeugnisse der keltischen Kultur zu finden sind (M5).*
3. *War die Heuneburg eine Stadt, ein Handelsknotenpunkt oder nur ein Wohnort weniger reicher Menschen? Begründe mit dem Darstellungstext, M3 und M5.*
4. *Gestalte eine Präsentation zu einer heutigen „Keltengruppe". Du kannst eine der folgenden auswählen: Carnyx: www.keltentruppe.de – Teutates: www.teutatesnet.de – Historische Darstellungsgruppe München: hdgmb.ellvis.de*
5. *Verfasse eine Geschichte: Der Fürst von Hochdorf lädt zum Festmahl ein. Nutze die Informationsquellen aus M4 und aus dem Internettipp.*

Internettipp:
Über die Kelten und die Heuneburg informiert der Film „Wer waren die Kelten?". Du findest ihn unter 31041-07

„Fürstengrab" von Hochdorf
Heuneburg
Kelten in Süddeutschland
Bronzezeit
Eisenzeit
1000 v. Chr. | 800 v. Chr. | 600 v. Chr. | 400 v. Chr. | 200 v. Chr. | Chr. Geb.

Das weiß ich – das kann ich!

Die Ur- und Frühgeschichte umfasst einen Zeitraum von 2,6 Millionen Jahren. In dieser Zeit fanden Entwicklungen statt, die die weitere Geschichte der Menschen beeinflussten. Zu Beginn des Kapitels haben wir uns die Leitfrage gestellt:
Die Menschen in der Ur- und Frühgeschichte – fremdartig und altmodisch?
Mithilfe der Arbeitsfragen auf S. 26 kannst du sie nun beantworten.

Wirtschaft

In der Altsteinzeit ernährten die Menschen sich als Jäger und Sammler von Tieren und Pflanzen aus ihrer Umwelt. Nach dem Ende der letzten Kaltzeit vor etwa 10 000 Jahren begannen sie, Ackerbau und Viehhaltung zu betreiben. Die Bauern der Jungsteinzeit rodeten Wald für Äcker und Siedlungen. Dadurch griffen sie in die Natur ein. In der Bronze- und Eisenzeit bauten die Menschen Erze ab, um Metall zu gewinnen. Zu jeder Zeit haben sie mit Rohstoffen Handel betrieben.

Kultur

Gräber, in denen Menschen bestattet wurden, gibt es seit der Altsteinzeit. Die Angehörigen haben den Verstorbenen oft Grabbeigaben mitgegeben, etwa Schmuck oder Kleidung. Wir schließen daraus, dass die Menschen um ihre Angehörigen trauerten. Möglicherweise glaubten sie auch an ein Leben nach dem Tod. Höhlenmalereien und Kunstwerke lassen uns erahnen, was ihnen in ihrem Leben wichtig war.

Herrschaft

Wann es erste Formen von Herrschaft gab, wissen wir nicht – aus der frühen Menschheitsgeschichte gibt es keine Schriftquellen. Aus verschiedenen Spuren können wir schließen, dass seit der Bronze- und Eisenzeit Menschen mit besonders hoher Macht auftraten:
- aufwändige Grabbauten
- befestigte Siedlungen
- Gräber mit reichen Grabbeigaben
- sogenannte „Fürstengräber"
- Waffen als Symbol

Gesellschaft

Schon Funde von Neandertalern zeigen, dass die Menschen der Altsteinzeit sich gegenseitig halfen. Jeder übernahm in der Gemeinschaft Aufgaben, die seinen Fähigkeiten entsprachen.
Je schwieriger die Tätigkeiten wurden, die zu einer Lebensweise gehörten, desto mehr Spezialisten gab es. Dies können wir gut in den Metallzeiten beobachten, als sich Handwerker auf die Herstellung von Metallgegenständen spezialisierten. Gleichzeitig wuchsen in der Gesellschaft die Unterschiede zwischen Arm und Reich.

Vernetzung

In der Altsteinzeit begegneten sich Neandertaler und Jetztmenschen. Zu Beginn der Jungsteinzeit trafen erste Bauern auf Jäger und Sammler. Die Kenntnis des Ackerbaus und später der Verarbeitung von Metall verbreitete sich durch Kontakt aus dem Vorderen Orient nach Mitteleuropa. Viele Menschen wollten Gegenstände aus Metall haben. Es konnte aber nicht überall hergestellt werden. So wurde der Handel wichtiger. Dabei trafen sich Menschen verschiedener Gegenden.

1. *Die wichtigsten Quellen zum Leben der Menschen in der Ur- und Frühgeschichte sind Funde, die von Archäologen entdeckt und gedeutet werden. Notiere für jede Karteikarte einige Funde aus deinem Buch, die die Erklärung auf der Karte belegen.*
2. *Im Buch stehen viele weitere Angaben zu den fünf Kategorien. Welche Informationen würdest du gern auf die Rückseite der Karten schreiben?*
3. *Am Anfang dieses Kapitels habt ihr Fragen an die Teilnehmer des Steinzeit-Experiments gestellt (S. 17). Könnt ihr sie nun selbst beantworten?*

Kompetenz-Test
Einen Fragebogen, mit dem du überprüfen kannst, was du schon gut erklären kannst und was du noch üben solltest, findest du unter 31041-08

Museum für Ur- und Frühgeschichte				
Abteilung „Steinzeiten"			Abteilung „Metallzeiten"	
Raum Altsteinzeit	Raum Mittelsteinzeit	Raum Jungsteinzeit	Raum Bronzezeit	Raum Eisenzeit

M1 Archäologie im Museum
Die Gliederung der Ur- und Frühgeschichte in Epochen findet sich in vielen größeren Museen auch im Aufbau der Sammlungen wieder.

M2 Funde
Solche Gegenstände wurden und werden in Baden-Württemberg immer wieder im Boden gefunden.

ⓐ Getreide ernten	ⓑ Werkzeug herstellen und verwenden	ⓒ Vorräte anlegen und später verzehren	ⓓ mit Netzen und Harpunen Fische fangen
ⓔ Musikinstrumente spielen	ⓕ ein Haus bauen	ⓖ einen Verstorbenen beerdigen	ⓗ Metall schmelzen und in Formen gießen

M3 Leben heute
Alles, was auf den Kärtchen steht, können Menschen heute machen. Viele Tätigkeiten haben ihren Ursprung in der Ur- und Frühgeschichte.

1. *Nach einem Museumseinbruch konnte die Polizei gestohlene Ausstellungsstücke sicherstellen (M2). Ihr sollt sie in die richtigen Abteilungen und Räume zurückbringen (M1). Die Polizisten fragen sich, ob ihr das könnt. Bereitet für jeden Fund eine Begründung vor, mit der ihr den Beamten eure Zuordnung erklärt.*
2. *Schreibt für das Museum zu jedem Raum eine kurze Führung, die folgende Informationen enthält: Lebensweise – Verhältnis zur Natur – wichtige Erfindungen und Neuerungen.*
3. *Ordne die Tätigkeiten in M3 der Epoche zu, in der sie erfunden wurde. Finde im Buch Bilder oder Texte zu jeder Neuerung. Ergänze damit deinen Museumsführer aus Aufgabe 2.*
4. *Diskutiere mit deinem Sitznachbarn, welche Erfindung aus ur- und frühgeschichtlicher Zeit die wichtigste ist. Schreibt eine Begründung. Wertet in der Klasse aus, welche Neuerung am häufigsten genannt wurde und warum.*
5. *Formuliere Fragen, die bei der Erarbeitung der Ur- und Frühgeschichte aus deiner Sicht offen geblieben sind.*

3 Ägypten – eine frühe Hochkultur

Wenn Museen Funde aus dem alten Ägypten ausstellen, strömen die Besucher. Das Foto zeigt einen ägyptischen Sarg. Er wurde 2014 in der großen Ausstellung „Ägypten – Land der Unsterblichkeit" in Mannheim gezeigt.

M Faszination Ägypten
Foto von 2016
Dieser Sarg einer ägyptischen Mumie wird in der Ausstellung „Ägypten – Land der Unsterblichkeit" in Mannheim gezeigt.

- *Für eine Exkursion im Geschichtsunterricht schlägst du den Besuch einer ägyptischen Sammlung oder einer Sonderausstellung vor. Überlege, wie du deine Mitschüler für diese Idee gewinnen kannst.*

Fragen an ... die ägyptische Hochkultur

Die frühen Menschen passten sich an verschiedene klimatische Verhältnisse an und besiedelten fast die ganze Welt. Die meisten Völker konnten Feuer machen, Werkzeuge herstellen und Landwirtschaft und Viehzucht betreiben. Sie entwickelten religiöse Vorstellungen und schufen erste Kunstwerke.

In verschiedenen Teilen der Welt entwickelten Menschen Fähigkeiten, die darüber hinausgingen. Ein bekanntes Bespiel dafür ist Ägypten: Hier wurden Menschen an den Ufern des Nils sesshaft. Die besonderen Bedingungen dort begünstigten Erfindungen, die den Menschen anderswo noch unbekannt waren. Die frühe ägyptische Gesellschaft wird deshalb als „Hochkultur" bezeichnet.

Wirtschaft

Wie beeinflusste das Leben am Nil die Entwicklung zu einer Hochkultur? Welche Einrichtungen schufen die Ägypter, um den Nil zu nutzen? Welche Rolle spielte Arbeitsteilung in der Wirtschaft Ägyptens? ...

Nilpferd aus Ton
Höhe: 11 cm
Zeit: um 1900 v. Chr.
Fundort: Mair

Kultur

Was taten Ägypter, um ihre vielen Götter günstig zu stimmen? Welche Vorstellungen hatten die Ägypter vom Jenseits? Welche Auswirkungen hatte der Totenkult auf ihr Leben? ...

Göttergericht, Malerei
Zeit: 1250 v. Chr.

Vernetzung

Wie kam es zur Entwicklung von Schriftzeichen? Wie wurde die Schrift verwendet, um Handel zu treiben und ein Reich zu beherrschen? Welche Rolle spielte die Schrift in der frühen Hochkultur? ...

Inschriftenstein
(Ausschnitt)
Zeit: 196 v. Chr.
Fundort: Rosette

Gesellschaft

Wie gelang es den ägyptischen Königen, ein riesiges Reich zu regieren? Welche Bedeutung hatte der König für Land und Leute? Was haben die Pyramiden mit der Macht der Könige zu tun? ...

Totenmaske
Tutanchamuns
Zeit: um 1350 v. Chr.
Fundort: Tal der Könige

Herrschaft

Welche unterschiedlichen Gruppen gab es in der ägyptischen Gesellschaft? Welche Aufgaben und Rechte hatten die einzelnen Gruppen? Wer hatte hohes Ansehen, wer nur geringes? ...

Steinfiguren
Höhe: 56 cm
Zeit: 2400 v. Chr.
Fundort: Gizeh

Leitfrage *Warum entwickelten die Ägypter eine Hochkultur?*

5000 v. Chr. — 4000 v. Chr. — 3000 v. Chr.

Jungsteinzeit in Deutschland

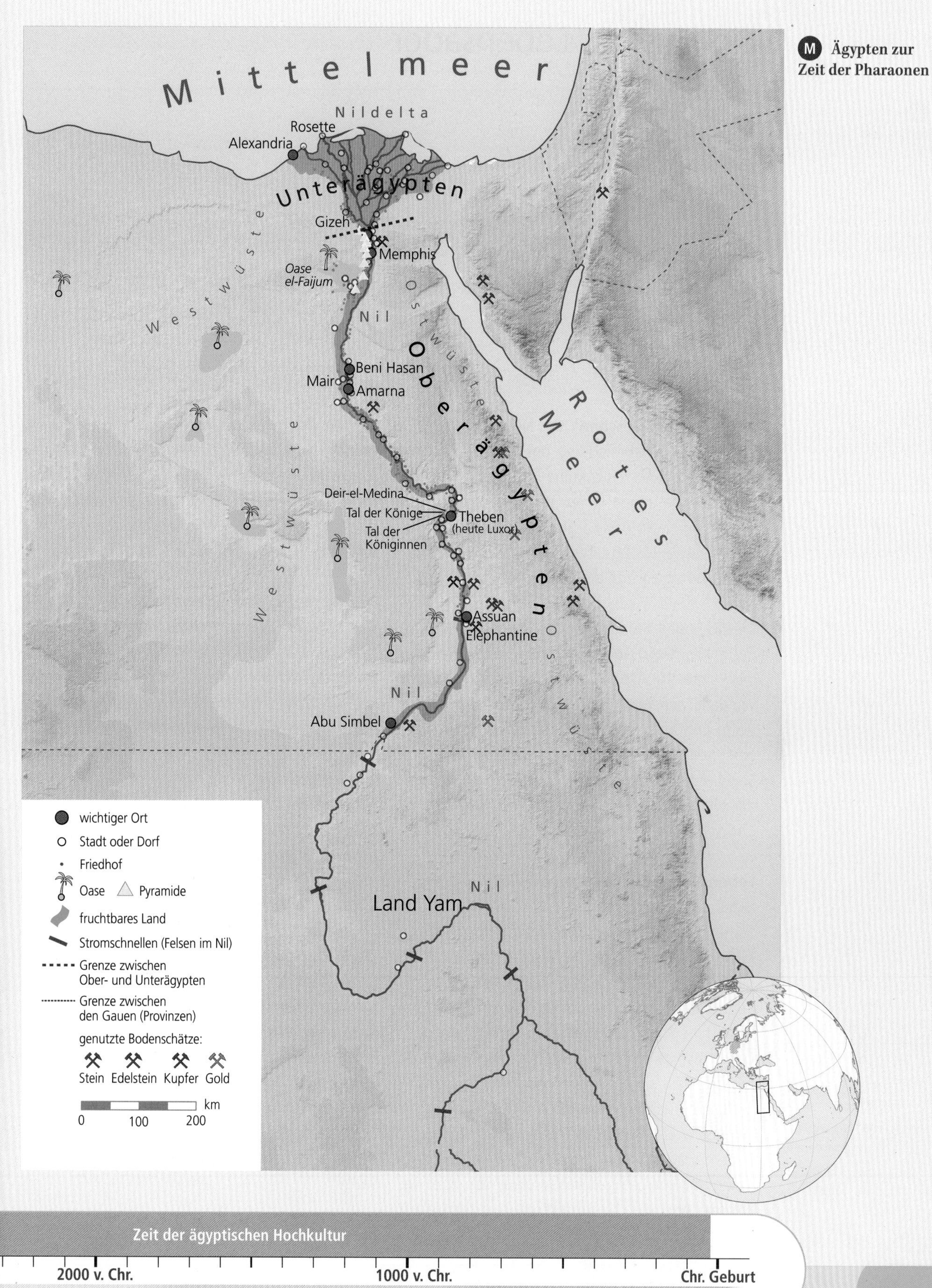

M Ägypten zur Zeit der Pharaonen

Ein Fluss als Lebensader

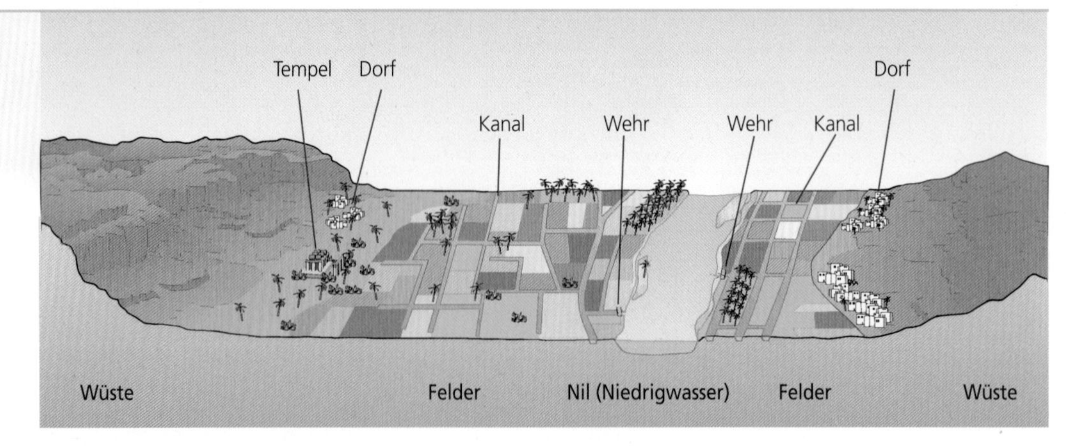

M1 Querschnitt durch das Niltal
Zeichnung, um 1995

Ägypten – ein Geschenk des Nil

Wie kam es zur Besiedlung des Nilufers und zur Entstehung einer Hochkultur in Ägypten? Viele Jahrtausende zogen Hirten (Nomaden) mit ihren Herden durch Nordafrika. Am Ende der letzten Eiszeit vor etwa 10 000 Jahren wurde es wärmer, der Regen nahm ab und aus Savannen wurden Wüsten.

Die Nomaden fanden jedoch eine schmale, Hunderte Kilometer lange fruchtbare Ebene entlang des Flusses Nil. Dort wurden sie sesshaft. Es gab Weideflächen für ihre Tiere. Sie konnten fischen, jagen und an den Ufern Felder und Gärten anlegen. Aus Flachs fertigten sie Kleidung, Seile und Segel. Am Nilufer wuchs auch eine nützliche Staudenpflanze, aus deren Stängeln sie Matten, Boote und Schreibmaterial herstellen konnten: Papyrus.

Lebensader oder Gefahrenquelle?

Jedes Jahr überschwemmte der Nil von Juni bis September die ebenen Uferflächen auf mehreren Kilometern Breite. Ging die **Nilschwemme** zurück, blieb fruchtbarer schwarzer Schlamm liegen. Er düngte das Land auf natürliche Weise und lieferte Lehm für Ziegel und Tongefäße.

Der schwarze Schlamm war für die Ägypter so wichtig, dass sie das Fruchtland Kemet („Schwarzes Land") nannten. Die Wüsten bezeichneten sie als Descheret („Rotes Land").

Zudem war der Fluss der Verkehrsweg für Menschen und Waren. Er war also die Lebensader des Landes. Aber der Nil konnte ebenso zur Gefahr werden. Denn im Fluss lebten gefährliche Tiere wie Krokodile und Nilpferde. Manchmal war die Überschwemmung derart heftig, dass sie Ackergrenzen und Häuser zerstörte. Bei zu geringem Hochwasser hingegen gab es zu wenig fruchtbaren Schlamm, schlechte Ernten und Hunger.

Der Nil regt Erfindungen an

Wie kann ein Fluss zu Erfindungen beitragen? Im Laufe der Zeit entwickelten die Ägypter ein Bewässerungssystem aus Kanälen, Dämmen und Wasserbecken. Mittels dieser **künstlichen Bewässerung** konnten sie sich einerseits vor zu hoher Nilflut schützen, andererseits das Wasser möglichst lange auf den Feldern halten.

Trotzdem mussten nach Überschwemmungen die Äcker meist neu vermessen werden. Dabei wurden Längen, Winkel und Flächen berechnet. Dies war die Grundlage der **Geometrie**.

Die Ägypter bemerkten bald, dass die Nilflut alle 365 Tage nach dem Erscheinen des Sterns Sirius am Nachthimmel wiederkehrt. Diese Beobachtungen waren der Beginn der Astronomie, der Wissenschaft der Himmelskörper.

Priester unterteilten den Zeitraum zwischen den Überschwemmungen in zwölf Monate und drei Jahreszeiten: Überschwemmung, Herauskommen (der Saat) und Hitze. So entstand der **Kalender**.

Solche Erfindungen und die Anfänge der Wissenschaft sind kennzeichnend für eine frühe **Hochkultur**.

Internettipps:
Mehr über das Leben der Ägypter mit dem Nil erfährst du in einem Filmbeitrag unter 31041-09

Nilschwemme künstliche Bewässerung **Geometrie** **Kalender** Hochkultur

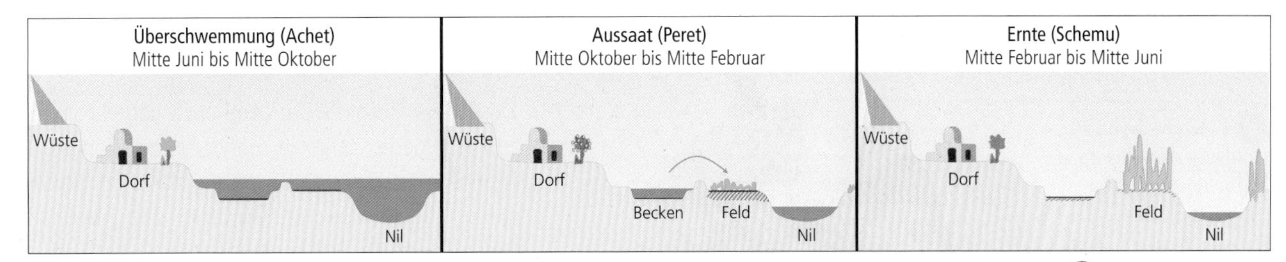

M 2 Abfolge der Jahreszeiten nach dem Nilkalender
Schaubild von 2014

M 3 Ägyptische Seilspanner bei der Feldvermessung
Malerei aus dem Grab des Beamten Menna, um 1375 v. Chr.
Der Schreiber Menna war ein königlicher Beamter. Im Auftrag des Herrschers war er für die Neuvermessung der Felder nach der Nilschwemme zuständig. Seinem Amt verdankte Menna Ansehen und Wohlstand. Daher konnte er sich eine prunkvolle Grabanlage leisten. Die bunt verzierten Wände seines Grabes zeigen Bilder seiner Familie und stellen Szenen aus seinem Leben und seiner Arbeit dar. Sie zeigen, wie stolz er auf seinen Beruf war.

M 4 Über den Nil

Aus einem Lobgesang der Ägypter aus dem 12./13. Jahrhundert v. Chr. an den Nil, den die Ägypter „Hapi" nennen und als Gottheit verehren:

Sei gegrüßt, o Hapi, der aus der Erde hervorgegangen ist, gekommen, um Ägypten wiederzubeleben. O Hapi, Herr der Fische, der die Zugvögel nach Süden führt, der die Gerste erschafft und 5 Emmerweizen entstehen lässt, um die Tempel festlich auszustatten. Wenn es einen Ausfall der Überschwemmung gibt, dann verarmt jedermann. Wenn Hapi den Räuber spielt, leidet das ganze Land. Erscheint er jedoch, ist das Land in 10 Jubel, dann ist jeder Bauch erfreut. Jedes Gebiss nimmt dann ein Lächeln an. Er ist in der Unterwelt, aber Himmel und Erde werden von ihm gestützt, ihm, der die beiden Länder [Ober- und Unterägypten] erobert, der die Magazine füllt, der 15 die Scheunen vergrößert, der dem Armen Besitz gibt. O Hapi, der Holz und alles, was benötigt wird, wachsen lässt, sodass es keinen Mangel gibt. O Hapi, der die Menschen bekleidet mit Flachs, den er geschaffen hat. Fließe, o Hapi, da- 20 mit man dir opfert! Komm nach Ägypten, o Hapi, der seinen Frieden entstehen und die beiden Ufer gedeihen lässt.

Übersetzung nach Peter Dils (gekürzt und vereinfacht); Thesaurus Linguae Aegyptiae

Lesetipps:
- Anne Millard und Steve Noon, Leben am Nil, Starnberg 2003
- Florence Maruéjol, Ägypten, Köln 2006
- Neil Morris, Altes Ägypten, Nürnberg 2002

1. *Erkläre die Bedeutung des Klimas bei der Besiedlung des Niltals. Vergleiche mit der Jungsteinzeit in unserem Land.*
2. *Erkläre die „drei Jahreszeiten" (M2). Begründe die Notwendigkeit des Bewässerungssystems am Nil (M1).*
3. *Beurteile, ob der Nil zu Recht als Lebensader bezeichnet wird.*
4. *Erläutere, warum die Ägypter den Nil als Gott verehrten (M4).*
5. *Recherchiere im Internet, was sich mit dem Bau des Assuan-Staudammes verändert hat. Zeige die Folgen auf.*

Wer herrschte im alten Ägypten?

M 1 Tutanchamun
Goldsarg mit Glas und Halbedelsteinen, um 1325 v. Chr., Gewicht: 110,4 kg, Länge: 1,88 m
Er enthielt die Mumie von Tutanchamun. Ägyptische Herrscher erkennt man an der Krone oder dem königlichen Kopftuch. An der Stirn befinden sich häufig die Zeichen für die Schutzgötter des Landes: eine aufgerichtete Kobra (Uräus) und der Kopf der Geiergöttin Nechbet. Der König trägt einen künstlichen Kinnbart, der seine besondere Kraft zum Ausdruck bringt. Vor der Brust gekreuzt hält er Geißel (Wedel) und Krummstab als weitere Herrschaftszeichen.

Internettipps:
Mehr über das Grab des Pharaos Tutanchamun und seine Sätze erfährst du auf der interaktiven Website 31041-10

Pharaonen an der Spitze

„Mit zitternden Händen machte ich eine kleine Öffnung in der linken oberen Ecke, führte eine Kerze hindurch und spähte hinein. ‚Können Sie etwas sehen?' ‚Ja, wunderbare Dinge.'" Im Jahr 1922 machte der Archäologe Howard Carter eine sensationelle Entdeckung: Tutanchamuns Grab. Welche Rolle spielten Herrscher wie Tutanchamun in Ägypten?

Um 3000 v. Chr. vereinigten sich die beiden großen Stämme im Norden (Unterägypten) und Süden (Oberägypten) zum ägyptischen **Staat**. Seit dieser Zeit regierte ein König das Land. Dieses System der Herrschaft bezeichnen wir als **Monarchie**.

Der Fachbegriff für einen ägyptischen König lautet **Pharao** („großes Haus") – abgeleitet vom königlichen Palast. Etwa 330 Pharaonen beherrschten Ägypten über drei Jahrtausende. Darunter waren auch einige Königinnen wie Hatschepsut und Kleopatra VII.

Die Aufgaben eines Pharaos waren vielfältig. Er erließ Gesetze, sprach Recht, setzte hohe Beamte ein, kontrollierte die Abgaben der Bauern und ließ Ernteüberschüsse in Speichern einlagern. Diese **Vorratshaltung** sicherte die Versorgung des Volkes.

Der Pharao schützte das Land auch gegen Feinde, führte Kriege, schickte Handelsexpeditionen in fremde Länder und ließ Tempel, Paläste und **Pyramiden** bauen. Solche Bauwerke sind ebenfalls Merkmale früher Hochkulturen.

Mensch oder Gott?

Eine besondere Aufgabe war der Dienst an den Göttern, denn nur ein Pharao durfte mit den Göttern in Kontakt treten. Allerdings halfen ihm Hunderte von Priestern in allen Tempeln. Die Ägypter glaubten, der König könne die Überschwemmung und damit die Ernte beeinflussen. Seine Pflicht war es auch, die Maat (göttliche Ordnung der Welt) zu sichern.

Wegen dieser übermenschlichen Leistungen hielten die Menschen Könige für gottähnlich. Sie nannten sie Sohn des Sonnengottes Re und Stellvertreter des Himmelsgottes Horus auf Erden. Nach dem Tod wurden die Pharaonen nach Vorstellung der Ägypter selbst zu Göttern.

Pyramiden und unterirdische Gräber

Die Pyramiden von Gizeh zählen zu den Sieben Weltwundern der Antike. Doch wozu dienten diese riesigen Anlagen? Eine Pyramide war sichtbares Zeichen der Macht eines Pharaos und zugleich seine Grabstätte. Sie ermöglichte sein Weiterleben im Jenseits und sicherte so den Wohlstand aller.

Ab dem 16. Jh. v. Chr. errichteten die Herrscher dann riesige unterirdische Gräber im Tal der Könige auf dem Westufer gegenüber der antiken Stadt Theben. Dort liegt auch das Grab Tutanchamuns.

Tutanchamun war jedoch gar kein bedeutender König. Er starb jung und hat weder Kriege geführt noch große Tempel errichtet. Berühmt ist er nur, weil in seinem Grab alle Beigaben und seine Mumie erhalten sind. Die wesentlich größeren Gräber der übrigen Pharaonen waren im Laufe der Jahrtausende geplündert worden.

Staat **Monarchie** **Pharao** **Vorratshaltung** **Pyramide**

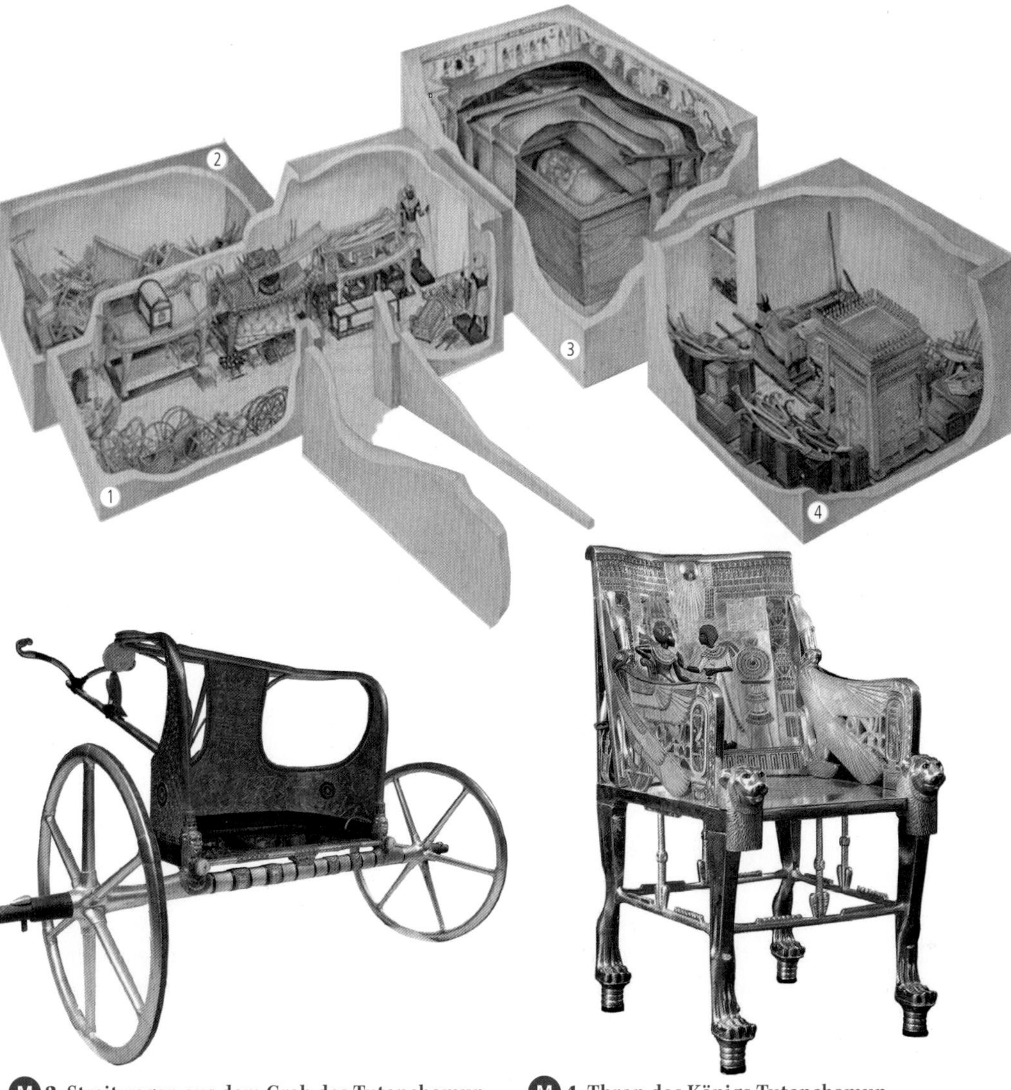

M 2 Grabkammer des Tutanchamun
Rekonstruktionszeichnung von 1997
An den Hängen des Wüstengebirges liegt der Friedhof der Pharaonen, das „Tal der Könige". Die Gräber bestehen aus mehreren großen Kammern und langen Gängen.
Das Grab Tutanchamuns ist dagegen vergleichsweise klein. Denn der junge Pharao ist ganz unerwartet verstorben. Sein Grab besteht nur aus vier kleinen Kammern:
① Vorkammer
② Nebenkammer
③ Sarkophag-Raum
④ Schatzkammer
Es war regelrecht vollgestopft mit Tausenden kostbarer Beigaben.

M 3 Streitwagen aus dem Grab des Tutanchamun
Foto von 2010
Der Streitwagen des Königs besteht aus gebogenen Hölzern, die mit Gold überzogenen sind. Davor wurden Pferde gespannt. Das erlaubte eine schnelle Fortbewegung. Mit diesem Paradewagen sorgte der junge Herrscher für Aufmerksamkeit bei öffentlichen Auftritten.

M 4 Thron des Königs Tutanchamun
Foto von 2010
Der goldverzierte Thron wurde für Tutanchamun angefertigt, als dieser mit neun Jahren König wurde. Er zeigt auf der Rückenlehne den Pharao mit seiner Frau. Die Armlehnen bilden geflügelte Schlangen, die Stuhlbeine sind als Löwen gestaltet.

1. *Stelle dar, wie die Bezeichnung „Pharao" entstanden ist und was sie bedeutet. Kennst du weitere ägyptische Herrscher?*
2. *Beschreibe anhand der Abbildungen (M1 - M4), was zur Ausstattung eines ägyptischen Königs gehört.*
3. *Erstelle eine „Berufsbeschreibung" für den Pharao. Überlege, welche Eigenschaften und Fähigkeiten ein guter Herrscher haben sollte.*
4. *Erkläre die besondere Bedeutung der Entdeckung des Grabes von Tutanchamun.*
5. *Warum haben die Ägypter Pyramiden gebaut? Erläutere mithilfe des Darstelllungstextes.*
6. *Recherchiere, worum es sich bei den übrigen sechs Weltwundern der Antike handelt, und bereite einen Kurzvortrag vor.*

Zeit der Herrschaft von Pharaonen in Ägypten
Vereinigung von Ober- und Unterägypten – Cheops – Unas – Teti II. – Pepi II. – Thutmosis II. – Thutmosis III. – Echnaton – Tutanchamun – Ramses II. – Ramses III. – Kleopatra VII.
3000 v. Chr. – 2000 v. Chr. – 1000 v. Chr. – Chr. Geb.

Arbeit wird geteilt

M1 Bauern bei der Feldarbeit
Wandmalerei, 1375 v. Chr. (Ausschnitt)
Im Grab des Beamten Menna sind zahlreiche Szenen aus dem Leben der Ägypter abgebildet. Ein wichtiger Teil war die Arbeit der Bauern. Denn diese waren für die Versorgung des gesamten Landes zuständig. Beamte wie Menna überwachten die Feldarbeit und führten Listen über die Abgaben.

Nicht alle waren gleich

Eine **Gesellschaft** umfasst alle Menschen in einem bestimmten Gebiet (z. B. in einem Staat). Doch sind alle Menschen einer Gesellschaft gleich? Die ägyptische Gesellschaft bestand aus verschiedenen Gruppen, in die man meist hineingeboren wurde. Dabei gab es eine von oben nach unten gegliederte Rangordnung, eine **Hierarchie**. Denn jede Gruppe hatte besondere Rechte und Pflichten.
Wir können zwischen Beamten höherer, mittlerer und niederer Ränge unterscheiden. Die untergeordneten Beamten mussten die Anweisungen der jeweils höher gestellten ausführen. An der Spitze dieser Hierarchie standen der Pharao mit seiner Familie und die höchsten Beamten.
Die Bauern waren die größte Gruppe. Sie erzeugten die Nahrung und mussten große Teile der Ernte als Abgaben abliefern. Davon wurden Beamte und Handwerker bezahlt. Nur so konnten sich die Menschen auf verschiedene Berufe spezialisieren. Diese Form staatlicher Organisation und die **Arbeitsteilung** kennzeichnen frühe Hochkulturen.

Beamte

Beamte wurden auch „Schreiber" genannt, da sie rechnen, schreiben und lesen konnten. Im königlichen Auftrag verwalteten Beamte das gesamte Reich und hatten deshalb Macht, Ansehen und ein sicheres Einkommen. Die Wesire, die höchsten Beamten, und höhere Verwaltungsbeamte überwachten ihre Arbeit. Einige Beamte unterstützten als Priester den König beim Götterkult, Militärbeamte organisierten die Armee und andere reisten mit Handelsexpeditionen ins Ausland.

Unfreie

Die unterste Gesellschaftsschicht bildeten Unfreie. Viele waren Kriegsgefangene. Unfreie waren von einem Herrn abhängig und wurden für ihre Arbeit mit dem Lebensnotwendigen versorgt. Sie hatten jedoch gewisse Rechte und konnten im Laufe der Zeit ihre Freiheit erlangen. Einige stiegen sogar in hohe Beamtenränge auf.
Es waren allerdings keine Unfreien, die Bauwerke wie Pyramiden errichteten. Dazu benötige man Spezialisten, und einfache Ägypter unterstützten sie während ihres Arbeitsdienstes.

Frauen und Männer

Frauen waren rechtlich unabhängig und den Männern gleichgestellt. Sie konnten vor Gericht klagen und hatten eigenen Besitz. Einige waren sogar hohe Priesterinnen und Königinnen mit politischem Einfluss. Aber insgesamt übten nur wenige Frauen wichtige Ämter aus. Die Hauptaufgabe der Ägypterinnen bestand in der Sorge um den Haushalt, die Kinder und den Besitz. Deshalb nannte man sie „Herrinnen des Hauses".

Lesetipps:
- Viviane Koenig, Das Leben der Kinder im alten Ägypten, München 2006
- Viviane Koenig und Michel Jay, Ägyptische Handwerker am Rand der Wüste, Paris 1986

Gesellschaft Hierarchie Arbeitsteilung

M 2 Die Leiden des Bauern

Auf mehreren Papyri ist ein Text überliefert, der von den schwierigen Lebensumständen der Bauern im alten Ägypten berichtet:

Erinnerst du dich an die Lage des Bauern während der Registrierung [Erfassung] der Ernte? Die Raupe nimmt eine Hälfte weg, das Nilpferd frisst den Rest. Die Mäuse sind zahlreich im Feld, die 5 Heuschrecke kommt herab. Das Vieh frisst und die Spatzen nehmen weg: Wehe da dem Bauern! Den Rest auf dem Boden der Scheune, den erledigen vollends die Diebe. Das geliehene Vieh ist geschunden, das Gespann ist erschöpft vor lauter 10 Dreschen und Pflügen. Dann landet der Schreiber am Uferdamm an, um die Ernte zu registrieren. Seine Begleiter haben einen Schlagstock dabei. Sie sagen: „Gib das Getreide her!" Er aber sagt: „Ich habe keines!" Da schlagen sie ihn mit kra- 15 chenden Schlägen. Dann wird er gefesselt, in den Brunnen hinabgelassen und untergetaucht. Seine Frau und seine Kinder liegen in Fesseln. Seine Hilfsarbeiter gehen weg, sie fliehen und verlassen ihr Getreide.

Zit. nach: Stephan Jäger, Altägyptische Berufstypologien, Göttingen 2004, S. 242f. (vereinfacht)

M 3 „Werde Schreiber!"

Die „Lehre des Cheti" stammt aus dem 19./20. Jh. v. Chr. Darin versucht der Vater Cheti seinen Sohn Pepi vom Beruf des Schreibers zu überzeugen:

Kein Schreiber auf irgendeinem Posten des Staates leidet Not. Das Amt des Schreibers ist bedeutsamer als alle anderen Berufe und es gibt nicht seinesgleichen auf Erden.

5 Der Schilfrohrarbeiter fährt in die Sümpfe, um sich Pfeile zu holen. Seine Tätigkeit geht über seine Kräfte. Moskitos haben ihn gestochen, Sandflöhe ihn gebissen: Er ist vollkommen erschöpft. Der Gärtner trägt eine Tragestange; jede seiner 10 Schultern zeigt Altersbeschwerden und eine Geschwulst befindet sich auf seinem Nacken, welche eitert. Er verbringt den Morgen beim Gemüsegießen und den Abend beim Koriander, nachdem er den Mittag über im Obstgarten ge- 15 arbeitet hat. So sinkt er todmüde nieder.

Ich erzähle dir auch vom Fischer. Er ist elender dran als jeder andere Beruf. Seine Arbeit findet auf dem Fluss statt, der voll ist mit Krokodilen. Wenn dann die Zeit seines Todes kommt, dann 20 wird er klagen, denn niemand hat ihm gesagt: „Das Krokodil lauert dort!"

Schau, dich aber habe ich auf den Weg Gottes gesetzt! Kein Beamter ist ohne Nahrung und Besitz. Danke Vater und Mutter, die dich auf diesen 25 Lebensweg gegeben haben!

Wolfgang Helck, Die Lehre des Dw3-H˘tjj (= Kleine ägyptische Texte 3), Wiesbaden 1970, S. 24ff. (vereinfacht und gekürzt)

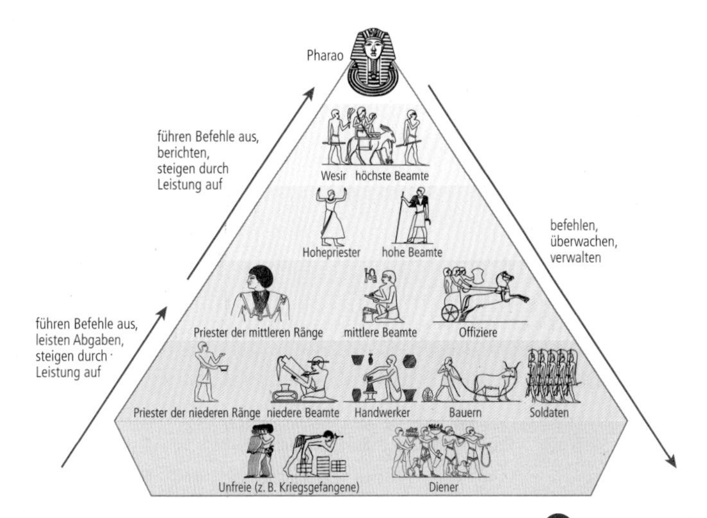

M 4 Gesellschaftspyramide

Ein Ägypter konnte im Staat mehrere Aufgaben haben. Manche Offiziere waren noch hohe Priester und einige Bauern zeitweise niedere Priester oder Soldaten.

1. *Beschreibe die Darstellung (M1) und arbeite heraus, welche Informationen die Bildquelle über die Tätigkeit der Beamten und Bauern liefert. Vergleiche mit der Textquelle (M2). Diskutiert, ob die Darstellung M1 der Realität entsprochen hat.*
2. *Erläutere die Bedeutung von Bauern für die Arbeitsteilung. Vergleiche mit heute.*
3. *Übernimm die Rolle eines Wesirs. Erkläre einem Fremden anhand des Schaubildes M4 den Aufbau der ägyptischen Gesellschaft. Diskutiert, welche gesellschaftlichen Gruppen in unserer Gesellschaft unterschieden werden können.*
4. *Stelle in eigenen Worten dar, wie der Vater in der Lehre versucht, den Sohn für den Schreiberberuf zu gewinnen (M3).*

Die Ägypter entwickeln die Schrift

M1 Namenskartusche von Ramses II.
Ramses II. war einer der bedeutendsten Herrscher Ägyptens. Sein Name bedeutet „Re (Sonnengott) ist der, der ihn geboren hat, Geliebter des (Gottes) Amun".
Dieser Pharao beendete einen jahrhundertealten Streit der Ägypter mit ihren Nachbarn, den Hethitern. Dabei entstand der älteste bekannte schriftliche Friedensvertrag. Noch heute steht er in Stein gemeißelt an den Wänden mehrerer ägyptischer Tempel. Auszüge hängen sogar im UN-Gebäude in New York.

Internettipps:
Mehr über Hieroglyphen und ihre spannende Entzifferung erfährst du unter 31041-11

Geheimnisvolle Zeichen

Wie kam es zur Entstehung der **Schrift**? Wozu nutzten die Ägypter Schriftzeichen? Vor mehr als 5 000 Jahren entwickelten die Ägypter eine Schrift. Damit konnten sie auf Gefäßen oder kleinen Etikettenanhängern Informationen über Inhalt, Herkunft und Abfülldatum notieren. Außerdem erstellten die Beamten Listen mit Ernteerträgen und Abgaben. Natürlich schrieben die Ägypter auch die Namen ihrer Könige, ihre eigenen Namen und die ihrer Familienmitglieder auf.
Im Laufe der Zeit entstanden mehr als tausend verschiedene Zeichen. Wir nennen sie **Hieroglyphen** („Heilige Zeichen"). Aus ihnen entwickelten sich unsere lateinischen Buchstaben. Es gibt jedoch Unterschiede. Jedes der 26 Zeichen in unserem **Alphabet** steht für einen Laut. Die meisten Hieroglyphen aber stehen für mehr als einen Laut. Manche Hieroglyphen sind sogar Darstellungen der Objekte, für die sie stehen (Begriffszeichen).
Hieroglyphen kann man nicht nur von links nach rechts lesen, sondern auch von rechts nach links und von oben nach unten. Achte darauf, in welche Richtung die Gesichter der Menschen und Tiere blicken: Schauen sie nach links, musst du von links nach rechts lesen.

Was schrieben die Ägypter auf?

Bald verwendeten die Ägypter Schrift auch für andere Zwecke. Auf den Wänden von Tempeln, Gräbern und Pyramiden findest du noch heute Gebete, Lebensbeschreibungen oder kurze Texte zu Bildern. Die Ägypter schrieben außerdem wichtige Ereignisse auf, schickten sich Nachrichten über große Entfernungen und verfassten Erzählungen. Diese Textquellen geben uns Auskunft über den Alltag und die religiösen Vorstellungen der Ägypter. Die Entwicklung von Schrift und Literatur sind besondere Leistungen der ägyptischen Hochkultur. Für den täglichen Gebrauch waren Hieroglyphen allerdings zu aufwändig. Schreiber nutzten für Notizen, Berichte und Briefe einfachere Schreibschriften: Hieratisch und später Demotisch.
Nur wenige Ägypter konnten lesen und schreiben. Schreiber waren sehr angesehen in der ägyptischen Gesellschaft. Die lange Ausbildung leisteten sich aber nur wohlhabende Familien. Oft wurde das Schreiberamt vom Vater an den Sohn weitergegeben.

Papyrus oder Scherben?

Papyrus ist das bekannteste Schreibmaterial der Ägypter. Sie stellten ihn aus der gleichnamigen Pflanze her. Die bis zu sechs Meter hohen Papyrusstauden wuchsen im Uferschlamm des Nil.
Die Papyrusherstellung war aufwändig und teuer. Deshalb verwendeten Schreiber meist Scherben aus Ton oder Stein (Ostraka; Sg. Ostrakon). Diese Ostraka gab es in großer Menge und sie eigneten sich gut für Notizen und Schreibübungen der Schüler.

M2 Gefäßanhänger
Elfenbein, Maße 4,3 x 4,2 cm
Das Etikett stammt aus der Zeit des Königs Schlange (um 2920 v. Chr.). Die Ägypter hängten solche Anhänger mit Informationen über den Inhalt und dessen Herkunft an Gefäße. Durch das Loch oben rechts lief eine Schnur, mit der das Plättchen an einem Behälter befestigt war.

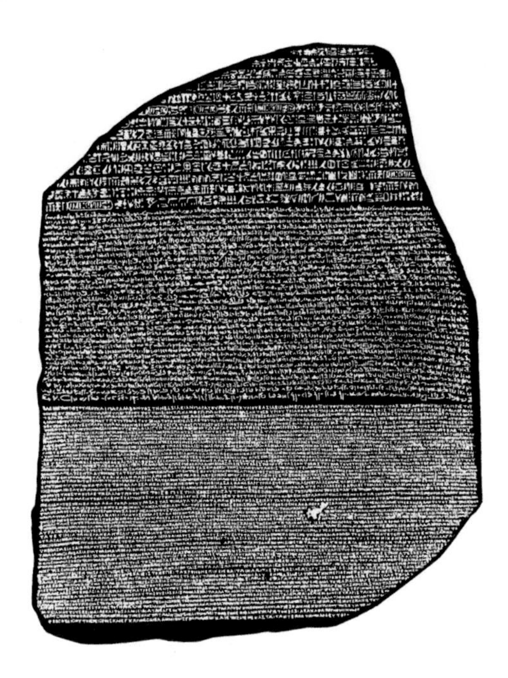

M 3 Stein von Rosette
Granit, 114 x 72 x 29 cm, angefertigt um 200 v. Chr.
Der Stein wurde 1799 im Nildelta gefunden und 1801 nach London gebracht. Er enthält eine Inschrift in drei Schriften: oben Hieroglyphen, in der Mitte Demotisch, unten Altgriechisch. Diese Mehrsprachigkeit war ein Glücksfall: Weil man Altgriechisch lesen konnte, gelang dem Franzosen Jean-François Champollion die Entschlüsselung der beiden anderen, ägyptischen Schriften.

Zeichen	Bezeichnung	Laut	Zeichen	Bezeichnung	Laut	Zeichen	Bezeichnung	Laut
	Greifvogel	a		Schilfblätter	i (j)		Mund	r
	Bein	b		Korb mit Henkel	k		gefalteter Stoff	s
	Brunnenschacht	ch		Löwe	l		Teich	sch
	Hand	d		Eule	m		Brotlaib	t
	Schilfblatt	e		Wasser	n		Wachtelküken	u, v, w
	Hornviper	f		Schlinge	o		Türriegel	z
	Krugständer	g		Hocker oder Matte	p		Seil	tsch
	Hof	h		Abhang	q		Schlange	dsch

M 4 Ägyptische Schriftzeichen
Nach dem Ende der Pharaonenzeit konnte jahrhundertelang keiner mehr die geheimnisvollen Zeichen lesen. Erst im Jahre 1822 gelang Jean-François Champollion die Entzifferung. Doch wie war das möglich? Auf dem Stein von Rosette steht der gleiche Text in drei verschiedenen Schriften: in Hieroglyphen, in Demotisch und in Griechisch. Champollion erkannte, dass die Königsnamen von ovalen Umrandungen (Kartuschen) umschlossen sind. Durch den Vergleich mit dem griechischen Text entzifferte er die Herrschernamen „Ptolemäus" und „Kleopatra". So fand er den Schlüssel zum Geheimnis der Hieroglyphen.

---

1. *Erkläre, woran man den Königsnamen erkennt und warum wir heute wieder Hieroglyphen lesen können (M1, M4).*
2. *Erläutere die Vorteile und die Einsatzmöglichkeiten der Schrift sowie ihre Bedeutung für die ägyptische Hochkultur. Erstelle einen kurzen Sachtext über die Bedeutung der Erfindung der Schrift für die Menschen bis heute.*
3. *Schreibe deinen Namen in Hieroglyphen, und zwar so, wie er gesprochen wird (M4). Setze hinter einen Mädchennamen und hinter einen Jungennamen . Beispiele:*
   Felix
   Melanie
4. *Für uns ist Buchstabenschrift selbstverständlich. Doch auch wir verwenden Bildzeichen. Erstelle eine Sammlung mit Beispielen.*

30 v. Chr.: Ägypten wird römische Provinz
Zeit der Verwendung von Hieroglyphen
1822: Entzifferung der Hieroglyphen
Chr. | 3000 v. Chr. | 2000 v. Chr. | 1000 v. Chr. | Chr. Geb. | 1000 | 2000

Die Arbeiter des Pharaos

In der Nähe des Tals der Könige (siehe S. 50) lag die Siedlung der Arbeiter. Heute heißt der Ort Deir el-Medina. Hier wohnten Handwerker, Bildhauer, Maler und Architekten, die die Gräber der Pharaonen bauten. Insgesamt lebten in der Stadt etwa 100 Erwachsene mit ihren Kindern. Sie bestand fast fünf Jahrhunderte.
Bis 1951 wurden alle 70 Häuser von Archäologen untersucht. Die Ausgrabungsergebnisse machen den Alltag der Bewohner lebendig. Dazu tragen auch viele Tausend Scherben mit Texten und Zeichnungen bei, die im Ort gefunden wurden.

Vorschläge für Forschungsfragen:
Thema 1: *Wohnen und Essen in Deir el-Medina*
Thema 2: *Die Arbeit der Männer, die die Königsgräber bauten*
Thema 3: *Konflikte in der Handwerkerstadt und ihre Lösung*
Aber vielleicht fallen euch ja noch andere Fragen ein?

Beschreiben

Thema 1: *Sammelt alle Informationen zum Wohnen, Essen und Trinken in Deir el-Medina.*
Thema 2: *Nennt die Tatsachen, die zum Bau und Schmuck der Gräber im „Tal der Könige" gehören.*
Thema 3: *Stellt alle Streitigkeiten im Dorf Deir el-Medina zusammen.*

Untersuchen

Thema 1: *Untersucht, welche Unterschiede beim Wohnen oder bei den Speisen in der Siedlung bestanden.*
Thema 2: *Findet heraus, welche Fähigkeiten und Materialien zum Bau der Pharaonengräber erforderlich waren.*
Thema 3: *Untersucht die Ursachen der Streitigkeiten, die streitenden Parteien und die Lösungsversuche.*

Einordnen

Thema 1: *Überprüft, welche Risiken die arbeitsteilige Gesellschaft für die Bewohner mitbrachte.*
Thema 2: *Vergleicht den Arbeitsaufwand für die Königsgräber mit demjenigen für die Pyramiden.*
Thema 3: *Begründet, warum die Verhältnisse in Ägypten solche Konflikte begünstigten.*

Präsentieren

Thema 1: *Baut ein Hausmodell aus Karton. Entwerft ein Kochrezept mit ägyptischen Zutaten.*
Thema 2: *Präsentiert eine Berechnung, wie lange der Bau des Grabes von Ramses IV. gedauert haben kann.*
Thema 3: *Schreibt einen Klagebrief an Pharao Ramses III. aus der Sicht der streikenden Arbeiter.*

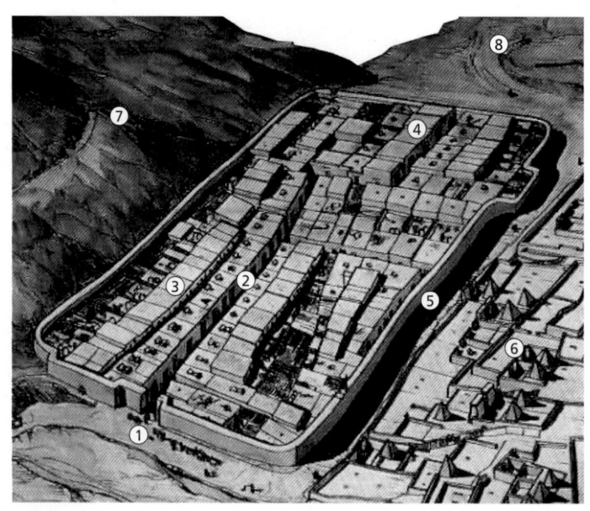

M1 Rekonstruktion der Arbeitersiedlung um 1500 v. Chr.
Zeichnung von 2003
① einziges Tor, ② Hauptstraße, ③ Häuser der Handwerker, ④ Häuser der Vorarbeiter und Aufseher, ⑤ Umfassungsmauer, ⑥ Gräber der Bewohner, ⑦ Weg zum „Tal der Königinnen" und zum Tempel Ramses III. (dort wurden Wasser und Lebensmittel für die Bewohner geholt), ⑧ Weg zum „Tal der Könige"

M2 Übles wird am Platz Pharaos getan!

Ein Papyrus berichtet über Ereignisse im 29. Jahr des Ramses III. Die Arbeitersiedlung ist in Aufregung: Die Grabarbeiter streiken, sie weigern sich also zu arbeiten!
4. November: Sie sagen: „Wir sind hungrig, da bereits 18 Tage im Monat fortgeschritten sind." Sie ließen sich hinter dem Totentempel von Thutmosis III. (▸ M5) nieder. Kommen des Schreibers, der Vorarbeiter, der Stellvertre-
5 ter und der Aufseher. Sie riefen: „Geht wieder hinauf!" Sie schworen Eide und sagten: „Wir haben Worte Pharaos!"
6. November: Die Arbeiter erreichen das Ramesseum (▸ M5). In sein Inneres dringen sie ein. Der Polizeichef ging nach Theben mit den Worten: „Ich werde den Bürger-
10 meister holen." Er kam zurück und sprach: „Der Bürgermeister sagte mir: ‚Holt die Versorgung aus dem Lager!'"
[Die Arbeiter:] „Wir schreiben dorthin, wo der König ist! Wir sind in diese Lage gekommen aus Hunger und Durst. Es gibt keine Kleidung, kein Öl, keinen Fisch, kein Gemü-
15 se. Schreibt das an den Pharao, unseren guten Herrn. Schreibt auch an unseren Vorgesetzten, den Wesir, dass uns unser Lebensunterhalt gegeben werde."
Einge Zeit später: Zwei Arbeiter haben gesagt: „Wir werden nicht kommen! Wir haben den Streik nicht gemacht,
20 weil wir hungern, sondern wir haben eine große Erklärung abzugeben! Wahrlich, Übles wird am Platz Pharaos getan!"

M3 Gebote und Verbote

Die Schriftstellerin Freya Stephan-Kühn hat herausgearbeitet, welche Regeln für die Bewohner der Arbeitersiedlung gelten. Achtung: Ihr Text stammt nicht aus der Zeit der Siedlung. Die Regeln könnten aber zur Pharaonenzeit so gelautet haben:

1. Das Verlassen der Arbeitersiedlung ist nur in Ausnahmefällen und mit Genehmigung gestattet.
3. Die Arbeiter müssen pünktlich zum Wochenanfang an der Baustelle jenseits des Berges eintreffen.
5. Die Arbeiter müssen das ihnen zugeteilte Werkzeug sorgfältig behandeln und bei Verlust ersetzen.
6. Die tägliche Arbeitszeit beträgt acht Stunden.
7. Während der Woche bleiben alle Arbeiter im Feldlager im Tal der Könige. An den Wochenenden dürfen sie zu ihren Familien in das Dorf. (▸M5)
9. Jeder Arbeiter erhält am 28. Tag jedes Monats als Lohn aus den königlichen Speichern 300 Liter Weizen, 110 Liter Gerste, zwei Kilo getrockneten Fisch und Salz zugeteilt. Wasser wird jeden Tag ausgegeben, Gemüse und 500 Stück Holz einmal pro Woche. Je nach Lage und Fleiß gibt es Sonderzuteilungen von Fett, Kleidern, Fleisch, Wein und Seife.
10. Die Bewohner des Tales sind verpflichtet, die Wäsche der Arbeiter zu waschen.
11. Die Arbeiter dürfen mit den nicht verbrauchten Teilen ihres Lohnes Handel treiben.
13. Die Arbeiter dürfen für sich und ihre Familie ein Grab anlegen. Ein Platz wird zugeteilt. (▸M1)
14. Streit der Bewohner, der nicht gütlich beizulegen ist, entscheidet das Ortsgericht. Verbrecher werden dem Königsgericht in Theben überstellt.

Zit. nach: Freya Stephan-Kühn, Viel Spaß mit den alten Ägyptern!, Würzburg 1990, S. 71 f. (gekürzt und vereinfacht)

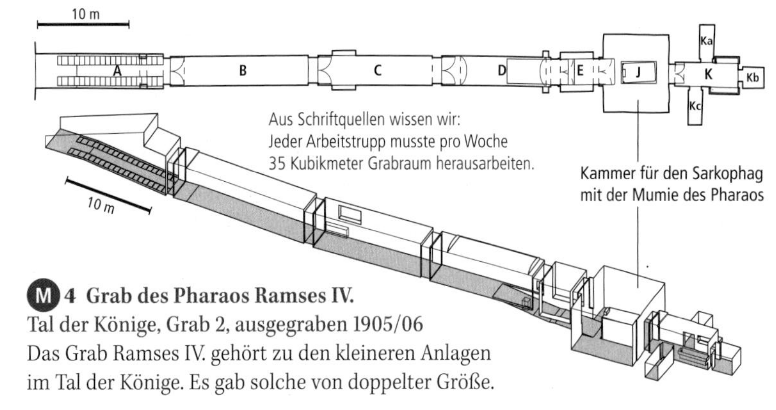

M4 Grab des Pharaos Ramses IV.

Tal der Könige, Grab 2, ausgegraben 1905/06
Das Grab Ramses IV. gehört zu den kleineren Anlagen im Tal der Könige. Es gab solche von doppelter Größe.

M5 Westufer des Nils, gegenüber der Stadt Theben

Übersichtsplan von 2000
Hier ließen Pharaonen zwischen ca. 1500 und 1100 v. Chr. Tempel bauen. Darin wurden sie nach ihrem Tod als Götter verehrt. Westlich von ihnen liegen das „Tal der Könige" und das „Tal der Königinnen". Dort wurden die königlichen Mumien beigesetzt.

M6 Was Scherben erzählen

Auf Scherben halten Schreiber Verträge, Urteile und Ereignisse fest. So erfahren wir, was die Menschen in der Siedlung bewegt. Zwei Beispiele:

- Aussage des Schreibers *Nefer-Hetep* vor dem Gerichtshof der Nekropole: „Bei Amun und dem Herrscher! Wenn ich den Esel des *Heri*, Sohn des *Hui-Nefer*, nicht bezahle, sei es in Vieh, sei es in Gegenwert, bis zum [*unleserlich*], erhalte ich 100 Hiebe, und er wird gegen mich doppelt berechnet."
- Meine Tochter sagte: „Mein eigener Mann, der Arbeiter [*unleserlich*], er schlug und schlug mich ununterbrochen!" Da ließ ich seine Mutter holen. Der [*Vorsteher*] fand ihn im Unrecht. Man ließ ihn vor die Beamten holen. Ich sagte zu ihm: „Wenn du sie nicht mehr schlagen wirst, so schwöre vor den Beamten!" Da sprach er den Eid: „Bei Amun und dem Herrscher!"

Zit. nach: Wolfgang Helck, Die datierten und datierbaren Ostraka, Papyri und Graffiti von Deir el-Medineh. Ägyptologische Abhandlungen, Bd. 63, Wiesbaden 2002, S. 227, 240, 351, 230 und 238

M7 Frauenarbeit – Männerarbeit

Bemalte Tonscherben, um 1200 v. Chr.
Während die Männer bei den Gräbern arbeiteten, war die Siedlung ein Frauen- und Kinderdorf. Aus den Getreidezuteilungen backten die Frauen Brot für ihre Familien.

Ältestes Königsgrab im „Tal der Könige": Amenophis I. | Großer Streik der Arbeiter | Jüngstes Königsgrab im „Tal der Könige": Ramses XI.

Die Arbeitersiedlung (Deir el-Medina) besteht

1600 v. Chr. | 1500 v. Chr. | 1400 v. Chr. | 1300 v. Chr. | 1200 v. Chr. | 1100 v. Chr | 1000 v. Chr

Die Welt der Götter und das Jenseits

M 1 Im Allerheiligsten
Zeichnung von Janet Jones, 1995
Der wichtigste Raum im Tempel war das Allerheiligste. Hier wurde in einem heiligen Schrank (Schrein) das Kultbild des Gottes bewahrt.
Außer dem Pharao durften ihn nur ausgewählte Priester betreten. Dreimal am Tag brachte ein Priester dem Gottesbild ein Opfer dar. Morgens wurde es gewaschen, gesalbt, geschminkt und neu gekleidet. Manche Opfer wurden später noch vor einer Statue des Pharaos und dann bei Statuen von frommen Ägyptern dargebracht. Die Priesterschaft durfte die Opfergaben schließlich verzehren.

Viele Götter

Woran glaubten die Ägypten? Die **Religion** der Ägypter basiert auf dem Glauben, dass in Pflanzen, der Luft, dem Wasser, der Sonne und vor allem in Tieren göttliche Kräfte wohnen. Sie verehrten zahlreiche Götter. Das nennen wir **Polytheismus**.

Und wie sahen die Götter aus? Die Ägypter stellten sich Götter in Menschen- oder Tiergestalt und als Mischwesen mit menschlichem Körper und Tierkopf vor. Sie entwickelten eine richtige Lehre von den Göttern (Theologie). Dies ist ebenfalls kennzeichnend für eine Hochkultur.

Tempel als Wohnhäuser

Waren die Tempel also Kirchen der Ägypter? Nein. Die Ägypter bauten die Tempel als Wohnhäuser ihrer Götter. Nur Priester hatten Zugang. Die Bevölkerung durfte lediglich den ersten Hof der riesigen Anlagen betreten.

Im hintersten Teil des Gebäudes standen die Götterstatuen. Ihn ihnen waren die Gottheiten nach Vorstellung der Ägypter zeitweise anwesend.

Zahlreiche Priester versorgten im königlichen Auftrag alle Götterstatuen. Sie wuschen sie, gaben ihnen Speisen und Kleidung und trugen Hymnen und Gebete vor. Die Ägypter glaubten, dass es ihrem Land nur gut ging, wenn die Götter zufrieden waren.

Größere Tempelanlagen waren wichtige Wirtschaftsbetriebe. Sie hatten Schulen, Vorratshäuser, Werkstätten, Bibliotheken und Wohnungen. Neben Priestern waren dort Bauern, Handwerker, Ärzte, Schreiber und einfache Arbeiter beschäftigt.

Der schöne Westen

Warum ließen die Ägypter ihre Verstorbenen mumifizieren? Sie glaubten an ein Leben nach dem Tod. Das Jenseits nannten sie den „Schönen Westen", denn sie vermuteten es auf dem Westufer des Nil.

Dieses Weiterleben stellten sich die Ägypter ähnlich wie ihr irdisches Dasein vor. Deshalb spielte der **Totenkult** eine wichtige Rolle. Wer es sich leisten konnte, sorgte für eine reich ausgestattete unterirdische Grabanlage mit Nahrungsmitteln, Kleidung, Möbeln, Schmuck, Dienerfiguren und sogar mumifizierten Haustieren.

Doch das Weiterleben war an zwei Bedingungen geknüpft: den Erhalt des Körpers und das Totengericht. Anfangs setzten die Ägypter ihre Toten im heißen Wüstensand bei. Dadurch trockneten die Körper aus und blieben erhalten. Im Laufe der Zeit entwickelten sie ein kompliziertes Verfahren der Mumifizierung. Nur die Ärmeren vergruben ihre Toten weiterhin im Sand.

Und was ist das Totengericht? Das Totengericht fand in einer unterirdischen Gerichtshalle statt. Auf dem Weg dorthin musste der Verstorbene zahlreiche Gefahren bewältigen und sich dann vor dem Totenrichter Osiris für seine Taten verantworten.

Religion **Polytheismus** **Totenkult**

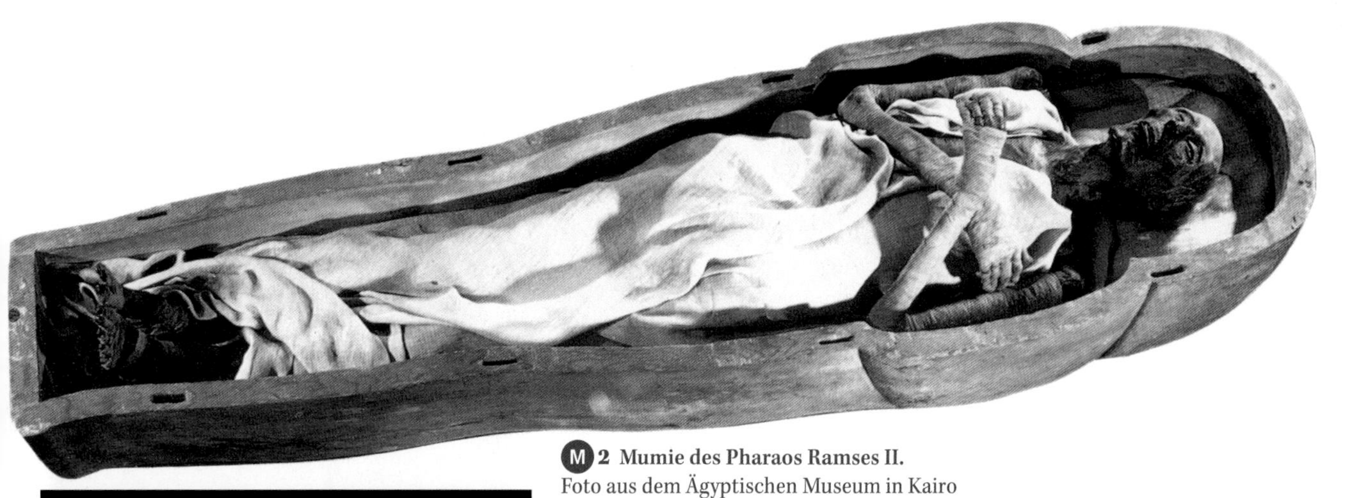

M 2 Mumie des Pharaos Ramses II.
Foto aus dem Ägyptischen Museum in Kairo
Als der König starb, entnahmen ihm die Balsamierer Gehirn und Eingeweide. Nur das Herz blieb im Körper. Es galt als Sitz des Verstandes. Die Organe wurden in besonderen Gefäßen bestattet. Anschließend legte man den Körper bis zu 70 Tage in Natronsalz, damit er austrocknete. Dann wurde er mit trockenem Material gefüllt und mit Leinenbinden umwickelt, die mit wohlriechenden Ölen getränkt waren. So wurde der Pharao zur Mumie.

M 3 Uschebtis
Figuren aus Stein oder gebranntem Ton
Höhe des größten Uschebti: 24 cm
Etwa ab 1700 v. Chr. gaben die Ägypter den Toten kleine Figuren aus Stein, Ton, Wachs oder Holz mit ins Grab. Diese „Uschebtis" sollten dem Verstorbenen im Jenseits dienen und ihm so ein angenehmes Leben ermöglichen.

M 4 „Uschebtiformel"

Der folgende Spruch aus dem Totenbuch soll die kleinen Arbeiterfiguren (Uschebtis) zur Arbeit im Totenreich veranlassen:

O ihr Uschebti, wenn ich verpflichtet werde, irgendeine Arbeit zu leisten, die dort im Totenreich geleistet wird; wenn nämlich ein Mann dort zu seiner Arbeitsleistung verurteilt wird, dann verpflichtest du dich zu dem, was dort getan wird, um die Felder zu bestellen und die Ufer zu bewässern, um den Sand (Dünger) des Ostens und des Westens überzufahren. „Ich will es tun, hier bin ich", sollst du sagen.

Zit. nach: Erik Hornung, Das Totenbuch der Ägypter, Zürich u. a. 1979, S. 48

Exkursionstipps:
Ägyptische Sammlungen gibt es auch in eurer Nähe. Hier könnt ihr nicht nur Mumien besichtigen:
- Museum der Universität Tübingen (im Schloss Hohentübingen)
- Sammlung des Ägyptologischen Instituts der Universität Heidelberg
- Reiss-Engelhorn-Museum Mannheim

1. *Erkläre die Funktion der Tempel und des Gottesdienstes (M1). Überprüfe, ob es Unterschiede zwischen einem ägyptischen Tempel und einer Kirche oder Moschee gibt.*
2. *Arbeite heraus, welche Informationen diese Objekte (M3) über die Vorstellungen der Ägypter vom Leben nach dem Tod liefern (vgl. M4).*
3. *Stell dir vor, du müsstest das Grab für den Schreiber Ani ausstatten. Recherchiere über die Beigaben in ägyptischen Gräbern und erstelle eine Liste für das Begräbnis des Ani.*
4. *Beschreibe die wichtigsten Schritte der Einbalsamierung (M2).*
5. *Erläutere die Bedeutung der Mumifizierung und berücksichtige soziale Unterschiede.*

Auch Bilder können sprechen

Bilder können Geschichten erzählen und uns etwas über die Zeit mitteilen, in denen sie entstanden sind. Du kannst sie zum Sprechen bringen, indem du Fragen an sie stellst. Nicht alle lassen sich bei jedem Bild beantworten. Oft musst du weitere Informationen einholen.
Du kannst bei der Arbeit mit Bildern in drei Schritten vorgehen:

1. Beschreibe das Bild

- Wann und wo wurde es geschaffen oder veröffentlicht?
- Welche Personen erkennst du auf dem Bild?
- Was tun die Personen?
- Wie sind sie gekleidet? Haben sie Gegenstände bei sich?
- Kannst du weitere Dinge oder Tiere auf dem Bild erkennen?
- Wie wirkt das Bild auf dich?

2. Erkläre die Zusammenhänge

- Ist auf dem Bild etwas hervorgehoben? Woran erkennst du das?
- Wie sind die Personen dargestellt? Fällt dir dabei etwas auf? Sind es wirkliche Personen oder stehen sie für etwas?
- In welcher Beziehung zueinander sind die Personen dargestellt?

3. Bewerte das Bild

- Zu welchem Zweck wurde das Bild hergestellt?
- Was sollte es dem Betrachter sagen?
- Welche Ereignisse und Vorstellungen haben für die Darstellung eine Bedeutung? Kannst du sie auf dem Bild wiederfinden?

Diese Formulierungen helfen dir, Bildquellen auszuwerten:

1. *Das Bild stammt aus dem Jahr .... Es wurde von ... gemalt. Von links nach rechts erkennt man .... Die Figur ... ist mehrmals abgebildet. Die Figur des ... ist durch ... besonders hervorgehoben. Auffällig ist .... Einige Figuren halten ... in der Hand.*

2. *Einige der Figuren sind (Menschen/Götter/Teufel ...). Dies erkennt man an .... Die meisten Figuren (blicken/gehen) nach .... Besonders hervorgehoben ist .... Als einzige Figur ist ... dargestellt. Das Bild zeigt (einen einzigen Moment/einen längeren Zeitraum).*

3. *Das Bild diente als .../war angebracht am .... Es beschreibt die Vorstellung vom .... Die abgebildete Szene war für die Menschen sehr wichtig, da .... Das Bild ist eine Quelle für die Vorstellungen der ...zeit über ....*

M1 Die „große Prüfung": das Totengericht
Ausschnitt aus dem „Totenbuch" des Schreibers Hunefer, Wasserfarben auf Papyrus, Höhe 39 cm, um 1300 v. Chr.

M3 Das „Jüngste Gericht"
Relief über dem Westeingang zum Freiburger Münster (Ausschnitt), Stein, bemalt und z. T. vergoldet, um 1330 n. Chr.
Auch im Christentum gibt es die Vorstellung einer Prüfung der menschlichen Seele nach dem Tod. Am Ende der Zeit, beim „Jüngsten Gericht", wird über das Leben jedes Menschen geurteilt. Je nach Ausgang der Wägung erwartet die Seele entweder den Eingang in das himmlische Paradies oder die ewige Verdammnis der Hölle.

Der Erzengel Michael wiegt eine Seele.

Die Seele ist als kleines Kind dargestellt. Es ist die Seele eines guten Menschen, denn sie wiegt schwerer als ...

Ägypter schmückten die Wände ihrer Grabkammern mit Bildern und Inschriften. Außerdem stellten sie „Totenbücher" her, Papyrusrollen, die sie den Mumien in den Sarg legten. Ihr Text enthielt die Antworten, die der Verstorbene auf die Fragen des Totengerichts geben sollte. Außerdem sind in vielen Totenbüchern Szenen aus dem Totenreich bildlich dargestellt.

M2 Eine (sehr kurze) Bildinterpretation

Wenn du die Anleitung links befolgst und die Informationen einbeziehst, könntest du schreiben:

Das Bild zeigt den Ausschnitt aus einem ägyptischen Totenbuch. Es wurde um 1300 v. Chr. auf Papyrus gemalt. Die Szene muss von links nach rechts gelesen werden.
Ein Verstorbener im weißen Gewand wird vom Totengott Anubis zur wichtigsten Stelle des Bildes geführt: Auf einer großen Waage wiegt Anubis das Herz des Verstorbenen. Es ist leichter als die Feder der Maat, deshalb verschlingt die „Große Fresserin", die dabeisitzt, es nicht. Der Gott Thot schreibt das Ergebnis der Wägung mit seinem Schreibzeug auf. Der Himmelsgott Horus zeigt dem Verstorbenen den Weg zu Osiris, dem Herrn des Totenreiches. Er sitzt auf einem Thron. Der Tote hat das Totengericht bestanden und wird in die Ewigkeit eingelassen. Das Bild erzählt eine wichtige Stelle im Glauben der Ägypter. Jeder Ägypter hoffte, dass es ihm nach seinem Tod beim Totengericht so ergeht wie dem abgebildeten Verstorbenen.

Jetzt bist du dran: Bildbefragung üben

Die Bildquelle M3 ist über 2 600 Jahre später entstanden als M1. Sie behandelt aber das gleiche Thema: Was geschieht nach dem Tod? Diese Frage haben sich Menschen zu jeder Zeit gestellt. Ihre Antworten haben sie oft in Bildern ausgedrückt.

1. *Schreibe eine Auswertung des Reliefs M3. Berücksichtige die Arbeitsschritte links und die Formulierungsvorschläge.*
2. *Vergleiche das Relief M3 mit dem Bild M1. Welche Einzelheiten kommen auf beiden Bildern vor? Was ist ganz anders dargestellt? Wie geht die Szene jeweils aus?*
3. *Überprüfe anhand von M1 - M3, welche Vorstellungen vom Leben nach dem Tod die Künstler hatten.*

Hammurapi und das Recht

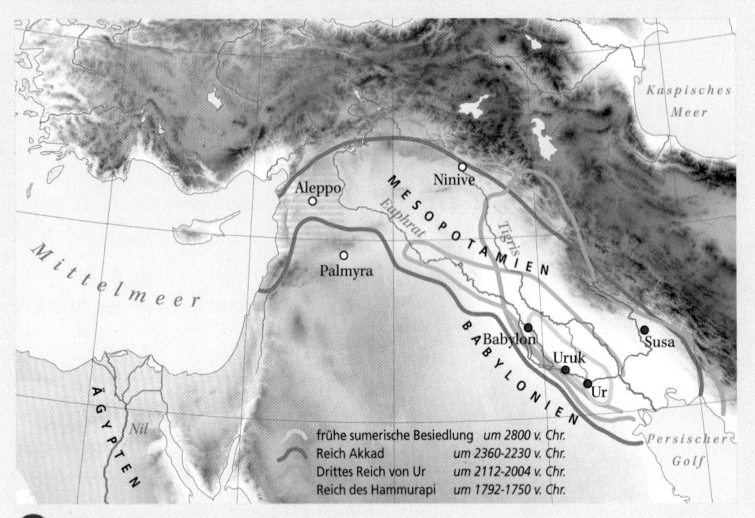

M 1 Zweistromland Mesopotamien
Die Ufer der beiden Flüsse Euphrat und Tigris boten den Menschen sehr gute Siedlungsbedingungen. Deshalb konnten hier – ähnlich wie am Nil – große Reiche gegründet werden.

Wer sind die Babylonier?

Frühe Hochkulturen entstanden seit dem 4. Jahrtausend v. Chr. auch im Zweistromland Mesopotamien zwischen den Flüssen Euphrat und Tigris. Die bedeutendste war im 2. Jahrtausend v. Chr. die Kultur der Babylonier mit der Hauptstadt Babylon. Der bekannteste König der Babylonier ist Hammurapi (1792 - 1750 v. Chr.). Er machte Babylonien zu einem Großreich, denn Hammurapi führte erfolgreich Kriege und vereinigte die Stadtstaaten in Mesopotamien zu einem einheitlichen Staat. Er schuf ein straffes Verwaltungssystem und organisierte die künstliche Bewässerung. Außerdem ließ er riesige Bauten errichten.

M 2 Entstehung der Keilschrift
Keilschrift hat sich aus Bildzeichen entwickelt. Durch Verwendung von weichem Ton als Beschreibstoff und stumpfen Griffeln entfernten sich die Zeichen immer weiter von ihrer Vorlage. Während ägyptische Hieroglyphen ausschließlich für die altägyptische Sprache benutzt wurde, konnten mit Keilschrift zahlreiche Sprachen geschrieben werden.

	3200 v. Chr.	3000 v. Chr.	2400 v. Chr.	1000 v. Chr.
Vogel				
Fisch				
Esel				
Ochse				
Sonne				
Ähre				
Obstgarten				
Pflug				
Wurfholz				
Fuß				

Keilschrift

Was hatten die Babylonier mit den Ägyptern gemeinsam? Auch sie hatten eine Schrift, die **Keilschrift**. Diese war von den Sumerern im südlichen Mesopotamien erfunden worden. Viele Völker im alten Orient verwendeten sie. Zusammen mit den ägyptischen Hieroglyphen ist sie die älteste bekannteste Schrift.

Keilschrift besteht aus waagrechten, senkrechten und schrägen Keilen. Mit Schreibgriffeln drückte man diese Keile meist in feuchte Tontafeln, die anschließend getrocknet oder gebrannt wurden. Manchmal wurden die Zeichen auch in Stein gemeißelt.

Die Babylonier verwendeten die Schrift zunächst für die Verwaltung. Sie notierten vor allem Ernteerträge und Abgaben. Später entstanden religiöse Texte, Lieder und Erzählungen aller Art.

Der bekannteste literarische Text in Keilschrift ist die Gilgamesch-Erzählung. Sie handelt von den Heldentaten von Gilgamesch, dem König der sumerischen Stadt Uruk. Dieser begibt sich zusammen mit seinem Begleiter Enkidu auf die Suche nach der Unsterblichkeit.

Was macht Hammurapi berühmt?

König Hammurapi ist durch das von ihm begründete **Recht** in die Geschichte eingegangen. Denn er führte ein einheitliches Gesetzeswerk in Babylonien ein. Dazu ließ er eine Sammlung von 282 Rechtssprüchen aufzeichnen: den Codex Hammurapi. Dieses Gesetzeswerk hielt die Rechte aller gesellschaftlichen Gruppen schriftlich fest. Die Rechtssätze behandeln Themen wie Staatsrecht, Schuldrecht, Eherecht, Erbrecht, Strafrecht oder Mietrecht.

Ihre Gesetze schrieben die Babylonier in Keilschrift auf Stelen und Tontafeln und stellten diese in den Städten öffentlich auf.

Der Codex Hammurapi ist zwar nicht die älteste Gesetzsammlung der Welt, aber die erste vollständig erhaltene. Außerdem gilt der Text als eines der wichtigsten literarischen Werke der Hochkultur des alten Orients.

M 3 Keilschrifttafel aus Ton
Datierung: ca. 17. Jh. v. Chr.
Die Tafel aus gebranntem Ton befindet sich in der Sammlung der Universität Mainz. Sie enthält einen Auszug aus der Gilgamesch-Erzählung.

M 4 Stele von Susa
Diorit (schwarzes Gestein), Höhe: 2,25 m, Museum Louvre, Paris
Die Stele wurde 1902 in Susa gefunden. Sie stammt ursprünglich aus einer babylonischen Stadt. Im oberen Teil der Stele zeigt ein Relief Hammurapi vor dem Gott Šamaš. Dieser überreicht dem König Herrschaftssymbole. Darunter ist in Keilschrift der Codex Hammurapi eingemeißelt.

M 5 Der Codex Hammurapi

Auszug aus dem Gesetzeswerk des Königs Hammurapi, verfasst um 1754 v. Chr.:

Wenn ein Bürger einen anderen Bürger bezichtigt und ihm Mord vorwirft, ihn jedoch nicht überführt, so wird derjenige, der ihn bezichtigt hat, getötet.
5 Wenn ein Bürger Eigentum eines Gottes oder des Palastes stiehlt, so wird dieser Bürger getötet; auch wer Diebesgut aus seiner Hand annimmt, wird getötet.
Wenn ein Bürger das Kind eines (anderen) Bür-
10 gers stiehlt, wird er getötet.
Wenn ein Bürger in ein Haus einbricht, so soll man vor jener Einbruchsstelle ihn töten und ihn dort aufhängen. Wenn ein Bürger einen Raub verübt und erwischt wird, wird dieser Bürger
15 getötet.
Wenn ein Bürger seinen Graben zur Bewässerung öffnet, dann aber die Hände in den Schoß legt und auf diese Weise das Wasser das Feld eines Nachbarn wegschwemmen lässt, so soll er Getrei-
20 de entsprechend dem Ertrag seines Nachbarn darmessen.
Wenn ein Sohn seinen Vater schlägt, soll man ihm eine Hand abschneiden. Wenn ein Bürger ein Auge eines anderen Bürgers zerstört, so soll man
25 ihm ein Auge zerstören. Wenn er einen Knochen eines Bürgers bricht, so soll man ihm einen Knochen brechen.

Zit. nach: Rykle Borger, Der Codex Hammurapi, in: Rechts- und Wirtschaftsurkunden. Historisch-chronologische Texte (= Texte aus der Umwelt des Alten Testaments I), Gütersloh 1982, S. 44ff.

Lesetipps:
- Memo Wissen entdecken, Bd. 81: Mesopotamien, München 2014
- Susanne Birker, Uruk – Keilschrift – Gilgamesch. Entdeckungsbuch: lesen – erkunden – verstehen, Hamm [2]2013

1. *Vergleiche die Karte von Mesopotamien (M1) mit der von Ägypten. Was fällt dir auf?*
2. *Erläutere, warum das Reich der Babylonier eine frühe Hochkultur ist.*
3. *Beschreibe die Besonderheiten der Keilschrift (M2 - M4). Worin bestehen Unterschiede zu den den Hieroglyphen der Ägypter?*
4. *Erkläre, was es für die Menschen in Babylonien bedeutete, dass Hammurapi Gesetze erließ und in schriftlicher Form in seinem Reich aufstellen ließ (Darstellung, M4 - 5).*
5. *Arbeite aus M5 heraus, auf welchen Vorstellungen das babylonische Recht beruht. Beurteile die Gesetze aus heutiger Sicht.*

Entstehung früher Hochkulturen in Mesopotamien: 4. Jahrtausend v. Chr.
Stadtstaaten
Reich Akkad
Hammurapi (1792 - 1750 v. Chr.)
Kultur der Babylonier
000 v. Chr. | 3000 v. Chr. | 2000 v. Chr. | 1000 v. Chr.

Zu Beginn des Kapitels haben wir eine Leitfrage formuliert. Sie lautet: *Warum entwickelten die Ägypter eine Hochkultur?* Mithilfe der Arbeitsfragen auf S. 46 kannst du sie nun beantworten:

1

Die Erfindung der **Schrift** erleichterte den Ägyptern die Verwaltung des riesigen Landes. Sie konnten Erntelisten erstellen und Gefäße beschriften. Mit den **Hieroglyphen** schickten sie Nachrichten in alle Teile des Reiches. Priester hielten Gebete und Kultregeln fest und Schreiber notierten Lebensgeschichten einzelner Menschen und sogar Erzählungen. Allerdings gab es nur wenige Schriftkundige. Sie wurden als Beamte eingesetzt und waren sehr angesehen.

2

Die Ägypter verehrten viele Götter. Das bezeichnet man als **Polytheismus**. Ein wichtiger Bestandteil ihrer **Religion** war der **Totenkult**. Sie glaubten an ein Weiterleben nach dem Tod. Daher bestatteten sie ihre Könige z.B. in riesigen **Pyramiden** und gaben sie ihren Toten Grabbeigaben mit. Wichtige Bedingungen für das Weiterleben waren der Erhalt des Körpers durch Mumifizierung und das Bestehen des Totengerichts.

3

Ägypten verdankte seinen Wohlstand dem Nil, aber auch der gut organisierten Landwirtschaft und der **künstlichen Bewässerung**. Die Ägypter lernten das Datum für die jährliche **Nilschwemme** vorauszuberechnen und entwickelten einen **Kalender**. Reiche Ernten ermöglichten **Vorratshaltung**. Damit ernährte der **Pharao** Beamte und Spezialisten, die selbst keine Nahrung erzeugten und sorgte er für Notzeiten vor.

4

Die ägyptische **Gesellschaft** beruhte auf **Arbeitsteilung**: Neben der großen Gruppe der Bauern gab es Spezialisten wie Handwerker und Beamte, die für besondere Aufgaben einsetzt wurden. Die Gesellschaft war **hierarchisch** gegliedert. An der Spitze standen der **Pharao** mit seiner Familie und die höchsten Beamten. Die unterste Schicht bildeten die Unfreien.

5

In Ägypten regierten über 3000 Jahre **Pharaonen**. Sie waren Herren über die Menschen und das Land. Eine solche Herrschaft nennen wir **Monarchie**. Der Pharao galt als Sohn eines Gottes. Zu seinen Herrscherpflichten gehörten die Verwaltung seines **Staates** sowie die Versorgung und der Schutz seines Volkes. Dabei halfen ihm zahlreiche Beamte. Manche von ihnen unterstützten ihn als Priester bei seinen religiösen Aufgaben.

Kompetenz-Test

Einen Fragebogen, mit dem du überprüfen kannst, was du schon erklären kannst und was du noch üben solltest, findest du unter 31041-12

Gesellschaft | Kultur | Vernetzung | Wirtschaft | Herrschaft

Die Kennzeichnung der Karteikarten mit den Kategorien ist verlorengegangen. Ordne den Karten das richtige Symbol zu, indem du ihre Nummern und die passenden Bezeichnungen in dein Heft schreibst.

M 1 Ein Pharao tanzt aus der Reihe
Hausaltar des Königs Echnaton mit seiner Frau Nofretete und drei seiner Töchter unter der Sonnenscheibe des Gottes Aton
Kalksteinrelief aus Amarna, 33,5 x 39,5 x 3,5 cm, nach 1345 v. Chr.
Amenophis IV. wird um 1350 v. Chr. Pharao. In seinem sechsten Regierungsjahr lässt er eine neue Hauptstadt errichten: „Achet Aton", heute Amarna. Dort baut er Tempel, in denen nur noch ein einziger Gott verehrt wird (Monotheismus): Der Pharao, seine Frau Nofretete und der ganze Hof verehren allein den Sonnengott Aton als Staatsgott. Der Pharao ändert seinen Namen in Echnaton („der Aton dient"). Die anderen Götter werden nicht verboten, aber ihre Tempel geschlossen, ihre Namen aus Inschriften entfernt und die königlichen Opfer beendet. Die Priesterschaft ist entsetzt! Nach Echnatons Tod kehrt Ägypten unter Tutanchamun (vgl. S. 50, M1) zum Polytheismus zurück, es wurden also wieder mehrere Götter gleichzeitig anerkannt.

M 3 „Die" Nofretete
Kalkstein, bemalt, Höhe 50 cm, um 1340 v. Chr.
Auf der Museumsinsel in Berlin wird diese Büste ausgestellt. Sie stellt Nofretete dar, die Frau des Königs, der eine neue Religion für die Ägypter erfand (s. M1). Sein Aton-Kult war bald vergessen – die Schönheit seiner Frau hielt über 3 000 Jahre: 1912 führte der deutsche Archäologe Ludwig Borchardt (1863 - 1938) Ausgrabungen in Amarna (s. Karte S. 47) durch. In der Bildhauerwerkstatt des Pharaos Echnaton fand er dieses Kunstwerk.

M 2 Soll „Nofretete" zurück?

Anfang 2011 forderte Ägyptens Antikenminister die Rückgabe der Büste, die 1912 von einem deutschen Archäologen in Ägypten entdeckt wurde und 1913 nach Berlin kam. Schon Anfang 2002 hatte der ägyptische Kulturminister verlangt, die Figur „im Interesse der Menschheit" den Ägyptern zurückzugeben. Die deutschen Behörden lehnten die Rückgabeforderungen mit dem Hinweis ab, die Büste befinde sich „aufgrund einer durch Vertrag vereinbarten Fundteilung seit 1913 rechtmäßig in Berlin".

Nach einer Zeitungsmeldung von 2011

1. *Liste auf, was das alte Ägypten zu einer Hochkultur macht.*
2. *Vergleiche das Leben der Menschen im alten Ägypten mit dem Leben der Menschen in unserem Raum zur gleichen Zeit.*
3. *Erzähle, wie der Nil das Leben der Ägypter beeinflusst hat.*
4. *Untersuche das Relief M1 und beschreibe, wie hier der neue Glaube des Pharaos Echnaton dargestellt ist. Was will der Pharao den Betrachtern des Bildes noch vermitteln?*
5. *Diskutiert, ob Nofretete (M3) zurück nach Ägypten gehört (M2). Wer sollte den Streit eurer Meinung nach entscheiden?*

Blick zurück: von Ägypten nach Europa

Kulturen vergleichen

Um Spuren aus der Vergangenheit zu deuten, kann es hilfreich sein, Kulturen mit und ohne Kenntnis der Schrift zu unterscheiden (schriftlose und schriftführende Kulturen): Über die Ägypter wissen wir viel, weil sie geschrieben haben und ihre Schrift entziffert wurde. Über die Menschen, die nicht in Hochkulturen lebten, informieren uns vor allem die Gegenstände, die sie hinterlassen haben. Das macht es schwierig und spannend zugleich, mehr über ihr Leben zu erfahren.

Die Hochkultur in Ägypten entwickelte sich in einer Zeit, als es in Mitteleuropa Kulturen der Jungsteinzeit gab. Die Menschen lebten als Bauern und Viehhalter. Stein war ein wichtiger Werkstoff für scharfkantige Werkzeuge.

Die längste Zeit verläuft die ägyptische Hochkultur aber parallel zu den Metallzeiten bei uns: Hier nutzten die Menschen zunächst Bronze, dann auch Eisen, um Werkzeuge und Waffen herzustellen. Archäologen fassen diese Zeiten insgesamt zur Ur- und Frühgeschichte zusammen (siehe Kapitel 2).

Blick von Ägypten nach Europa

Auf dieser Doppelseite findest du Überreste aus der Ur- und Frühgeschichte Europas, die sich mit Zeugnissen aus dem Leben der Menschen in Ägypten vergleichen lassen. Du wirst überraschende Gemeinsamkeiten, aber auch deutliche Unterschiede feststellen.

Die Umwelt bildet den Rahmen für „Kultur"

Egal welche Gegend oder Zeit du untersuchst: Immer passten sich Menschen an die Bedingungen ihrer Umwelt an. Sie versuchten, aus Klima, Landschaft, Tieren und Pflanzen (ihrer Nahrungsgrundlage) und den vorhandenen Rohstoffen für Werkzeuge und Geräte das Beste zu machen.

In ihrer Umwelt entwickelten die Menschen passende Formen und Regeln für das Zusammenleben. Außerdem griffen sie in die Umwelt ein und formten sie teilweise nach ihren Bedürfnissen um.

Kunst – mehr als nur Abbildung der Wirklichkeit

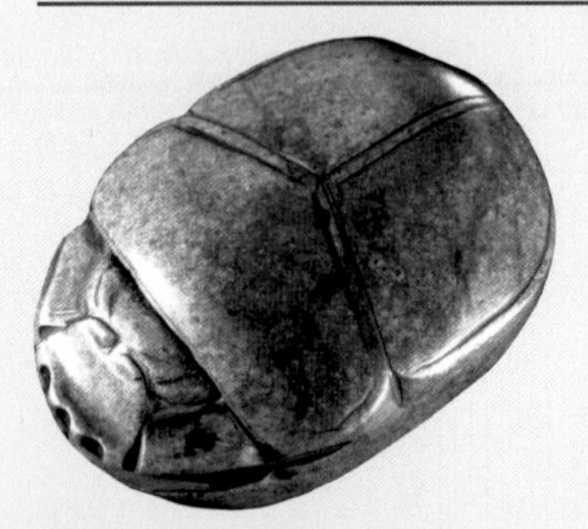

M 1a Skarabäus-Amulett
Größe: 6,0 x 9,0 x 3,4 cm, um 1350 v. Chr.
Der Skarabäus-Käfer galt im alten Ägypten als göttliches Tier, denn es scheint so, als ob die Jungkäfer aus totem Sand entstehen. Viele Ägypter trugen solche Steinfiguren als Glücksbringer. Den Toten wurden sie auf das Herz gelegt. Heute ist der Skarabäus bei vielen Ägypten-Touristen ein beliebtes Reiseandenken. (► S. 58 f.)

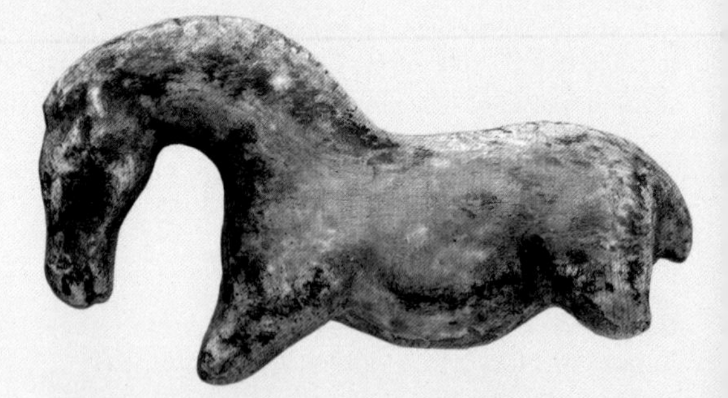

M 1b Wildpferd aus Mammutelfenbein
Länge: 4,8 cm, Alter: 30 000 Jahre (Altsteinzeit)
Die Figur aus der Vogelherd-Höhle (Schwäbische Alb) ist eines der ältesten Kunstwerke der Welt. Hatte das Pferd für die Menschen, die auch Wildpferde jagten, eine besondere Bedeutung? Das können wir nur vermuten. Wir wissen, dass in manchen späteren Kulturen weibliche Pferde (Stuten) als Symbol des Lebens galten. (► S. 30 f.)

Mitteleuropa: Altsteinzeit
Ägypten (Niltal): Altsteinzeit — Mittelsteinzeit

15 000 v. Chr. | 14 000 v. Chr. | 13 000 v. Chr. | 12 000 v. Chr. | 11 000 v. Chr. | 10 000 v. Chr. | 9000 v. Chr. | 800

Lebens- und Wirtschaftsformen hängen zusammen

M 2a Jagd auf Wasservögel am Nil
Wandbild im Grab des Beamten Nacht (TT52), Theben-West, um 1400 v. Chr.
Die Ägypter lebten überwiegend von Landwirtschaft, ermöglicht durch ein gutes Klima und die Bewässerung durch den Nil. Vogelfang galt bei ihnen als Freizeitvergnügen der Oberschicht.
Der Beamte Nacht ließ sich zwei Mal darstellen, mit einem Wurfholz bei der Vogeljagd und mit einem (nicht ausgeführten) Speer beim Fischfang. (► S. 52 f.)

M 2b Jagd auf Wasservögel in der Mittelsteinzeit
Zeichnung für ein Jugendbuch, 2008
Für die Menschen der Mittelsteinzeit war die Jagd auf Vögel eine wichtige Ernährungsgrundlage. Hierfür erfanden sie neue Jagdgeräte. Das wissen wir, weil an ihren Lagerplätzen Pfeilspitzen aus Feuerstein in unterschiedlichen Formen gefunden wurden.
Landwirtschaft mit dem Anbau von Getreide kannten sie noch nicht. (► S. 32 f.)

Erfindungen sind Teil der Kultur

M 3a Getreideernte in Ägypten
Darstellung in der Sargkammer des Beamten Sennedjem, Theben-West, um 1279 v. Chr.
Im Niltal bot das Klima ab 6000 v. Chr. gute Voraussetzungen für den Anbau von Getreide. Wie die Ägypter bei der Ernte vorgingen, zeigt diese Darstellung aus einer Grabkammer. (► S. 52 f.)

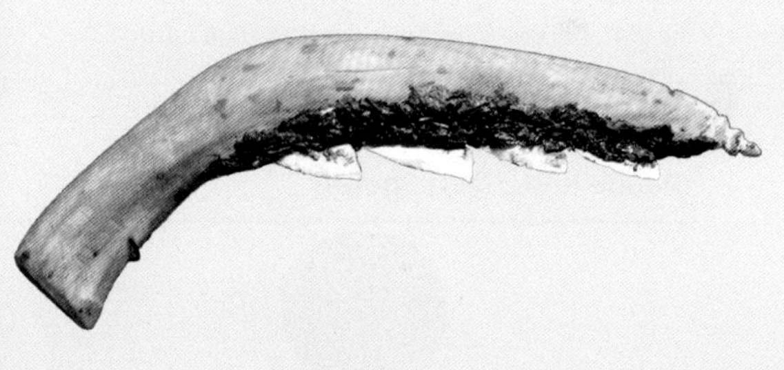

M 3b Modell einer Sichel der Jungsteinzeit
Nachbau nach Funden aus Deutschland, Holz, Feuerstein, Pech als Kleber. Länge ca. 20 cm
Seit der Jungsteinzeit war Getreide auch in Mitteleuropa ein Grundnahrungsmittel. Mit Sicheln wurde es geerntet und anschließend mit Mahlsteinen zu Mehl zerrieben. Daraus konnte Brei gekocht oder Brot gebacken werden. (► S. 32 f.)

Grabbauten zeugen von gegliederten Gesellschaften

M 4a Pyramiden von Gizeh
Höhe der größten Pyramide 147 m, 2620 - 2500 v. Chr.; oben: Rekonstruktion der Steingewinnung
In Ägypten ließen sich einige Pharaonen in Pyramiden bestatten. Die Menschen, die sie bauten, konnten in dieser Zeit ihre Arbeitskraft nicht der Gewinnung von Nahrung widmen. Bis heute drücken die Pyramiden die gottähnliche Verehrung der Pharaonen durch die Ägypter aus. (► S. 50 f.)

M 4b Großsteingrab in Frankreich, Jungsteinzeit
Höhe etwa 2,8 m, gebaut ca. 3500 v. Chr.; oben: Rekonstruktion der Errichtung solcher Gräber
In manchen Gegenden Europas wurden in der Jungsteinzeit Bauten aus riesigen Steinen errichtet: Steinkreise, Steinreihen, Gräber. Wer sie bauen ließ, musste gut planen können und in der Lage sein, viele Leute zu beschäftigen. Warum die Menschen so viel Aufwand betrieben, wissen wir nicht. (► S. 32 f.)

Glaube hinterlässt Spuren

M 5a Sonnenbarke im ägyptischen Glauben
Malerei aus dem „Ägyptischen Totenbuch", einer religiösen Papyrusrolle, um 1050 v. Chr.
Auf einem solchen Schiff, so glaubten die Ägypter, zog der Sonnengott Re täglich am Himmel seine Bahn. Re ist hier gleich zweimal abgebildet: einmal durch die Sonnenscheibe, einmal durch den Skarabäus. Die Sonne ist für alles Leben wichtig, da sie allein das Wachstum von Pflanzen, Tieren und Menschen ermöglicht. (► S. 58 f.)

M 5b „Sonnenschiff", Bronzezeit
Darstellung auf einem Rasiermesser aus Vandling (Dänemark), um 800 v. Chr.
Viele Gegenstände waren in der Bronzezeit mit Schiffen, Sonnen und Tieren verziert. Forscher denken, dass sie etwas über Glaubensvorstellungen der Menschen – die Reise der Sonne beim Tag- und Nachtwechsel – verraten. Hier landet vielleicht das Sonnenpferd auf dem Schiff, um die Sonne zurückzubringen. (► S. 36 f.)

Einzelne an der Spitze vieler

M 6a Ramses II. als junger Pharao
Steinfigur (Diorit), Höhe 1,94 m, um 1270 v. Chr.
Ägyptische Herrscher ließen sich mit den Zeichen ihrer Macht darstellen (hier: Krone, Krummstab, Thron). Ihre Gräber und die Beigaben darin zeugen von der besonderen Stellung der Pharaonen im Leben und ihrer Bedeutung für die ägyptische Gesellschaft. (► S. 50 f.)

M 6b „Fürst vom Glauberg", Eisenzeit
Steinfigur (Sandstein), Höhe 1,86 m, um 400 v. Chr.
Diese in Hessen neben einem Grabhügel gefundene Figur zeigt vermutlich einen keltischen Herrscher mit Schutzkleidung und Schild. Forscher halten den Halsreif und die „Blattkrone" für Herrschersymbole. Im Umfeld vermuten sie ein Heiligtum. Hatte der Kelte eine Stellung wie ein Pharao? (► S. 40 f.)

1. *Ordne die Beispiele M1b - M6b auf der Zeitleiste ein. Gliedere sie in zwei Gruppen: vor der ägyptischen Hochkultur, gleichzeitig mit der ägyptischen Hochkultur.*
2. *Lege eine Tabelle an. Trage in die erste Spalte die Beispiele ein. Ordne in der zweiten Spalte den Beispielen die Begriffe Wirtschaft, Kultur, Vernetzung, Gesellschaft und Herrschaft zu (Mehrfachnennungen sind möglich). Halte dort jeweils in Stichworten fest, was das Beispiel zu diesen Themen aussagt.*
3. *Vergleicht die Beispiele aus der Ur- und Frühgeschichte mit den Beispielen aus der ägyptischen Hochkultur. Diskutiert Gemeinsamkeiten und Unterschiede.*
4. *Untersucht die Kultur, aus der die Beispiele M1b - M6b stammen. Prüft, welche Elemente einer Hochkultur (vgl. S. 64) ihr für diese Kultur vermuten könnt. Die Texte und Bilder in Kapitel 2 helfen euch dabei. Notiert Fragen, die für euch offen bleiben.*
5. *Schreibe eine Geschichte: Als Tochter oder Sohn eines Pharaos unternimmst du eine (Zeit-)Reise nach Europa. Tauscht die Geschichten untereinander aus. Stellt euch gegenseitig Fragen dazu. Entscheide dich für eine Epoche. Die Texte und Bilder in Kapitel 2 informieren dich über das Leben dort.*

4 Leben im antiken Griechenland

Die Olympischen Spiele waren bedeutende Wettkämpfe der Antike. Alle vier Jahre trafen sich Sportler in Olympia im Norden Griechenlands. Nach über 1 000 Jahren wurden die Spiele abgeschafft.
1896 wurden „Olympische Spiele der Neuzeit" gegründet. Sie finden alle vier Jahre statt und waren bereits auf allen Kontinenten zu Gast.
Seit 1936 wird vor den Spielen in Olympia eine Fackel entzündet und zum Ort der Wettkämpfe gebracht.

M Das Olympische Feuer für die Sommerspiele in Barcelona (Spanien) wird in Olympia (Nordgriechenland) entzündet
Foto von Arsi Saris, 1992
- *Was bedeutet es für die Olympischen Spiele heute, dass sie stets mit einer Feier in Griechenland beginnen?*

Fragen an ... das antike Griechenland

Die Griechen der Antike schrieben ihre Gedanken zu vielen Themen auf. Ihre Sprache hat sich seither stark verändert, aber heutige Griechen können 2 500 Jahre alte Texte oft mühelos lesen. Die Epoche hat bis in unsere Zeit viele Spuren hinterlassen: Theater und Museum sind griechische Einrichtungen, der Chirurg trägt eine griechische Berufsbezeichnung, und gute Athleten nehmen an Olympischen Spielen teil.

Die wichtigste Erfindung ist die Herrschaftsform der Demokratie: Griechische Bürger schufen Regeln, die es vielen Menschen erlaubten, an der Gemeinschaft mitzuwirken. Nicht Könige oder reiche Familien hatten die ganze Macht – auch einfache Leute konnten ihre Interessen vertreten. Später haben sich Menschen immer wieder daran erinnert.

 Wirtschaft

Wie prägte Griechenland mit seiner langen Küste, seinen vielen Inseln und seinem Gebirge das Leben der Menschen? Wovon lebten die Griechen? Welche Waren stellten sie her und verkauften sie? ...

Hirte mit seiner Schafherde, um 480 v. Chr.

 Kultur

Warum gründeten die Griechen zunächst keinen gemeinsamen Staat, sondern regelten ihre Angelegenheiten lieber in kleinen Gruppen? Welche Regeln für das Zusammenleben gaben sich die Griechen? ...

Zweikampf Grieche gegen Perser, 4. Jh. v. Chr.

 Vernetzung

Warum verließen manche Griechen die Heimat und siedelten an fernen Küsten? Wohin wanderten sie aus? Mit welchen anderen Völkern trafen Griechen zusammen und wie verlief ihr Kontakt? ...

Griechisches Schiff, um 400 v. Chr.

 Gesellschaft

Welche Feste feierten alle Griechen miteinander? Wie drückten griechische Künstler ihre Ideen aus? Wie stellten sich die Griechen ihre Götter vor? Was fanden Griechen „schön"? ...

Diskuswerfer, um 500 v. Chr.

 Herrschaft

Wer gehörte zu einem griechischen Haushalt und wie lebte man zusammen? Welche Schichten gab es in der griechischen Gesellschaft? Welche Rechte hatten Männer, Frauen, Fremde und Sklaven? ...

Griechin am Waschbecken, um 500 v. Chr.

Leitfrage *Die Leistungen der Griechen in der Antike – warum erinnern wir uns heute noch daran?*

▲ Die Bilder zu den Kategorien haben griechische Töpfer in Schalen gemalt.

Blütezeit der

1000 v. Chr. | 800 v. Chr. | 600 v. Chr.

Späte Pharaonenzeit in Ägypte

M Die Heimat der Griechen
Griechenland und Kleinasien im 5. Jh. v. Chr.

Aus Dörfern werden Stadtstaaten

M 1 Im Schatten der Burg
Landschaftsbild, 1998
So stellt sich ein Künstler die Anfänge der Stadt Athen um 800 v. Chr. vor.

M 2 Eine nützliche Erfindung
Münze aus Athen, um 500 v. Chr., und 1-Euro-Münze aus Griechenland, 2002
Griechen waren die ersten in Europa, die Münzen prägten. Fast jede Polis begann früher oder später mit der Prägung eigener Münzen. Auf einer Seite brachte man ein Zeichen der Stadt an. Münzen aus Athen erkannte jeder Grieche an der Eule und der Göttin Athene, der Schutzgöttin der Stadt.

„Dunkle Jahrhunderte"

Am östlichen Mittelmeer muss es ab 1100 v. Chr. große Krisen gegeben haben: Die Bevölkerungszahl ging zurück. Dörfer wurden verlassen. Eine frühe Schrift geriet in Vergessenheit. Der Handel mit Ägypten und dem Vorderen Orient brach ab. Gründe für diesen Niedergang kennen wir nicht, denn wir haben nur wenige Quellen. Historiker nennen die Periode von 1100 bis 800 v. Chr. daher „dunkle Jahrhunderte".

In das heutige Griechenland wanderten nach und nach neue Volksgruppen aus dem Nordwesten ein. In dieser unsicheren Zeit sorgten sie sich wohl vor allem um ihr Überleben. Als die Verhältnisse sich beruhigten, blühten Wirtschaft und Kunst wieder auf. Die Menschen ordneten ihr Leben neu. Sie selbst nannten sich Hellenen. Die Römer bezeichneten sie später als Graeci, Griechen.

Ein anderes Land – andere Lebensweisen

Das Land, in dem die griechische Kultur entstand, unterscheidet sich vom alten Ägypten:

- Griechenland ist gebirgig. Im Bergland ist Landwirtschaft schwierig. Hohe Berge trennen die Lebensräume der Menschen voneinander.
- Griechenland ist vom Meer umgeben. In Buchten und auf den vielen Inseln lebten die Menschen von Landwirtschaft und Fischerei.
- Das Mittelmeer ist ein großer Verkehrsraum: Mit Schiffen können Waren und Ideen schnell ausgetauscht werden.

Die griechischen Stadtstaaten

Dies führte dazu, dass in Griechenland kein großer Staat entstand. Nach 800 v. Chr. wurden viele kleine **Stadtstaaten** gegründet. Die Griechen nannten sie **Poleis** (Einzahl: Polis).

Stadtstaaten entstanden, als Bauern, Fischer, Handwerker und Händler sich am Fuß von Hügeln ansiedelten. Auf der Höhe bauten sie Burgen, in die sich die Menschen bei Gefahr zurückzogen. Die Städte wurden mit Mauern umgeben, denn die Bewohner der Poleis führten oft Krieg gegeneinander. Zur Polis gehörte auch das Umland mit den Feldern und dem Hafen.

Die Stadtstaaten der Griechen waren eher Dörfer: Die meisten von ihnen hatten weniger als 5 000 Einwohner.

Stadtstaat und Hausgemeinschaft

Jede Polis besaß einen Platz, auf dem sich die **Bürger** trafen, um wichtige Dinge zu besprechen: die **Agora**. Die Stadtbürger bauten auch Tempel und öffentliche Gebäude.

Das Leben der Menschen fand im **Oikos** statt, der Hausgemeinschaft. Sie bestand aus den Verwandten einer Familie und den Bauern, die für sie arbeiteten. Dazu gehörten Äcker, Gebäude, Möbel, Kleidung, Geräte, Vieh und Sklaven. Im Oikos erledigten die Menschen ihre tägliche Arbeit, um für Nahrung, Kleidung, Rüstungen und alles andere zu sorgen, was sie zum Leben benötigten.

Stadtstaat (Polis) Bürger Agora Oikos

M 3 Land-, Stadt- und Höhlenbewohner
Der Dichter Homer beschreibt im 8. Jh. v. Chr. die Abenteuer des Helden Odysseus.
a) Nach langer Irrfahrt kehrt Odysseus in das Haus seines alten Vaters Laërtes zurück. Homer erzählt:
Odysseus erreichte das bestens bestellte Landgut des Laërtes. Sein Haus war umgeben von Wirtschaftsgebäuden. Dort aßen und schliefen seine Sklaven. Auch eine alte Frau wohnte darin, die 5 den Alten hier, fern der Stadt, betreute.
b) Unterwegs hat Odysseus Städte besucht. Eine von ihnen beschreibt Homer so:
Die Stadt hat hohe Mauern und Häfen auf beiden Seiten. Schmal ist ihr Zugang. Ihn säumen Schiffe, die an das Ufer gezogen wurden. Für alle gibt es einen Liegeplatz. Rings um den Tempel liegt 10 der Versammlungsplatz. Hier stellt man Geräte für die Schiffe her, Taue, Segel und Ruder. Denn die Bewohner befassen sich nicht mit Bogen und Köcher, sondern mit Masten, Rudern und Schiffen.
c) Kyklopen, einäugige Riesen, schildert Homer so:
15 Die Kyklopen sind rechtlose Bösewichte. Sie pflanzen, säen und pflügen nicht mit ehrlicher Arbeit. Alles wächst bei ihnen ohne Säen und Ackern. Ihre Weinstöcke bringen Wein in üppigen Trauben hervor. Zeus bewässert ihn für die Kyklo- 20 pen. Sie kennen weder Ratsversammlungen noch feste Gesetze. Auf Bergen hausen sie in tiefen Höhlen. Jeder macht sich eigene Gesetze für seine Frauen und Kinder. Keiner von ihnen sorgt für den anderen.
Nach: Homer, Odyssee 24.205-213, 6.262-272 und 9.105-116, in Prosa nacherzählt von M. Sanke

M 4 Standgefäß
Athen, um 740 v. Chr., Höhe: 1,23 m
Solche Tongefäße wurden auf die Gräber reicher Männer gestellt. Der obere Bildstreifen zeigt einen Toten auf der Bahre, umgeben von trauernden Mitgliedern seines Hauses. Darunter ist ein Heer mit Streitwagen und Speerträgern mit Schilden abgebildet.

M 5 Warum entsteht eine Polis?
Aristoteles, ein Gelehrter aus Athen, erklärt im 4. Jh. v. Chr., wie Stadtstaaten entstanden sind:
Zunächst müssen sich diejenigen, die alleine nicht überleben können, paarweise verbinden. So tun es Frauen und Männer oder Herren und Knechte. Aus diesen beiden Gemeinschaften ent- 5 steht zuerst eine *Hausgemeinschaft*. Sie besteht für den Alltag. Die erste auf Dauer gegründete Gemeinschaft mehrerer Häuser ist das *Dorf*. Eine Gemeinschaft aus mehreren Dörfern bildet nun die *städtische Bürgerschaft* (Polis). Ihr Ziel ist die 10 vollständige Unabhängigkeit der Menschen von anderen.
Nach: Aristoteles, Politik, 1252b (vereinfacht)

1. *Nenne die Gründe, weshalb in Griechenland kein großer, zusammenhängender Staat entstand, sondern viele Stadtstaaten.*
2. *Du bist für die Ausgaben deiner Polis verantwortlich. Erstelle eine Liste, die den Bürgern erklärt, wofür ihr Geld verwendet werden soll.*
3. *Odysseus hat auf seinen Fahrten viel gesehen. Versetze dich in seine Lage, als er nach Hause kommt, und erzähle, wie sich das Leben auf dem Landgut seines Vaters vom Leben in der Stadt unterschied (M3 a-b).*
4. *Um seine Geschichte spannend zu machen, lässt Homer Odysseus von einäugigen Riesen (Kyklopen) erzählen. Prüfe mit M3 c folgende Aussage: „Die Griechen sind das positive Gegenteil der Kyklopen."*
5. *Erkläre den Unterschied zwischen Hausgemeinschaft, Dorf und Polis (M5). Diskutiert, wie es die Bürger einer Polis schaffen, von anderen Stadtstaaten unabhängig zu sein, wie Aristoteles es wünscht (Z. 9-11). Ist das überhaupt möglich?*

Geschichtskarten kannst du lesen

Landkarten informieren über die Lage von Ländern, Orten, Meeren, Flüssen, Bergen und anderen Kennzeichen einer Landschaft. Karten für den Geschichtsunterricht enthalten noch mehr: Sie verknüpfen Erdkunde und Geschichte, indem sie zeigen, welche Ereignisse und Entwicklungen in der Vergangenheit in bestimmten Gebieten stattfanden. Wo siedelten die Menschen? Wie veränderten sich Lebensräume von Völkern und Ländergrenzen? Woher kamen Handelsgüter und wohin wurden sie auf welchen Wegen gebracht? Auch genaue Karten geben immer nur einen Teil der Gegebenheiten wieder.

Karten kannst du lesen

Schritt 1:

- Kläre, um welches Thema es in der Karte geht (berücksichtige dabei die Über- oder Unterschrift).
- Beachte die Legende: Sie erklärt dir die verwendeten Zeichen, Farben und Abkürzungen und nennt meist auch den Maßstab.

Schritt 2:

- Kläre zunächst, welches Gebiet die Karte zeigt, welche Zeit sie behandelt und über welche Einzelheiten sie informiert.

Schritt 3:

- Wenn dir Fragen zu Entfernungen zwischen Orten gestellt werden, nutze die Maßstabsleiste.
- Bei Fragen zur Landschaft solltest du Merkmale wie Küstenverlauf, Flüsse und Höhenangaben berücksichtigen.
- Wähle die Informationen aus, die zu den Fragen, die du selbst an die Karte stellst, oder zu den Aufgaben, die du lösen sollst, passen.

Zur Kartenauswertung nützliche Formulierungen:

Der Kartenausschnitt zeigt .... – Der abgebildete Raum ist ungefähr ... x ... km groß. – Die Karte bildet die Verhältnisse im .... Jh. / im Jahr ... ab. – Mit Farben wird angegeben, ... – Aus den Angaben kann man erkennen, dass der Raum über den Landweg / Seeweg ... zu erreichen war. – Symbole zeigen an, wo die Menschen ..., wo sie welche ... anbauten, wo es Orte für die Verehrung von ... gab und wo sie ... förderten. Außerdem sieht man, welche ... es in ... gab. – Die Karte erlaubt also Aussagen über die Lebensbereiche ....

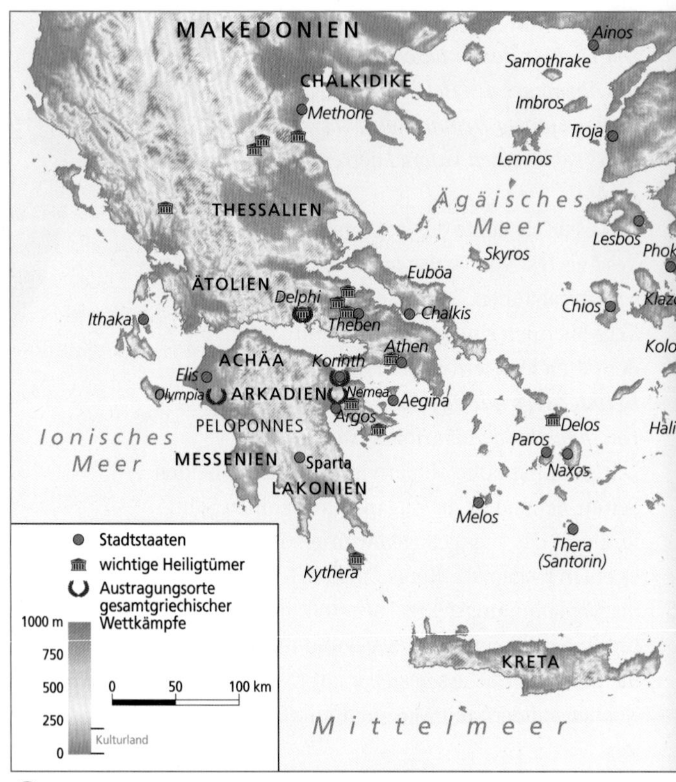

M 1 Wo die Griechen bis etwa um 750 v. Chr. lebten

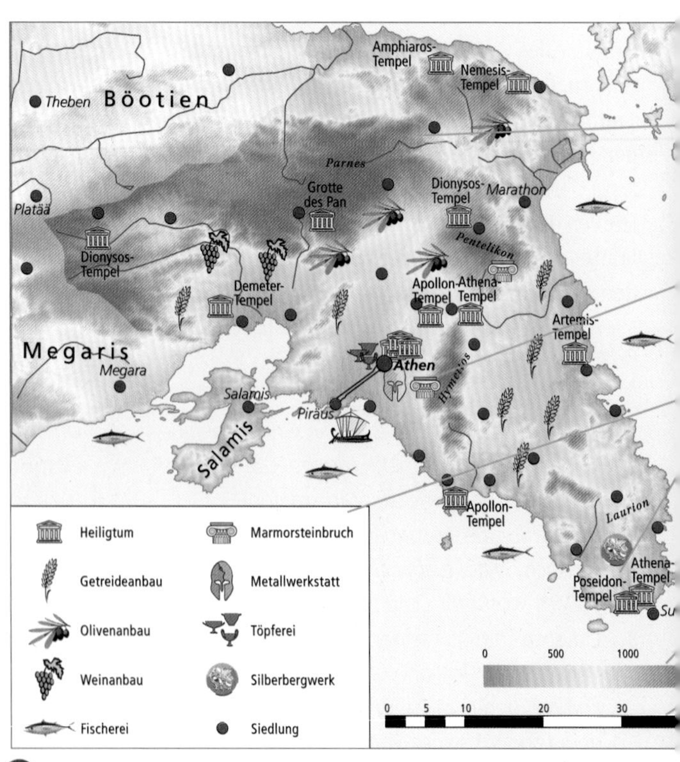

M 2 Die Polis Athen im 5. Jh. v. Chr.

1. *Beschreibe die Karte M1 zunächst allgemein.*
2. *Zähle die Informationen der Karte M1 auf, die für die Geschichte Griechenlands von Bedeutung sein können.*
3. *Odysseus (S. 75, M3), kehrt vom Kampf um Troja in seine Heimat Ithaka zurück. Wie weit ist dieser Weg? (Maßstabsleiste!)*
4. *Beschreibe mit der Legende die Landschaft in Thessalien und auf der Peloponnes.*
5. *Untersuche, wie sich die Landschaft auf das Leben der Menschen auswirkte.*

So könnte deine Kartenauswertung aussehen:

1. Der Kartenausschnitt zeigt Griechenland, Kreta und die Westküste Kleinasiens in der Zeit um 750 v. Chr. Der abgebildete Raum ist etwa 600 x 650 km groß. Mit Symbolen sind Stadtstaaten, wichtige Heiligtümer sowie Austragungsorte gesamtgriechischer Wettkämpfe eingezeichnet. Farben geben an, wie hoch die Landschaften liegen.
2. Die Kartierung der Stadtstaaten zeigt, wo Griechen im 8. Jh. v. Chr. in Poleis lebten: auf der Peloponnes, auf Inseln im Ägäischen Meer und an der Küste Kleinasiens. Wenige Poleis gab es in Nordgriechenland, keine auf Kreta. – Wichtige Heiligtümer lagen auf der Peloponnes, auf einigen Inseln und in Städten Kleinasiens. Auffällig sind Heiligtümer im bergigen Nordgriechenland, wo es wenige Poleis gab. – Vier Stätten gesamtgriechischer Wettkämpfe sind eingetragen: Olympia, Delphi, Nemea, Korinth. – Kulturland (landwirtschaftlich nutzbares Land) gab es überall in Küstennähe sowie in einigen Gegenden im Binnenland. Es ist zerteilt von Gebirgszügen.
3. Landweg, zum Teil durch hohe Berge: ca. 700 km – Seeweg: ca. 800 km
4. Thessalien ist eine große, fruchtbare Tiefebene, die von Bergen umgeben ist. – Die Peloponnes hat eine schmale, fruchtbare Küstenzone. Im Binnenland gibt es dagegen viel Gebirge mit über 1 000 m hohen Bergen.
5. Lange Küste, viele Inseln: Griechen betrieben Seefahrt und Fischerei.
   Stark zerklüftete Landschaft: Griechen gründeten kleinere Staaten (Poleis).
   Die meisten Städte lagen an der Küste, Heiligtümer auch im Binnenland.

Kartenausschnitt
Finde den dargestellten Raum auf der Karte M1.

Orte und Landschaft
Diese Siedlung war mit besonders starken Mauern umgeben. Kannst du dir denken, warum?

Warum hier?
Frage dich, warum ein so gekennzeichneter Ort gerade hier zu finden ist.

Legende
Suche die Symbole auf der Karte. Manche sind selten, manche häufiger. Einige haben auch Zusatzinformationen als Text.

Höhen
Finde heraus, wo sich Berge und Niederungen befinden. Wo liegen die meisten Siedlungen?

Entfernungen
Wie weit ist es von Athen nach Marathon? Wie weit liegen die Siedlungen etwa auseinander?

Jetzt bist du dran: Kartenarbeit üben

Anhand der Karte M2 kannst du überprüfen, wie gut du Informationen aus einer historischen Karte entnehmen kannst. Bei der Befragung solltest du die Reihenfolge einhalten, die wir links beschrieben haben.

1. *Welchen Raum zeigt die Karte („Kartenausschnitt")?*
2. *Welche Zeit wird von der Karte abgebildet?*
3. *Welche Information über die Form des Landes enthält die Karte (z. B. durch Färbung)?*
4. *Welche Angaben zu Orten werden in der Karte gemacht? (Beachte dazu die Legende.)*
5. *Lassen sich die Kartensymbole verschiedenen Lebensbereichen zuordnen? Besprich sie in einer sinnvollen Reihenfolge.*

Was Griechen einte: Götter, Helden und Orakel

M 1 Die zwölf griechischen Hauptgötter
Im Stil einer griechischen Vasenmalerei nachgestaltet
① **Zeus**
Göttervater, Himmels- und Donnergott
② **Hera**
Königin der Götter, Göttin der Ehe und Geburt
③ **Hestia**
Göttin der Familie und des Herdfeuers
④ **Ares**
Gott des Krieges
⑤ **Apollon**
Gott des Lichts, der Musik und der Dichtkunst
⑥ **Athene**
Göttin der Weisheit, der Kunst und des Krieges
⑦ **Poseidon**
Gott des Meeres und der Erdbeben
⑧ **Hermes**
Bote der Götter, Beschützer der Reisenden
⑨ **Aphrodite**
Göttin der Liebe und der Schönheit
⑩ **Artemis**
Göttin der Jagd
⑪ **Hephaistos**
Gott der Handwerker und des Schmiedefeuers
⑫ **Demeter**
Göttin des Ackerbaus

Götter – für alles verantwortlich

Was war am Anfang der Welt? Weshalb blitzt und donnert es? Warum gibt es Glück und Schmerz? Solche Fragen stellten sich die Griechen. Ihre Antwort: Für alles sind Götter verantwortlich.
Anders als die Ägypter stellten sich die Griechen ihre Götter als Menschen vor, nie als Tiere. Götter hatten menschliche Schwächen, waren launisch, streitsüchtig oder eitel. Aber sie hatten übermenschliche Kräfte und waren unsterblich.
Alle Griechen hatten gemeinsame Götter. In jeder Polis wurde meist eine Gottheit besonders verehrt, in Athen war dies die Göttin Athene.
Um den Willen der Götter zu erkunden, zogen die Griechen zu besonderen Orten und legten Priesterinnen und Priestern ihre Fragen vor. Diese gaben ihnen Auskunft in rätselhafter Form (**Orakel**). Ein Beispiel ist die Geschichte von König Kroisos aus Kleinasien. Er erhielt den Rat: „Wenn du Persien angreifst, wirst du ein großes Reich zerstören." Dies tat er, und tatsächlich zerstörte er ein großes Reich – sein eigenes, denn die Perser siegten!

Sagenhafte Helden

Unter den Göttern standen die **Heroen**. Diese Helden hatten göttliche und menschliche Vorfahren. Sie besaßen übermenschliche Kräfte.
Die Griechen erzählten sich viele Geschichten von Göttern und Heroen. Solche Sagen nennen wir **Mythen** (griech. *mythos*: Erzählung). In den „dunklen Jahrhunderten"[1] wurden sie von fahrenden Sängern an den Höfen von Königen und Adligen vorgetragen.
Der Sänger Homer aus Kleinasien schrieb im 8. Jh. v. Chr. zwei lange Dichtungen. Sie berichten aus der griechischen Frühzeit von etwa 1200 v. Chr.: Die „Ilias" erzählt, wie die Götter in den Krieg der Griechen gegen die Stadt **Troja** eingriffen. Die „Odyssee" berichtet von den Irrfahrten des Helden Odysseus nach der Eroberung Trojas.

Ein Schönheitswettbewerb mit Folgen

Der Mythos berichtet: Die Göttinnen Hera, Athene und Aphrodite stritten sich, wer die Schönste sei. Paris, Sohn des trojanischen Königs Priamos, sollte Schiedsrichter sein. Er wählte Aphrodite und überreichte ihr als Preis einen Apfel. Zum Dank half sie ihm, Helena zu gewinnen. Sie war Königin von Sparta und schönste Frau auf Erden. Paris entführte Helena nach Troja. Ihr Mann, König Menelaos, wollte diese Schande rächen. So zogen Spartaner und andere Griechen gegen Troja. Ein zehnjähriger Kampf begann – der „Trojanische Krieg".

Auf Homers Spuren

Der deutsche Kaufmann Heinrich Schliemann nahm Homer beim Wort und wollte das vergessene Troja finden. 1870/71 begann er in der heutigen Türkei mit Ausgrabungen. Er fand Mauern, die er für die Reste des Priamos-Palastes hielt. Bei seinen Grabungen warf er alles weg, was ihm wertlos erschien. Spätere Forschungen ergaben: Am Ort waren nacheinander viele Siedlungen errichtet worden. Ob eine davon Homers Troja war, ist bis heute umstritten. Es ist nicht einmal sicher, ob es überhaupt einen König Priamos gab.

[1] Siehe S. 74.

Orakel Heros Mythos Troja

M 2 Herakles zähmt den Höllenhund
Vasenmalerei, um 530 - 525 v. Chr. (Ausschnitt)
Der berühmteste griechische Held ist Herakles. Das Orakel in Delphi rät ihm: „Ziehe in die Stadt Tiryns und diene dem dortigen König, dann wirst du unsterblich!"
Der König denkt sich zwölf Aufgaben aus, die nur ein Held vollbringen kann. In seiner ersten Heldentat besiegt Herakles einen wilden Löwen. Aus dem Fell des Ungeheuers macht er sich einen Mantel, aus seinem Kopf einen Helm.
Das Bild zeigt die letzte Tat des Heros: Er dringt in die Unterwelt ein und fängt mit bloßen Händen den dreiköpfigen Höllenhund Kerberos. Als er ihn nach Tiryns führt, springt der König voller Angst in einen Topf.

M 3 Wer den Gott auf seiner Seite hat ...

Der Geschichtsschreiber Herodot beschreibt um 430 v. Chr. einen Fall, in dem Griechen ein Orakel anrufen und eine seltsame Antwort bekommen:

Die Spartaner[1] waren im Krieg stets von den Männern aus Tegea besiegt worden. Daher sandten sie Boten zum Orakel in Delphi. Dort fragten sie: „Welchen Gott sollen wir günstig
5 stimmen, um über Tegea zu siegen?"
Die Priesterin antwortete:
„Verschafft euch die Gebeine des Heroen Orest, des Sohnes vom König Agamemnon!"
10 Sie konnten die Knochen aber nicht finden. Daher schickten sie nochmals Boten und fragten die Orakelpriesterin: „Wo liegt Orests Leiche?" Sie sagte:
15 *„Im flachen Land Arkadien liegt der Ort Tegea.*
Zwei Winde blasen dort, von Zwang gepresst,
Schlag trifft auf Schlag, Leiden trifft auf Leiden.
20 *Dort birgt die Erde Agamemnons Sohn.*
Hol ihn, dann wirst du Herr sein von Tegea!"
Die Spartaner suchten überall, aber verstanden den Spruch nicht. Zuletzt fand ein Spartaner, Lichas, durch Glück und Klugheit das Gesuchte:
25 Lichas besuchte einen Schmied in Tegea. Der erzählte ihm: „Als ich im Hof einen Brunnen grub, fand ich einen Sarg mit einem großen Mann. Danach habe ich ihn wieder begraben."
Da wusste Lichas, dass der Schmied den Orest ge-
30 funden hatte. Und auch das Orakel wurde ihm klar: Die Blasebälge des Schmiedes ... [*siehe Aufgabe 2*].

Josef Feix (Hrsg.), Herodot. Historien griechisch-deutsch, Bd. 1, München ²1977, S. 61 ff. (frei nacherzählt von Markus Sanke)

[1] Sparta: Siehe S. 92 f.

1. *Bei manchen griechischen Göttern kannst du aus den Dingen, die sie tragen, auf ihre Zuständigkeit schließen. Untersuche die Götter in M1.*
2. *Ergänze, wie Lichas das „Rätsel" (M3, Z. 15-21) gedeutet haben könnte.*
3. *Arbeite heraus, warum Heroen für die Griechen Vorbilder waren (Darstellungstext, M2, M3). Warum waren die Spartaner so bemüht, den Leichnam des Helden Orest in ihre Stadt zu holen (M3)?*
4. *Erkläre, warum Helden bei den Pharaonen im alten Ägypten keine Rolle spielten.*
5. *Oft ist auch wichtig, was nicht in einem Text steht: Finde heraus, was die Griechen, anders als die Ägypter, von Göttern nicht erwarteten.*

Zerstörung Troja VI (durch Erdbeben) · Zerstörung Troja VII – vielleicht durch den Trojanischen Krieg? · vermutliche Lebenszeit des Dichters Homer
Troja V · Troja VI, großer Burghügel · Troja VII
1700 v. Chr. · 1600 v. Chr. · 1500 v. Chr. · 1400 v. Chr. · 1300 v. Chr. · 1200 v. Chr. · 1100 v. Chr. · 1000 v. Chr. · 900 v. Chr. · 800 v. Chr. · 700 v. Chr.

Feste für die Götter

M1 **Weihegaben an die Götter**
Foto aus dem Magazin des Archäologischen Museums Olympia
Zu bedeutenden Tempeln gingen griechische Männer und „schenkten" den Göttern Waffen oder Rüstungsteile.

Olympia: Einführung der Sportarten
776 v. Chr. Stadionlauf (Stadion: 192 m)
724 v. Chr. Doppellauf (zwei Stadien)
720 v. Chr. Langstreckenlauf (20-24 Stadien)
708 v. Chr. Ringkampf
708 v. Chr. Fünfkampf (Diskuswerfen, Weitsprung, Speerwerfen, Stadionlauf, Ringkampf)
688 v. Chr. Faustkampf
680 v. Chr. Wagenrennen (Vierspänner)
648 v. Chr. Pferderennen
648 v. Chr. Pankration („Allkampf")
520 v. Chr. Waffenlauf (zwei Stadien in voller Bewaffnung)
408 v. Chr. Wagenrennen (Zweispänner)

Nicht nur zum Vergnügen

Alles, was Griechen unternahmen, begannen sie mit Gebet und Opfer. Sie dankten den Göttern für ihre Hilfe oder versuchten, sie günstig zu stimmen. Die Menschen opferten ihnen die ersten Früchte des Feldes oder die kräftigsten Tiere ihrer Herde und bauten ihnen prächtige Tempel. Regelmäßig veranstalteten die Griechen feierliche Umzüge, Tänze und Wettkämpfe.
Diese Feiern boten den Stadtstaaten und ihren Bürgern Gelegenheit, Macht und Wohlstand zu zeigen. Die Reichen zahlten die teuren Feste für alle Bürger. So stärkten sie ihr Zusammengehörigkeitsgefühl und den Stolz auf ihre Stadt.

Spiele in Olympia

In Olympia befanden sich Heiligtümer für den Gott Zeus und seine Frau Hera, die für Frauen, Mutterschaft, Geburt und Ehe zuständig war. Zu ihren Ehren fanden schon im 11. Jh. v. Chr. religiöse Feste statt. Ab 776 v. Chr. sollen alle vier Jahre Sportwettkämpfe veranstaltet worden sein. Forscher gehen heute davon aus, dass an diesen **Olympischen Spielen** ab 600 v. Chr. die meisten griechischen Stadtstaaten teilnahmen.

Nicht nur Sport

Im Laufe ihrer tausendjährigen Geschichte änderten sich die Feiern. Aus einem Festtag wurden schließlich fünf. Immer mehr Sportarten kamen hinzu. Auch Sänger und Dichter stritten um Anerkennung und Preise.

Reine Männersache?

Bei den Spielen in Olympia durften nur griechische Männer mit Bürgerrecht einer Polis mitmachen. Verheiratete Frauen durften – anders als Mädchen und Sklaven – nicht einmal zuschauen. Für die Frauen gab es eigene Wettkämpfe.

Traum vom Olympiasieg

Wer in Olympia gewann, bekam einen Siegerkranz – mehr nicht. Trotzdem war er ein gemachter Mann: In seiner Heimat erwartete ihn eine hohe Belohnung. Sieger aus Athen erhielten lebenslang im Rathaus kostenlos Essen. Gewinner im Stadionlauf bekamen Olivenöl im Wert mehrerer Stadthäuser. Olympiasieger waren so berühmt, dass Standbilder von ihnen aufgestellt wurden.
Die Wettkämpfe waren nicht immer fair. Bei Wagenrennen wurde so rücksichtslos gefahren, dass es tödliche Unfälle gab. Auch Bestechung und Betrug kamen vor.

„Olympischer Friede"?

„Das Fest des Zeus ist nah. Jeder Streit ruhe, jeder Waffenlärm schweige! Frei mögen die Reisenden zum Zeus kommen!" Mit solchen Worten luden alle vier Jahre die Boten Olympias zu den Spielen ein. Die Botschaft führte nicht immer zur Einstellung der Kriege, schützte aber die an- und abreisenden Teilnehmer vor Überfällen.

M 2 Olympia
Die Zeichnung von Jean-Claude Golvin (2003) zeigt das Heiligtum im 4. Jh. v. Chr.
① Heiliger Hain
② Tempel der Hera
③ Tempel des Zeus
④ Tempel der Kybele, der Mutter aller Götter
⑤ „Schatzhäuser", griechische Städte stellten hier kostbare Geschenke an die Götter aus
⑥ *Prytaneion*, Tagungsort der Verwalter, Ort der Festmähler für die Wettkampfsieger
⑦ *Gymnasion*, Übungsplatz der Läufer
⑧ *Palästra*, Übungsplatz der Ringer, Boxer und Weitspringer
⑨ Sitz der Priester
⑩ Gasthof für vornehme Gäste
⑪ *Buleuterion* mit Zeus-Altar, hier leisteten die Athleten den olympischen Eid
⑫ *Stadion* mit Platz für 45 000 Zuschauer
⑬ *Hippodrom* für Pferde- und Wagenrennen

M 3 Olympische Schattenseiten

Ein Journalist schildert den Ablauf der Spiele:

30 Tage vor den Spielen trafen die Sportler ein, um gemeinsam zu trainieren. Vor Publikum. Das war Vorschrift. In dieser Zeit machten sich die Kampfrichter ein Bild von den Bewerbern, stell-5 ten fest, wer olympiatauglich war und wer nicht. Weil sich nur wenige 30 Tage Verdienstausfall leisten konnten, hielt sich die Zahl der Teilnehmer in Grenzen, erst recht die Zahl der untauglichen. Wer nach Olympia kam, war meist ein 10 Spitzenathlet. […]
Es kam vor, dass Städte Siegeskandidaten bei der Konkurrenz abwarben. Ein Top-Athlet namens Astylos siegte zuerst für Kroton. Vier Jahre später trat er für das offenbar reichere Syrakus an – und 15 gewann. In Kroton beschlagnahmten sie daraufhin sein Haus und zerstörten seine Statuen. Dass Gegner bestochen waren, kam ebenfalls vor: Der Boxer Eupolos flog auf, nachdem er drei Widersacher fürs Verlieren bezahlt hatte.

Harald Martenstein, Im Namen des Zeus. GEO Epoche 13, 2004, S. 106

M 4 Die Bedeutung der Spiele

Der Redner und Schriftsteller Isokrates aus Athen verfasst für die Olympischen Spiele von 380 v. Chr. eine „Festschrift". Darin schreibt er:

Mit Recht lobt man diejenigen, welche die Festversammlungen eingeführt haben, denn sie überlieferten die Sitte, dass wir uns nach Verkündung des Gottesfriedens und nach Beilegung der 5 schwebenden Feindschaften an einem Ort zusammenfinden, um den Göttern gemeinschaftlich Gebete und Opfer darzubringen. Dabei erinnern wir uns der bestehenden Verwandtschaft, verbessern für die Zukunft das gegenseitige Ver-10 ständnis, erneuern alte und schließen neue Freundschaften.

Nach: Isokrates, Panegyrikos 43 f. – Sämtliche Werke, übers. v. Christine Ley-Hutton, Bd. 1, Stuttgart 1993, S. 44-82, hier S. 51 f.

M 5 Fünfkämpfer mit ihrem Trainer
Trinkschale, um 490 v. Chr. (Ausschnitt)
Weitspringer hielten Gewichte in den Händen, um ihren Schwung zu vergrößern. Der Trainer korrigierte den Flug.

1. *Stelle mit M2 fest, welche Anlagen in Olympia dem Götterkult, welche dem Sport und welche dem Betrieb des Heiligtums dienten.*
2. *Begründe, warum Athleten abgeworben und Schiedsrichter bestochen wurden (M3). Recherchiere, was heute gegen Betrug getan wird.*
3. *An eurer Schule soll ein großes Sportfest stattfinden, mit Teilnehmern aus der ganzen Gegend. Schreibt dazu für eure Schul-Homepage eine kurze Ankündigung nach dem Vorbild des Isokrates (M4).*
4. *Jedem freien griechischen Mann standen die Olympischen Spiele offen. Begründe, warum dennoch mehr Reiche teilnahmen.*

776 v. Chr.: angeblich erste Olympische Spiele
Alle vier Jahre finden in Olympia Sportwettkämpfe statt
393 v. Chr.: Die Olympischen Spiele werden vom christlichen Kaiser verboten
1896: Wiederbegründung als „Olympische Spiele der Neuzeit", die ersten Wettkämpfe finden in Athen statt

800 v. Chr. | 400 v. Chr. | Chr. Geb. | 400 | 800 | 1200 | 1600 | 2000

Griechen siedeln in „Übersee"

M 1 Griechische Tempel in Italien
Foto von 2014
Seltsame Tatsache: Die besterhaltenen griechischen Tempel stehen heute in Italien. In der Stadt Poseidonia, die heute Paestum heißt, beeindruckt dieser Tempel für die Göttin Hera. Gleich nebenan steht ein weiterer für den Gott Zeus.

Auf der Suche nach einer neuen Heimat

Seit dem 8. Jh. v. Chr. verließen zahlreiche Griechen auf Schiffen ihre Heimat. An den Küsten des Mittelmeeres und des Schwarzen Meeres gründeten sie neue, griechische Siedlungen. Dabei nahmen sie Land in Besitz. Deshalb wird diese Entwicklung **Kolonisation** (lat. *colere*: Land bebauen) genannt.

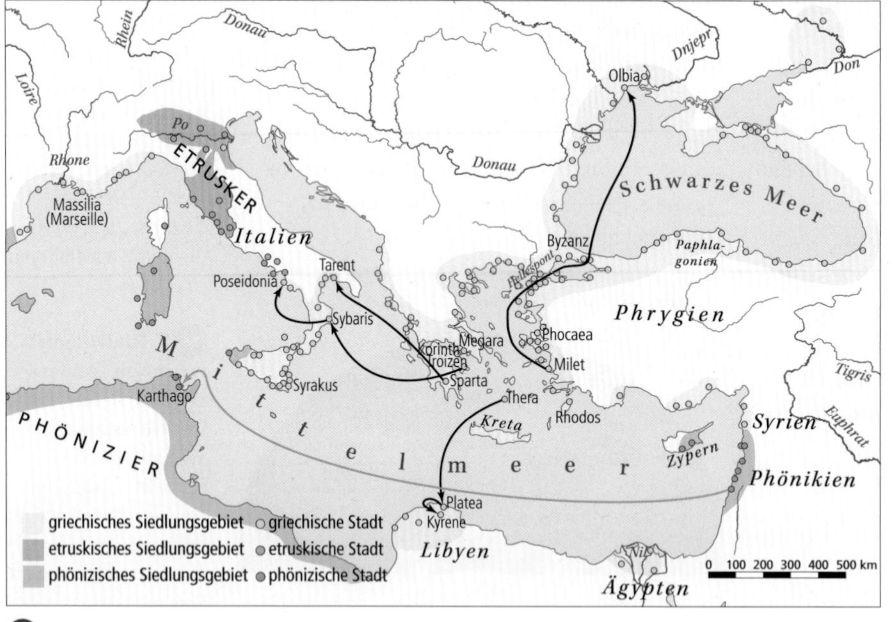

M 2 Wo Griechen Städte gründeten
Der Athener Gelehrte Platon schreibt um 390 v. Chr. über seine griechischen Landsleute: „Wir wohnen um unser Meer herum wie Ameisen oder Frösche um einen Sumpf."

Ursachen …

Die Gründe für diese Auswanderung (Migration) waren: Naturkatastrophen, Bevölkerungswachstum, Krieg, Streit zwischen führenden Familien sowie Armut und Hunger. Auch die Aussicht auf Landbesitz, Gewinn versprechenden Handel und Abenteuer lockte manche Griechen in die Fremde.

… und Folgen

Die Auswanderer gründeten **Tochterstädte** (**Kolonien**). Die Kolonisation trug zum inneren Frieden in vielen Poleis bei, denn die Unzufriedenen sahen eine Chance, ihre Lage zu verbessern. Sie förderte Seefahrt, Schiffbau und Handel: Bald bekam man rund ums Mittelmeer griechische Töpferwaren im Tausch gegen Getreide und andere nützliche Rohstoffe.

Wie gründet man eine Kolonie?

Die Gründung neuer Siedlungen lief oft so ab:

- Die Gründer versammeln Menschen aus ihrer Polis oder anderen Stadtstaaten, die zu einer Auswanderung bereit sind.
- Das Siedlungsgebiet wird ausgewählt. Meist leben in der Gegend schon einige Griechen.
- Ein Orakel wird befragt: Sind die Götter dem Plan wohlgesonnen? Wichtig ist, dass der Hauptgott der Mutterstadt die Neugründung beschützt.
- Die Siedler behalten ihre Lebensart. Als Zeichen tragen sie das ewige Feuer aus dem Tempel der Hestia ihrer Heimatstadt mit in die Fremde.
- Die Schiffe haben auch die Grundausstattung der Siedler an Bord: Samen, Vieh, Geräte und Waffen.
- Die neue Stadt ist unabhängig von den Bürgern der Mutterstadt. Die Siedler können ihr Leben ohne fremde Einflussnahme frei gestalten.
- Mit der Mutterstadt wird aber Kontakt gehalten: Siedler reisen oft in die Gründungsstadt und betreiben Handel.

Durch die Gründung von Tochterstädten verbreiteten die Griechen ihre Lebensart und Kultur in der gesamten Mittelmeerwelt.

M3 Warum auswandern?

Der Historiker Plutarch meint um 120 n. Chr.:

Damals gab es große Ungleichheit zwischen Arm und Reich. [...] Alle Leute waren bei den Reichen verschuldet. Sie bearbeiteten deren Land und mussten den sechsten Teil der Ernte abliefern. 5 Oder sie dienten als Sklaven. Oder sie wurden in die Fremde verkauft. Viele waren gezwungen, ihre eigenen Kinder zu verkaufen, denn es gab kein Gesetz dagegen! Andere gingen in fremde Länder, um der Grausamkeit der Geldverleiher zu ent- 10 kommen.

Plutarch, Parallelbiographien: Solon. – Große Griechen und Römer (übers. v. Konrat Ziegler), Bd. 1, Düsseldorf [3]2010, S. 224

M4 Regeln für Stadtgründer

Der Philosoph Platon (428 - 348 v. Chr.) schreibt:

Die Stadt soll in der Mitte des Landes liegen. [...] Zuerst soll man die Burg bauen. Dort soll ein Heiligtum für Hestia, eins für Zeus und eins für Athene errichtet werden. Eine Mauer soll sie umgeben. 5 Stadt und Land sollen in zwölf Teile geteilt werden. Sie sollen gleichen Wert haben, indem man gutes Land kleiner, schlechteres größer macht.

Platon, Nomoi 6,745 – Werke in acht Bänden, hrsg. v. Gunther Eigler, Bd. 8.1, Darmstadt [3]1990, S. 333 f.

M5 Friedliche Bauern oder Eindringlinge?

Der Historiker Karl-Joachim Hölteskamp beschreibt Probleme, die die Kolonisation gebracht hat:

Kriegerische Auseinandersetzungen waren gar nicht so selten. Ein gutes Beispiel ist Metapont in Süditalien. In der Gegend um die spätere Stadt lebten Griechen und Einheimische mehrere 5 Generationen lang friedlich zusammen. Die Konflikte entstanden, als die Zahl der Siedler zunahm und das Ackerland immer begehrter wurde. Etwa um 600 v. Chr. wurde die einheimische Siedlung gewaltsam zerstört. Erst danach entstand die 10 Stadt Metapont.

Karl-Joachim Hölteskamp, Das dritte Griechenland. Geo Epoche 37, 2004, S. 98 - 101, hier S. 100

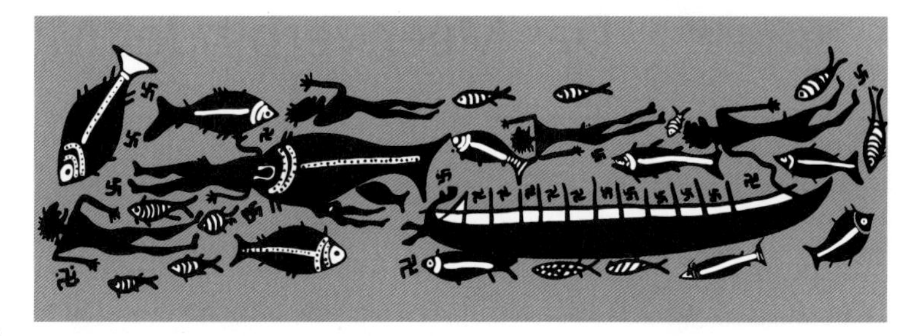

M6 Gefahren der Seefahrt
Griechische Vasenmalereien, 5. und 8. Jh. v. Chr. (Umzeichnungen)

M7 Griechen ziehen nach Afrika

Die Bürger von Thera gründen um 630 v. Chr. eine Kolonie in Nordafrika. Der Grieche Herodot schreibt zwei Jahrhunderte danach:

Grinnos war König auf der Insel Thera. Er reiste nach Delphi und brachte eine großes Opfer. Als er das Orakel fragte, was er tun sollte, bekam er die Anweisung, eine Stadt in Libyen zu gründen. 5 Die Bürger aber taten nichts, denn niemand wusste, wo Libyen liegt. Von nun an regnete es auf der Insel Thera sieben Jahre nicht mehr. Alle Bäume bis auf einen verdorrten. In ihrer Not befragten die Einwohner Theras noch einmal das 10 Orakel. Die Priesterin wiederholte ihren Spruch. [...] Auf Kreta trafen sie einen Mann namens Korobios. Er berichtete, dass er einmal auf hoher See vom Kurs abgetrieben wurde. Dadurch sei er zur Insel Platea vor der Küste Libyens gekom- 15 men. Mit Korobios erkundeten einige Männer nun Libyen und die Insel. Danach fuhren die Leute aus Thera zurück in ihre Polis. Sie erzählten, dass sie eine Insel in Libyen besetzt hätten. Die Bürger beschlossen, auszulosen, wer dorthin ge- 20 schickt werden soll. So sandten sie zwei Schiffe mit je fünfzig Ruderern nach Platea.

Josef Feix (Hrsg.), Herodot. Historien griechisch-deutsch, Bd. 1, München [2]1977, S. 613 f. (vereinfacht nacherzählt von M. Sanke)

---

1. *Beschreibe Ursachen, Folgen und Ablauf der Kolonisation (Darstellungstext, M1 - M7) in einer Tabelle.*
2. *Entwickle eine Geschichte: Der Bauer Kylos und seine Frau Aglaia aus der Polis Athen haben sich mit ihren Kindern in Sizilien niedergelassen.*
3. *Noch immer nehmen viele Menschen schwere und lange Wege auf sich, um ihre Heimat zu verlassen. Vergleicht die Ursachen damals und heute.*

Ausgewählte Kolonien (vgl. M2): *gegründet von (Mutterstadt):*

Syrakus	Tarent	Byzanz	Platea	Massalia	Olbia
Korinth	*Sparta*	*Megara*	*Thera*	*Phocaea*	*Milet*

Zeit der griechischen Kolonisation

800 v. Chr. | 700 v. Chr. | 600 v. Chr. | 500 v. Chr.

Das Meer verbindet Menschen

M 1 Nachbau eines griechischen Schiffes
Foto von 1986
Im Jahr 1965 entdeckte ein Taucher bei Kyrenia an der Nordküste Zyperns das Wrack eines griechischen Schiffes. Es wurde von Archäologen untersucht und gehoben. Das Schiff aus dem 4. Jh. v. Chr. war so gut erhalten, dass 1985 ein genauer Nachbau angefertigt werden konnte.

Schiffe – die wichtigsten Verkehrsmittel

Jahr für Jahr strömen Touristen nach Griechenland. Sie wollen die Kunst und Kultur der alten Griechen kennenlernen oder Sonne, Meer und Ruhe auf einer der vielen Inseln in der Ägäis genießen. Bis Athen kommen die Reisenden meist mit dem Flugzeug, aber auf die Inseln gelangen sie oft nur mit Fähren.
Griechenlands lange Küsten und die vielen Inseln machten das Schiff schon im Altertum zu einem unentbehrlichen Verkehrsmittel für Menschen und Waren. Es ermöglichte den Griechen kulturelle und geschäftliche Kontakte zu ihren Nachbarn und die Gründung von Tochterstädten.

Ideen kommen über das Meer

Ein- und Auswanderung sowie Handel förderten die Begegnung der Hellenen mit anderen Kulturen. Schon in der Mitte des 2. Jahrtausends v. Chr. wurden Metalle und Luxusgegenstände aus Ägypten, Syrien und Kleinasien nach Griechenland eingeführt. Durch den Handel lernten die Griechen die Schrift der Phönizier kennen, die an vielen Küsten des Mittelmeers Siedlungen gegründet hatten. Aus ihr entwickelten sie im 9. Jh. v. Chr. ihr **Alphabet**.
Auch die Münzen, die die Griechen seit dem 7. Jh. v. Chr. prägten, haben sie nicht selbst erfunden: Sie übernahmen sie vom Volk der Lyder in Kleinasien. Die Geldwirtschaft löste den Tauschhandel ab.

M 2 Griechische Amphore
Höhe: 69 cm, 5. Jh. v. Chr.
Amphoren (dt. Doppelträger) waren die wichtigsten Transport- und Aufbewahrungsgefäße der Antike. In ihnen wurden Öl, Wein, Oliven, Datteln, Getreide, Honig und vieles mehr verschifft.
Amphoren fassten zwischen 5 und 50 Liter. Einfache Amphoren waren „Einwegbehälter“: am Bestimmungsort wurden sie oft weggeworfen.

Fremde Kulturen – neue Einflüsse

Von Kretern, Phöniziern, Babyloniern, Persern und Ägyptern erhielten die Griechen wichtige Anregungen für ihre Religion, Kunst und Wissenschaft. Dieser Kulturaustausch hinderte die Griechen nicht daran, alle Menschen mit einer für sie fremden Sprache, Religion und Lebensweise **Barbaren** zu nennen. Sie verwendeten diesen Begriff, weil die Sprache der Fremden in ihren Ohren so unverständlich wie „barbar" klang. Anfangs war das nicht böse gemeint, später aber sahen sie die Kultur der „Barbaren" als minderwertig an. So machten sie im Krieg besiegte Fremde ganz selbstverständlich zu Sklaven.

Warenaustausch, Personenverkehr

Mit Schiffen kamen begehrte Waren nach Griechenland. Im Gegenzug wurden wertvolle Produkte ausgeführt. Griechische Ärzte und Baumeister, die in Persien oder Ägypten arbeiten wollten, bestiegen in Athens Hafen ein Schiff. Andererseits lockten berühmte Philosophen und Redelehrer viele Interessierte aus den Ländern am Mittelmeer zu Studien nach Athen. Außer zu den großen Spielen und Heiligtümern reisten die Griechen nur in dringenden geschäftlichen Angelegenheiten. Dabei waren Schiffsreisen schneller und trotz der Piraten meist sicherer als der Landweg. Die Griechen benötigten viele Schiffe, deren Bau sie von den Phöniziern gelernt hatten. Auf den Werften war der Bedarf an Bauholz so enorm, dass ganze Wälder verschwanden.

Alphabet Barbar

Phönizisches Alphabet ca. 1000 v. Chr.	Bedeutung	Griechisches Alphabet ca. 800 v. Chr.	Bedeutung	Lateinisches Alphabet ca. 500 v. Chr.
𐤀	'	A	A(lpha)	A
𐤁	b	B	B(eta)	B
𐤃	d	Δ	D(elta)	D
𐤄	h	E	E(psilon)	E
𐤊	k	K	K(appa)	K
𐤌	m	M	M(y)	M
𐤍	n	N	N(y)	N
𐤓	r	P	R(ho)	R
𐤔	š	Σ	S(igma)	S
𐤅	u	Y	Y(psilon)	Y
–	–	Ω	O(mega)	O

M 3 Die Entwicklung des Alphabets

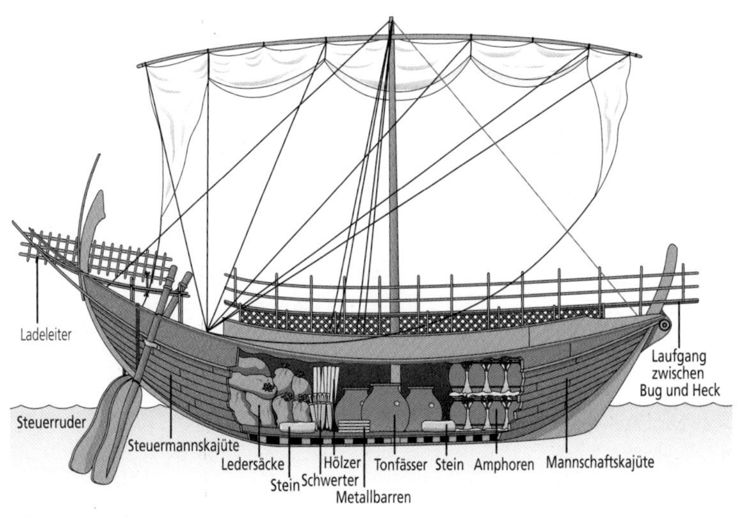

M 5 Griechisches Frachtschiff
Rekonstruktionszeichnung
Die Handelsschiffe waren selten über 20 m lang. Sie konnten zwischen 70 und 150 Tonnen laden.

M 4 Handeln und herrschen

In einer Schrift aus dem 5. Jh. v. Chr. wird festgestellt:

Die Athener allein sind imstande, über die Schätze Griechenlands und die der Barbarenländer zu verfügen. Denn, wenn irgendeine Stadt Überschuss an Schiffsholz, Eisen, Kupfer oder Flachs hat, wohin soll sie es exportieren ohne die Einwilligung Athens, des meerbeherrschenden Volkes? [...]

Dem meerbeherrschenden Staat gewährt der Verkehr auch die Mittel zu allerlei Genüssen. Was es in Sizilien, Italien, auf Zypern, in Ägypten, in Libyen, in Pontusländern[1] oder in der Peloponnes oder sonst wo an Delikatessen gibt, das ist alles in Athen vereinigt.

Zit. nach: Michel Austin und Pierre Vidal-Naquet, Gesellschaft und Wirtschaft im alten Griechenland, München 1984, S. 259

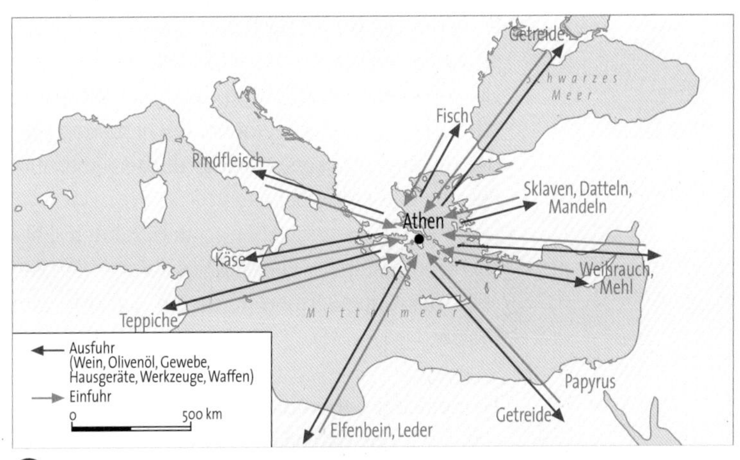

M 6 Athen – Zentrum des Handels

[1] Pontusländer: Länder am Schwarzen Meer

1. *Stelle fest, welche Waren nach Athen eingeführt wurden und woher sie kamen (M4 - M6). Präsentiere das Ergebnis in einer Tabelle.*
2. *Ein Schiff schaffte normalerweise 5 bis 6 Kilometer pro Stunde. Finde heraus, wie lange damals eine Fahrt von Athen nach Platea dauerte. Nutze dazu die Karte M2, S. 82.*
3. *Erläutere an Beispielen, woher wir einige unserer Kenntnisse über die Schifffahrt und den Handel der Griechen haben.*
4. *Stelle zusammen, woher die Waren stammen, die wir heute alltäglich benutzen. Betrachte Lebensmittel, Kleidung, Möbel, technische Geräte, Unterhaltungsgüter. Kommen mit diesen Dingen auch „Ideen" zu uns?*

Zwei Kriege verändern Hellas

M 1 Perserkönige
Relief aus Persepolis, Hauptstadt des Perserreiches, 500 v. Chr. Auf dem Thron sitzt König Dareios I. Hinter ihm steht sein Sohn, Thronfolger Xerxes. Vor Dareios wird Weihrauch abgebrannt. Ein Bote berichtet dem König. Beide Herrscher führten Krieg gegen Hellas.

Gefahr aus Asien?

Um 540 v. Chr hatten mächtige Könige ein **persisches Großreich** gegründet. Ihre Bogenschützen eroberten ein Gebiet nach dem anderen. Die Herrschaft reichte von Kleinasien bis Indien.

Die persischen **Großkönige** sahen sich als „Herrscher der Welt". Die Bewohner der eroberten Länder mussten Abgaben zahlen, durften aber ihre Religion und Kultur behalten.

Um 490 v. Chr. erschienen in den Städten Griechenlands Boten des Perserkönigs Dareios I. Als Zeichen der Unterwerfung forderten sie Erde und Wasser.

Gemeinsam gegen die Perser

Um 500 v. Chr. erhoben sich einige Städte Kleinasiens gegen die persische Herrschaft. Sie stürzten die Stadtherren und riefen Athen zu Hilfe. 498 setzten sie die persische Stadt Sardes in Brand. Um den Aufstand niederzuschlagen, zerstörten die Perser Milet. Daraufhin brachen die Perserkriege aus.

Im Jahr 490 v. Chr. siegten die Athener bei Marathon. Zehn Jahre später kehrten die Perser unter ihrem König Xerxes zurück, um ihre Niederlage zu rächen. Inzwischen hatten die Athener eine starke Kriegsflotte aufgebaut und ein Bündnis mit Sparta und anderen Stadtstaaten geschlossen. In der Seeschlacht bei Salamis unterlagen 480 v. Chr. die Perser. Ein Jahr später schlug ein griechisches Heer mit einer großen Zahl spartanischer Soldaten die Perser bei Plataiai auch zu Lande.

Vom Bündnis zum Bürgerkrieg

Um künftig gerüstet zu sein, gründete Athen 477 v. Chr. den Attischen Seebund. Die meisten Städte der Ägäis traten ihm bei. Athen nahm darin großen Einfluss auf die Politik seiner Partner. Angesichts dieses Machtzuwachses fürchtete Sparta um seine Unabhängigkeit. 431 v. Chr. brach der Krieg zwischen Athen und Sparta und ihren Bündnispartnern aus. Dieser Peloponnesische Krieg dauerte 27 Jahre.

Schwere Zeiten für Athen

Die Athener hatten schon 460 v. Chr. begonnen, Athen und den Hafen Piräus mit den „Langen Mauern" zu umgeben. Kein Heer sollte die Stadt vom Meer abschneiden. Als die Spartaner anrückten, holten die Athener die Bewohner Attikas in die Stadt, führten die lebenswichtigen Güter mit Schiffen ein und griffen ihre Feinde von See aus an. Doch etwa ein Drittel der Menschen hinter den Schutzmauern starb an einer Seuche.

Die Entscheidung fiel aber erst, als der persische Großkönig eingriff – mit Geld. Er half Sparta beim Bau einer Flotte. Dafür ließ Sparta es zu, dass die Perser die griechischen Städte Kleinasiens eroberten. Schließlich ergaben sich die Athener. Die Langen Mauern wurden abgerissen, der Attische Seebund löste sich auf.

Athen wurde nie wieder so mächtig wie vor dem Krieg. Sparta aber blieb zu schwach, um auf Dauer ganz Griechenland zu beherrschen.

persisches Großreich Großkönig

M2 Wer hat Griechenland gerettet?

Der Geschichtsschreiber Herodot beurteilt den Sieg über die Perser:

Der Feldzug des Xerxes richtete sich dem Namen nach gegen Athen. Er hatte es in Wirklichkeit aber auf ganz Hellas abgesehen. Das wussten die Griechen, aber sie waren nicht alle einer Meinung: Etliche überreichten dem Perser Erde und Wasser und hofften, der Feind würde ihnen nichts tun. Andere aber gaben nichts, und die lebten in großer Furcht, weil die Zahl der Schiffe in Hellas den Angriff nicht hätte aushalten können und die Masse der Griechen am Krieg nicht teilnehmen wollte, sondern recht persisch eingestellt war. [...] Hätten die Athener die Gefahr gefürchtet und ihre Heimat verlassen oder sich dem Xerxes ergeben, dann hätte keiner versucht, sich dem König zur See entgegenzustellen. Wäre ihm zur See keiner entgegengetreten, dann wäre es zu Lande ähnlich gegangen. Dann wäre Hellas unter die Perser gekommen. Wer die Athener die „Retter von Hellas" nennt, der hat Recht. Denn auf welche Seite die Athener sich wendeten, das gab den Ausschlag. Und sie zogen die Erhaltung der Freiheit von Griechenland vor.

Herodot, Historien, Buch VII. 138 f. – Historien griech.-dt., hrsg. v. Josef Feix, Bd. 2, Düsseldorf [7]2006, S. 973

Perserreich
vom Perserreich abhängige Gebiete
Gebiet des Aufstandes gegen die Perser 500-494 v. Chr.
Stadtstaaten, die am Krieg gegen die Perser teilnahmen
neutrale Stadtstaaten
Schlacht

M3 Bündnis gegen die Perser, 500 - 479 v. Chr.
Die Karte zeigt, welche Stadtstaaten sich zum Kampf gegen die Perser zusammenschlossen.

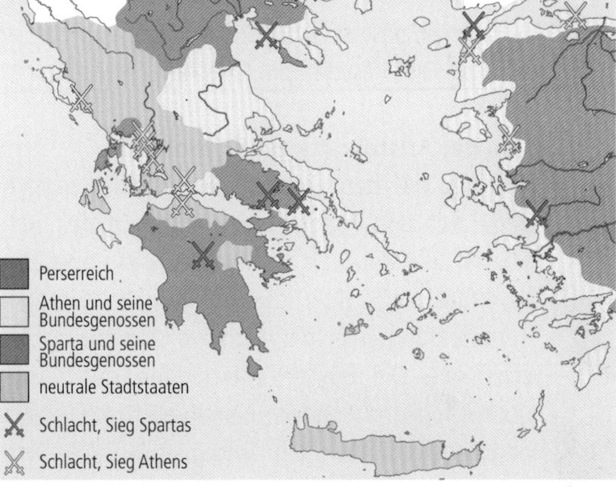

M4 Bürgerkrieg in Hellas, 431 - 404 v. Chr.
Die Karte zeigt, welche Städte im Peloponnesischen Krieg auf welcher Seite standen.

M5 Athener Untaten

Melos bleibt im Peloponnesischen Krieg neutral und bleibt dem Seebund fern. Athen will es 416 v. Chr. zum Beitritt zwingen. Die Melier:

„Unser Vorschlag ist, dass wir eure Freunde sind, keiner Partei feind, dass ihr unser Land verlasst und wir einen Vertrag schließen, wie er zweckmäßig scheinen mag uns beiden."

Darauf lassen sich die Athener nicht ein. Sie belagern die Stadt viele Monate. Thukydides schreibt: Im folgenden Winter [...] ergab sich Melos auf Gnade oder Ungnade. Die Athener richteten alle erwachsenen Melier hin, soweit sie in ihre Hand fielen. Die Frauen und Kinder verkauften sie in die Sklaverei. Den Ort gründeten sie selber neu, indem sie später 500 attische Bürger dort ansiedelten.

Thukydides, Geschichte des Peloponnesischen Krieges V.112 und 116, übers. v. Georg Peter Landmann, München/Zürich 1993, Bd. 2, S. 807 - 811 (gekürzt und vereinfacht)

Tipp:
Schau dir noch einmal die Methode „Geschichtskarten lesen" auf S. 76 f. an.

1. *Arbeite heraus, wie Herodot den Anteil der Athener an den Perserkriegen beurteilt (M2). Was war nach Herodot die Absicht der Athener?*
2. *Du bist Spartaner. Ein Soldat aus Athen erzählt dir voller Stolz von Herodots Urteil (M2). Entwirf eine Gegenrede.*
3. *Beschreibe, wie sich im 5. Jh. v. Chr. die Lage für das Perserreich, für Athen und seine Partner und für Sparta und seine Partner geändert hat (M3 - M4).*
4. *Bewerte die Handlungen der Athener gegen Melos (M5).*

Aufstieg des persischen Großreiches | ionischer Aufstand | Schlacht v. Marathon | Perserkriege | Seeschlacht bei Salamis | Athen ist mächtigste Polis Griechenlands; „Goldenes Zeitalter" von Kunst und Kultur | Peloponnesischer Krieg | Athen ergibt sich den Spartanern | Sparta ist mächtigste Polis; kultureller Niedergang

550 v. Chr. | 500 v. Chr. | 450 v. Chr. | 400 v. Chr.

Herrscht in Athen das Volk?

M1 Abstimmungsscherbe, 482 v. Chr.
Bei einem Scherbengericht ritzten die Bürger auf eine Scherbe den Namen eines Politikers, den sie aus der Stadt schicken wollten. Wurden über 6000 Scherben abgegeben, musste der gehen, dessen Name am häufigsten genannt wurde.

Die Herrschaft ändert sich

Im Stadtstaat Athen herrschten zunächst Könige (*Monarchie*). Im 8. Jh. v. Chr. wurden sie von Adligen entmachtet. Das waren Angehörige alter, reicher Familien, die von den Einkünften ihrer großen Landgüter lebten. Sie nannten sich *aristoi*, „die Besten". Ihre Herrschaft heißt daher **Aristokratie**. Es kam vor, dass ein Adliger die Alleinherrschaft an sich riss. Dies nannten die Griechen *Tyrannis*.

Von der Aristokratie zur Demokratie

Im Krieg mussten alle Athener die Polis verteidigen. Nach den Perserkriegen fanden immer mehr Bürger die Herrschaft weniger Adliger ungerecht. Ab Mitte des 5. Jh. v. Chr. wurden alle wichtigen Entscheidungen in der **Volksversammlung** beschlossen. Die Bürger entschieden gemeinsam über Krieg und Frieden, Einnahmen und Ausgaben. Jeder konnte einen Antrag stellen. Alle Stimmen zählten gleich viel, die Mehrheit entschied.
Beamte wurden durch ein **Losverfahren** bestimmt. Nur Ämter, für die besondere Kenntnisse erforderlich waren, etwa Heerführer oder Finanzverwalter, wurden durch **Wahlen** besetzt.
Jährlich wurden 6000 Athener als Laienrichter ausgelost. Das Gericht verhandelte öffentlich, nur am Ende urteilten die Richter geheim.

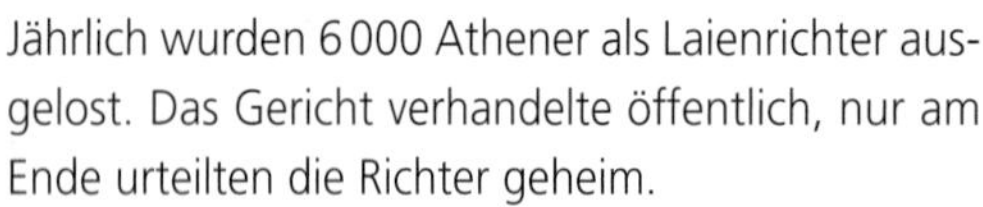

M2 Politik in Athen – kein Verlustgeschäft
Seit etwa 480 v. Chr. wurde die Teilnahme an Volksversammlungen und Gerichten vom Staat bezahlt: Teilnehmer erhielten für jeden Tag eine Wertmarke. Sie konnte gegen den entgangenen Tageslohn eingewechselt werden.

Volksherrschaft mit Grenzen

An Volksversammlungen durften Männer ab 18 Jahren teilnehmen, am Gericht ab 30. Sie mussten aus Athener Familien stammen. Ausgeschlossen waren Frauen, Sklaven[1] und Bürger anderer Poleis. Trotzdem war diese Ordnung ein Fortschritt: Nicht mehr wenige Reiche bestimmten über die Polis. Jeder durfte mitentscheiden. Nach den griechischen Wörtern *demos* (Volk) und *kratein* (herrschen) heißt diese politische Ordnung **Demokratie**.

Angst vor zu großer Macht

Die Athener wollten verhindern, dass ein Einzelner oder der Adel wieder die Macht an sich reißen konnte. Dazu schufen sie Regeln:

- Grundsätzlich wurde jeder Athener für fähig angesehen, öffentliche Aufgaben zu übernehmen.
- Jährlich wurde ein Rat aus 500 Bürgern ausgelost. Er tagte öffentlich und überprüfte, ob Beschlüsse umgesetzt wurden.
- Jeder Athener durfte nur zweimal im Leben Mitglied des Rates sein.
- Der Rat bereitete bis zu 40 Volksversammlungen im Jahr vor und prüfte Ausgaben und Einnahmen.
- Die Geschworenengerichte bestanden aus Richtern, die jährlich neu ausgelost wurden.
- Jährlich konnte ein „Scherbengericht" entscheiden, ob ein Mann für zehn Jahre verbannt wurde.
- Die Amtszeit aller Beamten dauerte ein Jahr.

Herrschte wirklich die Mehrheit?

Trotz der demokratischen Ordnung blieb die Regierung in den Händen einiger reicher Männer. Dies lag am hohen Ansehen der adligen Familien. Die Bürger zahlten keine regelmäßigen Steuern. Öffentliche Aufgaben wie den Bau von Kriegsschiffen oder die Veranstaltung von Festen bezahlten einzelne Bürger. Deshalb bewarben sich nur reiche Männer für hohe Ämter wie das der Heerführer (Strategen). Die Einführung einer Bezahlung für die Übernahme öffentlicher Ämter und Aufgaben änderte daran wenig.

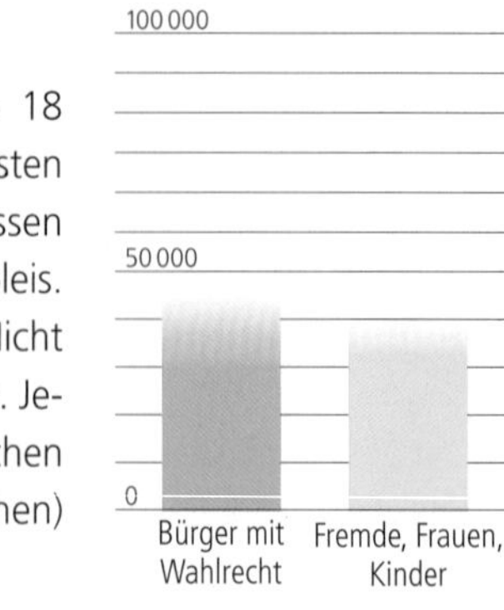

M3 Die Athener
Mitte des 5. Jh. v. Chr. leben in der Polis Athen etwa 300 000 Menschen.

[1] Zur Sklaverei im antiken Griechenland lies S. 98 f.

Aristokratie Volksversammlung Losverfahren Wahl Demokratie

M4 Athen in der zweiten Hälfte des 5. Jh. v. Chr.
Rekonstruktionszeichnung, um 1990
(1) Akropolis
(2) Pnyx, Ort der Volksversammlungen
(3) Münzanstalt
(4) Brunnenhaus
(5) Säulengang
(6) Gerichtshof
(7) Sitz der Feldherren
(8) Sitz des Rates der 500
(9) Agora (Fest-, Versammlungs- und Marktplatz)
(10) Heilige Straße

M5 Für und gegen die Demokratie

In einem Theaterstück des Dichters Euripides von 424 v. Chr. sagt der Athener Theseus:

Niemanden hasst das Volk mehr als einen Alleinherrscher. Denn er sieht nicht die für alle geltenden Gesetze als höchstes Gut an, sondern einer allein macht Gesetze, wie es ihm passt. Das ist 5 keine Gleichheit mehr. Wenn die Gesetze aber aufgeschrieben werden, gelten sie für Arme wie für Reiche gleich. Der Arme kann sich genauso zu Wort melden wie der Reiche, wenn ihm Unrecht geschieht. Hat er Recht, siegt auch der kleine 10 Mann über den großen. Der Leitspruch der Freiheit lautet so: Wer eine gute Idee hat, die dem Staat nützt, der trage sie in der Volksversammlung vor. In welchem Staat gibt es also größere Gleichheit?

Euripides lässt einen Boten sagen:

15 In der Stadt, aus der ich komme, herrscht ein Mann allein, nicht das einfache, ungebildete Volk. Es gibt niemanden, der das Volk durch Reden in seinem eigenen Interesse mal so, mal so beeinflusst. Wie kann überhaupt das Volk den Staat 20 lenken, wenn es nicht mal gute Reden halten kann? Ein armer Bauer mag zwar auch denken können, doch wegen seiner vielen Arbeit kann er sich nicht um das Wohl des Volkes kümmern.

Zit. nach: Henning Ottmann, Geschichte des politischen Denkens. Die Griechen, Bd. 1/1: Von Homer bis Sokrates, Stuttgart/Weimar 2001, S. 203 f. (vereinfacht)

1. *Stelle zusammen: Welche Regeln schufen sich die Athener, um die Mitwirkung vieler Bürger zu ermöglichen und eine Tyrannis zu verhindern?*
2. *Vergleicht die Herrschaft in Athen im 5. Jh. v. Chr. mit der in Ägypten. Stellt Unterschiede und Gemeinsamkeiten in einer Tabelle zusammen.*
3. *Du lebst im 5. Jh. v. Chr. in Athen und bekommst Besuch von Freunden aus Korinth. Sie möchten wissen, wie ihr Athener eure Polis regiert. Biete den Gästen eine Stadtführung zu den wichtigsten Orten Athens (M4).*
4. *Erkläre, welche Herrschaftsform Theseus für die beste hält und welche der Bote bevorzugt (M5). Bewerte ihre Argumente.*
5. *Unser Wort „Politik" stammt von „polis". Erkläre!*
6. *Diskutiert, ob in Athen wirklich „das Volk" herrschte. Berücksichtige M3.*

Wer ist das Volk?

Demokratie – in Deutschland und im antiken Athen

„Unsere Demokratie ist eine Erfindung der alten Griechen", ist eine weit verbreitete Meinung. Mit M1 - M5 könnt ihr euch euer eigenes Urteil bilden. (Im Unterschied zu „Meinungen" sind „Urteile" begründete Einschätzungen.) Mit eurer Auswertung könnt ihr die besten Gründe (Argumente) herausfinden und darüber in der Klasse diskutieren.

Unsere heutige Demokratie ist durch folgende Werte bestimmt: Freiheit – Gleichheit – Gerechtigkeit – Mitbestimmung.

Vorschläge für Forschungsfragen:

Thema 1: *Prüfe die Aussage kritisch: „So ähnlich wie die Griechen machen wir es noch heute, zum Beispiel im Bundestag."*

Thema 2: *Warum konnte sich in Athen die Staatsform der Volksherrschaft (Demokratie) entwickeln?*

Aber vielleicht fallen euch ja noch andere Fragen ein?

Beschreiben

Thema 1: *Arbeitet heraus, welche Einrichtungen zur Herrschaft des Volkes unser Grundgesetz vorsieht.*

Thema 2: *Schreibt heraus: Personen mit Lebenszeiten – Ereignisse mit Daten – Orte (kopiert die Karte S. 73 auf Transparentpapier) – Griechische Begriffe, die etwas mit der Staatsform zu tun haben (z. B. M4: „Demokratie").*

Untersuchen

Thema 1: *Vergleicht, welche unserer heutigen Einrichtungen im antiken Athen bereits bestanden, welche nicht.*

Thema 2: *Untersucht, wie sich die Mitbestimmungsrechte des Volkes entwickelten und welche griechischen Begriffe zu den heutigen Werten der Demokratie passen.*

Einordnen

Thema 1: *Begründet, worin die Volksversammlung der Polis Athen sich vom Deutschen Bundestag unterschied.*

Thema 2: *Nehmt die Rolle einer dieser Personen an: Solon – Peisistratos – Kleisthenes. Begründet den Athenern in einer kurzen Rede, warum eure Handlungen gut sind.*

Präsentieren

Thema 1: *Zeichne ein einfaches Schema, mit dem du die Unterschiede zwischen der Athener Demokratie und der Demokratie in der Bundesrepublik vergleichen kannst.*

Thema 2: *Als Titelbild des Grundgesetzes wird ein Grieche gesucht, den man „Held der Demokratie" und „Vorbild unserer Verfassung" nennen kann. Wähle dir einen Griechen aus und vertritt ihn in einer Podiumsdiskussion.*

M1 Aus dem Grundgesetz

Das Grundgesetz ist unsere Verfassung, also das oberste Gesetz. Es regelt, wie Deutschland regiert wird.

Artikel 20, Absatz 2: Alle Staatsgewalt geht vom Volke aus. Sie wird vom Volke in Wahlen und Abstimmungen und durch besondere Organe der Gesetzgebung [*Parlament*], der vollziehenden Gewalt [*Regierung*] und der
5 Rechtsprechung [*Gerichte*] ausgeübt.

Artikel 38, Absatz 1: Die Abgeordneten des Deutschen Bundestages werden in allgemeiner, unmittelbarer, freier, gleicher und geheimer Wahl gewählt. Sie sind Vertreter des ganzen Volkes, an Aufträge und Weisungen nicht
10 gebunden und nur ihrem Gewissen unterworfen.

Absatz 2: Wahlberechtigt ist, wer das achtzehnte Lebensjahr vollendet hat; wählbar ist, wer das Alter erreicht hat, mit dem die Volljährigkeit eintritt.

Grundgesetz für die Bundesrepublik Deutschland, hrsg. von der Bundeszentrale für politische Bildung, Bonn 1996, S. 13 und 22

M2 Solon richtet das Volksgericht ein

In Athen hat der Adel die Königsherrschaft abgeschafft. Seither geht es darum, welche Adelsfamilie sich an die Spitze der Polis stellen kann. Der Streit wird immer heftiger. Das Volk fühlt sich ungerecht behandelt. Alle Bewohner haben Angst vor einem neuen Tyrannen. Deshalb beauftragen sie 594 v. Chr. Solon, kluge Gesetze zu schaffen, die das verhindern sollen. Besonders heikel ist die Frage, wer Beschlüsse fassen darf. Bislang sind das die adligen Beamten (Archonten) und die Adelsversammlung (Areopag). Der entscheidende Gedanke Solons ist, die Macht nicht mehr nach Herkunft, sondern nach dem Vermögen zu bemessen: Je reicher, desto mehr Mitsprache. Aristoteles (384-322 v. Chr.) fasst später zusammen:

Nach geltender Ansicht gelten folgende drei Maßnahmen der Staatsordnung Solons als die volksfreundlichsten. Die erste und wichtigste war die Abschaffung der Darlehen, für die mit dem eigenen Körper gehaftet werden musste;
5 dann das Recht, dass jeder, der wollte, für diejenigen, die Unrecht erlitten hatten, Vergeltung fordern konnte; und drittens – wodurch, wie man sagt, die Menge am meisten gestärkt worden ist – die Überweisung von Rechtsverfahren an das Gericht. Denn wenn das Volk [im Gericht]
10 Herr über den Stimmstein ist, wird es auch Herr über die Staatsordnung.

Aristoteles, Der Staat der Athener, übers. u. hrsg. v. Martin Dreher, Stuttgart 1993, in: Hans-Joachim Gehrke und Helmuth Schneider (Hrsg.), Geschichte der Antike. Quellenband, Stuttgart 2013, S. 38

M 3 Tyrannenmord während der Athena-Festspiele

Der Adel war mit Solons Lösung nicht zufrieden: Zu viel Macht hatte er an das Volk abtreten müssen. Dennoch war die neue Ordnung zunächst ein Erfolg. Aber die Machtkämpfe im Adel hielten an. Etwa fünfzig Jahre nach Solons Reformen gelang es schließlich dem Adligen Peisistratos, die Macht zu ergreifen. Von 546 v. Chr. bis zu seinem Tod 527 v. Chr. herrschte er fast fünfzig Jahre als Tyrann über Athen. Peisistratos konnte sich halten, weil er viele Maßnahmen ergriff, die dem Athener Volk gefielen. So investierte er viel Vermögen, um das Stadtfest zu Ehren der Athene zu einem großen Ereignis mit vielen Besuchern aus anderen Poleis zu machen.
Nach seinem Tod übernahmen seine Söhne Hipparchos und Hippias die Tyrannis. Während des Athena-Festes wurde Hipparchos 514 v. Chr. von zwei Attentätern erdolcht. Sein Bruder Hippias wurde vier Jahre später aus der Stadt vertrieben.
Den Attentätern setzten die Athener später dieses Denkmal.

M 4 Kleisthenes, die Herrschaft des Volkes und die Gleichheit vor dem Gesetz (Isonomie)

Die Tyrannen sind tot oder verjagt – freie Fahrt also für das Volk, endlich selbst zu entscheiden? Das sehen nach 510 die Adligen Athens etwas anders. Ein wütender Kampf zwischen den prominenten Adligen Isagoras und Kleisthenes entbrennt um die Vorherrschaft in Athen. Da entwickelt Kleisthenes einen listigen Plan. Er erkennt, dass derjenige, der das Volk (Demos) auf seine Seite bringen kann, schließlich den Sieg davontragen würde. Kurzerhand entwirft er eine neue politische Ordnung, in der die Volksversammlung (erwachsene Männer) das meiste zu sagen habe. Im jährlichen Wechsel wird von dieser Versammlung ein Rat von 500 Männern gewählt, der die Regierungsgeschäfte führen soll. Isagoras erkennt die Gefahr und vertreibt Kleisthenes aus der Stadt. Doch Kleisthenes kann sich auf seine neuen Freunde verlassen, und der Rat veranlasst erfolgreich, den Volksfreund wieder in die Stadt zurückzubringen.
Der Historiker Klaus Rosen (2000) bewertet Kleisthenes' Leistung für die Demokratie kritisch:
Er [Kleisthenes] galt denn auch im Athen des 4. Jahrhunderts als der eigentliche Schöpfer der Demokratie. Eine solche Auszeichnung ist jedoch bedenklich, da diejenigen, die sie ihm gegeben haben, aus dem Rückblick sprachen und die weitere Entwicklung überblickten. Sie wussten, wie eine Demokratie aussieht.

Klaus Rosen, Griechische Geschichte erzählt, Darmstadt 2000, S. 108 f.

M 5 Ostrakismos – Vollendung der Demokratie?

Der letzte Tyrann Athens, Hippias, ist an den Hof des Perserkönigs Dareios geflohen (M3). Seine Heimatstadt sieht er erst 490 v. Chr. anlässlich des unverhofften Sieges der Athener gegen die Großmacht Persien als alter Mann wieder.
Damals war das Selbstbewusstsein der Athener gewachsen, denn sie hatten einen großen und mächtigen Feind besiegt und die Freiheit der Polis erfolgreich verteidigt. Drei Jahre nach der Schlacht von Marathon[1] machten sie sich selbst ein Geschenk: die höchsten Beamten der Polis, die Archonten, wurden von nun an durch das Los bestimmt – auch die ärmsten Bürger konnten nun Archonten werden. Und sie setzten eine Idee in die Tat um, die vielleicht schon auf Kleisthenes zurückgeht: Einmal im Jahr konnte die Volksversammlung durch Abstimmung auf Täfelchen (*ostrakoi*) unbeliebte Politiker für zehn Jahre der Stadt verweisen (*ostrakisieren*).
Ein weiterer Schub für die Volksherrschaft folgte 479 v. Chr. nach dem Sieg von Salamis.[2] Nun war klar: Die Bürger Athens konnten sich ihre Freiheit von Tyrannen und von Fremdherrschaft selbst erkämpfen, gerade weil sie alle vor dem Gesetz gleich waren. Weil einer ihrer erfolgreichsten Krieger, Kimon, sie ihrer Meinung nach nicht genügend unterstützte, wurde er 461 v. Chr. kurzerhand ostrakisiert. Die letzten Einflüsse der Areopagiten wurden beseitigt und die Bezahlung der Tätigkeit im Volksgericht und im Rat eingeführt (*Diäten*). Einer der radikalen Reformer dieser Tage war Ephialtes. Er wurde ermordet – vielleicht von einem, dem das alles zu weit ging.

Eigenbeitrag Nicola Brauch

[1] Siehe S. 86. [2] Siehe S. 86.

Spartaner machen vieles anders

M 1 Durch Kampf zur Macht
Umzeichnung einer griechischen Vasenmalerei, ca. 640 v. Chr.
Im 10. bis 8. Jh. fochten die Griechen Zweikämpfe „Mann gegen Mann". Im 7. Jh. erfanden sie die geschlossene Schlachtreihe, die Phalanx („Walze"). Die Soldaten aus Sparta waren für diese Kampfweise berühmt.

Eroberer auf der Peloponnes

Nach 1000 v. Chr. wanderten Leute aus dem Norden Griechenlands auf die Peloponnes ein. Im fruchtbaren Tal des Eurotas entwickelte sich der Staat Sparta. An seiner Spitze standen seit dem 7. Jh. v. Chr. zwei Könige. Als die Bevölkerung wuchs und das Land knapp wurde, eroberten die Spartaner das fruchtbare Messenien. Das neue Land teilten sie gleichmäßig unter sich auf. Die Bevölkerung machten sie zu Staatssklaven (Heloten). Diese hatten keine Rechte, mussten das Land bewirtschaften und Abgaben leisten. Die Nachkommen der Besiegten, die nicht versklavt worden waren, nannten sie Periöken (dt. Umwohner). Sie zahlten Steuern und dienten im Heer, hatten jedoch keine Mitspracherechte.

Die Eroberer mussten ständig mit dem Widerstand der Heloten rechnen. Sie taten daher alles, um unbesiegbar zu bleiben.

Ein Junge aus Sparta wurde seinen Eltern mit sieben Jahren weggenommen. Er kam auf eine staatliche Militärschule. Dort erhielt er einfaches Essen, ein Bündel Stroh zum Schlafen und ein dünnes Gewand, das er bei jedem Wetter tragen musste. Die Tage waren ausgefüllt mit Kampfübungen und Sport. Es gab keine Ferien, auch nicht an Feiertagen. Den Jungen wurde beigebracht, Schmerzen auszuhalten, ihre Gefühle zu verbergen und sich knapp auszudrücken.

Den Mädchen ging es nur wenig besser. Die Spartaner glaubten, nur kräftige Frauen könnten gesunde Kinder bekommen.

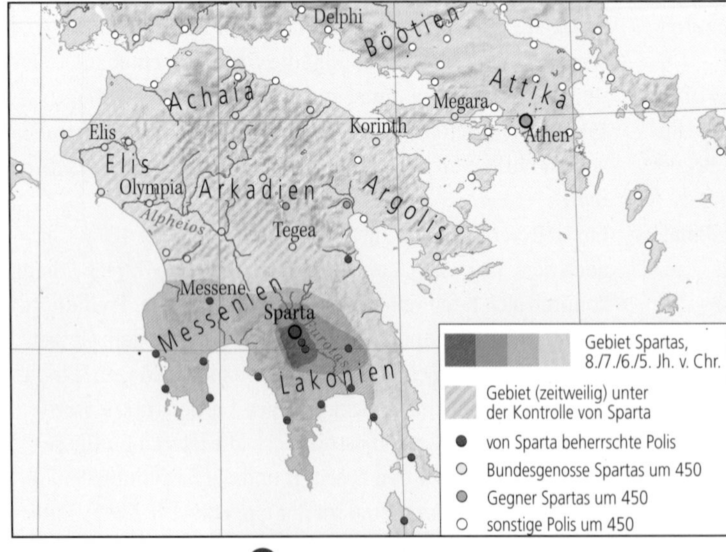

M 2 Aus fünf Dörfern wird eine Großmacht
Im 5. Jh. v. Chr. war Sparta auf dem Höhepunkt der Macht. Viele Städte waren mit Sparta verbündet. Es konnte auch über deren Soldaten verfügen.

Ein Staat wie eine Kaserne

Die rund 6000 ausgebildeten Soldaten, die **Spartiaten**, wohnten getrennt von ihren Familien in Tisch- und Zeltgemeinschaften wie im Krieg. Es war ihnen verboten, auf dem Feld zu arbeiten, Handel zu treiben oder einen anderen Beruf auszuüben.

Die Spartanerinnen mussten nicht in den Krieg ziehen. Sie verwalteten das Landgut der Familie und beaufsichtigten die Heloten. Die Männer waren davon abhängig, dass ihre Frauen gut wirtschafteten, denn ein Spartiat, der nichts zum Unterhalt seiner Tischgemeinschaft beitrug, verlor seine Rechte.

M3 Spartanische Erziehung

Der Grieche Plutarch verfasst um 100 n. Chr. eine Lebensbeschreibung des spartanischen Gesetzgebers Lykurg. Der soll im 7. Jh. v. Chr. geherrscht haben. Zur spartanischen Erziehung heißt es darin:

Die Erziehung hielt er [Lykurg] für die größte und wichtigste Aufgabe des Gesetzgebers. Er ließ die Körper der Mädchen durch Laufen, Ringen, Diskus- und Speerwerfen kräftigen, damit sie gesunde Kinder zur Welt bringen. Weichlichkeit, Verzärtelung und alles weibische Wesen verbannte er. [...]

Die Jungen der Spartaner aber gab Lykurg nicht in die Hände von Pädagogen, noch durfte jeder seinen Sohn aufziehen, wie er wollte. Vielmehr nahm er selbst alle, sobald sie sieben Jahre alt waren, zu sich und teilte sie in „Horden", in denen sie miteinander aufwuchsen, erzogen und gewöhnt wurden, immer beisammen zu sein. Als Führer der „Horde" wählten sie denjenigen, der sich durch Klugheit und Kampfesmut auszeichnete. Sie hörten auf seine Befehle und unterwarfen sich seinen Strafen. So bestand die Erziehung wesentlich in der Übung im Gehorsam. Lesen und Schreiben lernten sie nur so viel, wie sie brauchten; die ganze übrige Erziehung war darauf gerichtet, dass sie pünktlich gehorchen, Strapazen ertragen und im Kampfe siegen lernten.

Nach: Walter Arend (Bearb.), Altertum. Geschichte in Quellen, München ³1978, S. 143 f. (gekürzt und sprachlich vereinfacht)

M4 Sparta und Athen – ein Vergleich

Der Athener Geschichtsschreiber Thukydides urteilt um 420 v. Chr. über Sparta:

Wenn Sparta verwüstet würde und nur die Tempel und Grundmauern der Gebäude blieben, würde man später sicher [...] voller Unglauben seine Macht [...] bezweifeln. Und doch besitzen die Spartaner zwei Fünftel vom Peloponnes und stehen an der Spitze des Landes und vieler Verbündeter. Aber da sie nicht in einer Stadt beisammen wohnen und keine kostbaren Tempel und Bauten haben, sondern nach altgriechischer Art in Dörfern siedeln, könnte Sparta eher armselig wirken.

Wenn es aber Athen ebenso ginge, so würde seine Macht nach der sichtbaren Erscheinung der Stadt doppelt so hoch geschätzt werden, als sie wirklich ist.

Thukydides, Geschichte des Peloponnesischen Krieges, Buch 1.10, nach: Georg Peter Landmann (Übers.), a. a. O., S. 17-19 (frei übertragen)

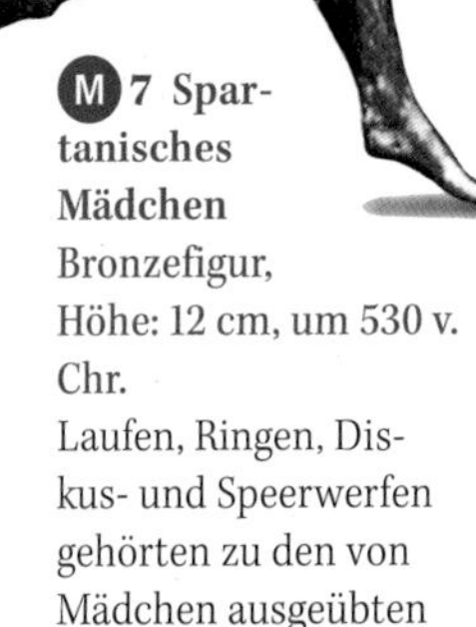

M7 Spartanisches Mädchen

Bronzefigur, Höhe: 12 cm, um 530 v. Chr.

Laufen, Ringen, Diskus- und Speerwerfen gehörten zu den von Mädchen ausgeübten Sportarten.

M5 Regierung in Sparta

Sparta war eine Art Monarchie: Zwei Könige aus den mächtigsten Familien regierten gemeinsam. Im Krieg führten sie das Heer, im Frieden hatten sie nur religiöse Aufgaben. Dann regierte ein Rat der ältesten, dem die Könige und 20 Männer über 60 Jahren angehörten. Sie wurden auf Lebenszeit von allen Spartiaten auf einer Volksversammlung gewählt. Auch diese war anders als in Athen: In Sparta wurde nicht über Entscheidungen diskutiert, sondern nur abgestimmt.

Eigenbeitrag Markus Sanke

M6 Spartanischer Krieger

Bronzefigur, Höhe: ca. 13 cm, um 530 v. Chr.

Auf dem Schlachtfeld sollen die Spartiaten rote Hemden getragen haben, damit das Blut nicht zu sehen war. Im Gegensatz zu den anderen Griechen hatten sie lange Haare.

---

1. *Der Schreiber eines Leserbriefes fordert: „Die heutigen Schulen sollten sich ein Beispiel an den Spartanern nehmen und ihre Erziehung daran ausrichten!" Schreibt eine Entgegnung (M3).*
2. *Stelle in einer Tabelle gegenüber: Die Rolle von Frauen/Mädchen und Männern/Jungen in der Gesellschaft Spartas (Darstellung, M3, M6, M7).*
3. *Diskutiert die Besonderheiten der Regierung von Sparta (M5). Vergleicht mit Athen (S. 88 f.).*
4. *Erkläre Thukydides' Urteil (M4) mit der Lebensweise der Spartaner.*
5. *Wenn etwas besonders einfach, anspruchslos oder karg ist, nennen wir es „spartanisch". Erkläre diese Redewendung.*

Textquellen auswerten

Textquellen sind die wichtigsten geschichtlichen Zeugnisse. Ein Text aus der Vergangenheit kann beim ersten Lesen aber schwierig sein – sogar für Profi-Historiker! Dazu ein paar Tipps:

Schritt 1: Texte verstehen

① Lies den Text sorgfältig durch. Oft erschließt sich sein Sinn beim zweiten Lesen schon besser.
② Notiere dir unbekannte Begriffe und Namen. Kläre sie mithilfe eines Lexikons (Buch, Internet).
③ Ausdrücke, die dir unverständlich bleiben, kannst du im Unterricht klären.

Schritt 2: Texte einordnen

④ Finde heraus, wann und wo der Text entstand.
⑤ Ermittle den Autor. Welchen Beruf, welche Aufgabe hatte er, als er den Text schuf? Was war der Anlass? Ein Lexikon kann dir dabei helfen.
⑥ Lies in deinem Geschichtsbuch nach, was wir über die Zeit der Textquelle wissen.
⑦ Um welche Art von Quelle handelt es sich? Ein Gesetz hatte andere Absichten als ein Gedicht oder eine Rede.
⑧ Manchmal ist wichtig, wie ein Text in unsere Zeit kam (Historiker nennen das „Überlieferung“). So klärst du, wie zuverlässig der Inhalt ist.

Schritt 3: Texte deuten

⑨ Arbeite die wichtigen Aussagen des Textes heraus.
⑩ Stelle fest, was der Autor in seiner Zeit mit dem Text bewirken wollte und warum.
⑪ Finde heraus, ob die beabsichtigte Wirkung erzielt wurde (etwa: „Was geschah nachher?“).

So kannst du dich bei Texten ausdrücken:

Der Text soll von ... im Jahr ... aufgeschrieben worden sein. – Er stammt aus der Stadt ... / dem Land .... – Zur dieser Zeit war für die dortigen Menschen (das Ereignis ...) sehr wichtig, weil ... – Der Text wurde vom Autor ... selbst aufgeschrieben / von ... überliefert. – Die wichtigsten Stellen / Kernaussagen des Textes sind: a) ..., b) ..., c) ... – Der Autor möchte mit seinem Text (wahrscheinlich) erreichen, dass ...

M 1 Eine Rede, die die Athener bewegt

Im Jahr 431 spricht Perikles, Athener Heerführer und Politiker, zu den Athenern. Kurz nach Ausbruch des Peloponnesischen Krieges hat Athen die ersten Toten zu beklagen. Perikles hält daher eine Trauerrede. Der Historiker Thukydides hat sie miterlebt, aber erst 30 Jahre später aufgeschrieben:

Unsere Verfassung ahmt nicht die Einrichtungen anderer nach. Sie ist sogar ein Vorbild für andere. Ihr Name ist „Volksherrschaft“, denn die Macht liegt nicht in den Händen weniger, sondern einer größeren Zahl von Bürgern. [...]
Mag jemand noch so arm sein, so ist ihm doch der Weg zur Auszeichnung nicht versperrt – wenn er nur dem Vaterland nützt. Wegen der Größe unserer Stadt bekommen wir aus der ganzen Welt, was wir wünschen, Erzeugnisse fremder Länder ebenso wie die unserer Heimat. Wir öffnen allen den Zutritt zu unserer Stadt. [...] Andere wollen schon die Kinder mit Härte zur Tapferkeit drillen. Wir leben ohne solchen Zwang! Aber wir stellen uns genauso mutig jeder Gefahr, selbst wenn uns ein gleich starker Feind gegenübersteht.
Unsere Staatsmänner verstehen es, ihre eigenen Interessen und die der Gemeinschaft zu berücksichtigen. [...]
Ich fasse zusammen: Erstens ist unsere Stadt eine Schule für ganz Griechenland. Zweitens kann sich in unserer Verfassung jeder Bürger bestmöglich entfalten. Deshalb werden uns die Menschen in Gegenwart und Zukunft bewundern!

Thukydides, Geschichte des Peloponnesischen Krieges, Buch 2, 35-46, nach: Georg Peter Landmann (Übers.), a. a. O., S. 235-249 (gekürzt und vereinfacht)

Randnotizen:
- Entstehungszeit ④
- der Autor und sein Amt ⑤
- geschichtlicher Zusammenhang: Wann war das? Wer kämpfte? Warum? Lies nach auf S. 86. ⑥
- Art des Textes: Was sollte er bewirken? ⑦
- Überlieferung: Wie genau kann ein Zuhörer die Rede nach so langer Zeit noch wiedergeben? ⑩
- Begriff klären: *Verfassung* = Gesetze, die die Einrichtungen in einem Staat regeln und festlegen, wie regiert wird ③
- Begriff klären: *Volksherrschaft* = deutsche Übersetzung des griechischen Wortes „Demokratie“ ②
- Einordnung: Stimmt das? Lies nach auf S. 88 und 90 f. ⑥
- Einordnung: Warum betont Perikles das? Lies nach auf S. 84 f. ⑥
- Einordnung: Wen meint Perikles mit „Andere“? Lies nach auf S. 92 f. ⑥
- Einordnung: Warum behauptet Perikles das? Lies nach auf S. 88 oben rechts. ⑥
- Bewertung: Warum behauptet Perikles das? ⑥
- Fast alle Quellen in Schulbüchern sind gekürzt und/oder vereinfacht, ohne den Sinn zu verändern, damit ihr sie leichter bearbeiten könnt. ⑧

Wenn du die Fragen am Rand beantwortet hast, hast du den Text sicher verstanden. Alle Personen und Begriffe hast du geklärt und wichtige Informationen über die Zeit der Quelle nachgeschlagen. Nun kannst du deine eigene Deutung aufschreiben. Berücksichtige dazu die Arbeitsschritte links!

⑤ 

Perikles lebte von etwa 490 v. Chr. bis 429 v. Chr. in Athen. Er stammte aus einer Adelsfamilie. Perikles hatte großen Einfluss auf die Politik. In Reden verteidigte und festigte er die Demokratie.
15 Jahre wurde er immer wieder zum Befehlshaber der Truppen gewählt.

⑧ 

Thukydides lebte von etwa 454 v. Chr. bis 396 v. Chr. in Athen. Er war ein bedeutender Historiker. Seine „Geschichte des Peloponnesischen Krieges" gilt als zuverlässige Quelle für den Kampf der Athener um die Macht in Griechenland.

M 2 Eine mögliche Deutung der Rede des Perikles

Der Historiker Thukydides hat eine Rede des Athener Politikers und Heerführers Perikles überliefert. Dieser soll sie 431 v. Chr. gehalten haben. Dies war das erste Jahr des Peloponnesischen Krieges, in dem Athen gegen Sparta kämpfte.

Zuerst wird die Quelle in ihre Zeit, ihren Raum und ihren Zusammenhang eingeordnet.

5 Perikles lobt die Herrschaft des Volkes, die Demokratie. In Athen könne sich jeder Bürger, ob arm oder reich, am Staat beteiligen. Seine Mitbürger, die Athener, grenzt Perikles von „Anderen" ab, die mit Zwang regieren. Er meint damit Athens Gegner, die Spartaner, die ihr ganzes Leben dem Krieg unterordnen.

Hier fasst der Autor die wesentlichen Aussagen der Quelle zusammen.

Diese Aussage erscheint ihm besonders wichtig.

10 Perikles betrauert die Bürger, die im Krieg gefallen sind. In dieser schlimmen Lage will er den Stolz der Athener auf ihre Polis und ihre Kampfbereitschaft stärken: Alle sollen wissen, dass sie ihre großen Opfer zur Rettung der Demokratie erbringen.

Deutung: Der Autor beantwortet die Frage, warum Perikles die Rede hielt und was sie damals bewirken sollte.

Thukydides hat die Rede erst 30 Jahre später aufgeschrieben. Sicher
15 hielt er sie nicht wörtlich fest. Daher muss noch überprüft werden, wie zuverlässig er sie wiedergegeben hat.

Am Ende der Darstellung bewertet der Autor die Zuverlässigkeit seiner Quelle.

M 3 Jetzt bist du dran

In der gleichen Rede rät Perikles den Athenern:

Mit den Gefallenen als Vorbilder sollt auch ihr das Glück in der Freiheit sehen. Sucht die Freiheit mit Mut und blickt nicht zu viel auf die Gefahren des Krieges. Wer keine Hoffnung mehr hat, hat
5 auch keinen Grund, sein Leben hinzugeben. Wir aber hoffen auf die Verbesserung unserer Lage, und wir wissen, was wir verlieren, wenn wir aufgeben. Für einen stolzen Mann ist es schmerzhafter, feige zu sein, als einen kaum gespürten Tod
10 zu erleiden.

Thukydides, Geschichte des Peloponnesischen Krieges II.43, a. a. O., Bd. 1, S. 146 (gekürzt und vereinfacht)

1. *Bildet zwei Gruppen: Gruppe 1 sammelt Informationen zu Perikles, Gruppe 2 zu Thukydides. Stellt eure Person der jeweils anderen Gruppe in einem Kurzreferat vor. Berichtet auch über eure Informationsquellen.*
2. *Vergleiche die Quelle M1 mit der Deutung M2. Arbeite heraus, was eine historische Quelle von einer Deutung unterscheidet.*
3. *Finde für jede Aussage in der Deutung M2 heraus, auf welcher Information in der Quelle M1 sie beruht.*
4. *Verfasse eine Deutung von M3. Berücksichtige, was du bereits über die Rede des Perikles (M1, M2) weißt.*

Familienleben in Athen

M 1 Frauen bleiben unter sich
Vasenmalerei, um 550 v. Chr.
Griechische Frauen und Mädchen aus der Oberschicht leisteten Arbeit im Haus. Dort lebten sie in eigenen Frauenräumen. Ihr Auftreten in der Öffentlichkeit galt den Männern als unfein.

Männer herrschen auch im Alltag

Die meisten Bürger von Athen waren Bauern. Hinzu kamen selbstständige Handwerker und Markthändler. Die Hauptmahlzeit nahm die Familie abends ein. Es gab Brot, Käse, Oliven, Feigen, Honig, Gemüse und Fisch. Fleisch aßen viele Athener nur bei Opferfesten.

Reiche Bürger luden oft Freunde, Gelehrte und Künstler zu besonderen **Gastmählern** ein. Dabei traf man sich ohne Ehefrauen. Die Treffen begannen mit einem Opfer für die Götter, dann aßen, tranken, sangen oder diskutierten die Gäste.

M 2 Haus eines reichen Kaufmanns
Rekonstruktion, nach Ausgrabungen in der Stadt Olynth
(1) Eingangshalle; (2) offener Innenhof; (3) Hausaltar; (4) Lagerraum; (5) Vorraum und (6) Männergemach, beide mit Mosaikfußboden; (7) Küche; (8) Rauchabzug, zugleich Räucherkammer; (9) Treppe; (10) offene Galerie; (11) oben Frauengemach, im Erdgeschoss Speiseraum der Familie; (12) im Erdgeschoss Empfangsräume

Frauen ohne Rechte?

Die Frauen Athens standen unter der Vormundschaft eines Mannes: Vater, Bruder oder Ehemann bestimmten über sie und vertraten sie vor Gericht. Sie hatten keine politischen Rechte und konnten keinen Grundbesitz erwerben. Zu ihren Aufgaben gehörte es, Kinder zu bekommen und zu erziehen, den Haushalt zu führen sowie Alte und Kranke zu pflegen. Töchter wuchsen im Haus auf und wurden auf ihre Rolle als Ehefrau und Mutter vorbereitet.

Frauen aus einfachen Familien mussten auch außerhalb des Hauses arbeiten, etwa als Weberinnen, Hebammen, Kindermädchen oder Händlerinnen. Wer den angesehenen Familien angehörte, verließ das Haus nicht einmal zum Wasserholen oder Einkaufen; dies erledigten Sklaven. Eine Möglichkeit gab es für Frauen, öffentlichen Einfluss auszuüben: Sie konnten Priesterinnen werden.

Kinderleben

Der Vater entschied über die Bildung der Kinder. Sie war nicht kostenlos. Deshalb lernten viele Kinder weder Lesen noch Schreiben. Reiche Eltern stellten Erzieher an. Das waren Sklaven, die die Söhne zum Lehrer begleiteten und die Hausaufgaben der Kinder überwachten. Neben dem Unterricht im Lesen, Schreiben, Rechnen und Sport mussten die Jungen Verse berühmter Dichter auswendig lernen.

Nur Mädchen aus reichem Hause lernten Lesen, Schreiben, Musizieren und Tanzen. Die Schulzeit der Jungen dauerte bis zum 18. Lebensjahr. Dann mussten sie Soldat werden. Viele heirateten zwischen 20 und 35, während Mädchen meist schon mit 14 verheiratet wurden.

M3 Scheidung und neue Liebe

Über die Liebe des Perikles zu seiner zweiten Frau Aspasia schreibt der Historiker Plutarch um 100:

Aspasia war in Milet geboren [...]. Man sagt ihr nach, dass sie [...] sich nur für die mächtigsten und angesehensten Männer interessiert habe. [...] Wie einige glauben, wurde Aspasia von Perikles 5 bloß wegen ihrer Weisheit und Staatsklugheit geschätzt, [...] obwohl sie kein ehrbares oder anständiges Gewerbe betrieb, sondern eine Menge Hetären unterhielt. Bei alledem ist nicht zu leugnen, dass der Neigung des Perikles zu Aspasia ei- 10 ne wirkliche Liebe zugrunde lag. Denn er hatte [ursprünglich] eine Verwandte zur Gemahlin [...]. Da aber diese Verbindung beiden nicht gefiel, gab er sie mit ihrer Einwilligung einem anderen zur Frau und nahm nun selbst die Aspasia, die er auf 15 das zärtlichste liebte, sodass er sie, wie man sagt, alle Tage, wenn er auf den Markt ging und wenn er wieder nach Hause kam, umarmte und küsste. [...] Aspasia soll in einem so großen Ruf gestanden haben, dass sogar Kyros [der König von Persi- 20 en] der geliebtesten seiner [Frauen] den Namen Aspasia gab.

Plutarch, Parallelbiographien: Perikles 24. – Große Griechen und Römer (übers. v. Konrat Ziegler), Bd. 2, Düsseldorf³2010, S. 137 f.

Info: Hetären

(griech. „Gefährtinnen") waren Frauen, die die männlichen Gäste eines Gastmahls unterhielten. Sie sagten Gedichte auf, machten Musik und tanzten. Sie sollten an der Unterhaltung der Männer teilnehmen und klug über Politik, Philosophie und Kunst sprechen. Während griechische Männer die geistige Bildung ihrer Ehefrauen für unnötig hielten, waren Hetären gebildet und informiert. Sie galten den Männern fast als ebenbürtig.

M4 Im Haus – und außerhalb

Der Schriftsteller Xenophon schreibt zwischen 390 und 355 v. Chr. in einem Buch über Hauswirtschaft:

Es scheint mir, dass die Götter das Weibliche und das Männliche zusammengefügt haben, damit sie füreinander nützlich sind. Zuerst heira- 5 tet das Paar, um Kinder zu zeugen, damit die Menschen nicht aussterben. Dann wird durch die Vereinigung erreicht, dass sie sich im Alter gegenseitig stützen. Bei Menschen ist 10 es nicht wie bei Tieren üblich, im Freien zu leben. Menschen benötigen ein Dach über dem Kopf. Wenn sie Vorräte unter dem Dach anlegen wollen, brauchen sie aber jemanden, 15 der die Arbeit unter freiem Himmel verrichtet. Denn Pflügen, Säen, Pflanzen und Weiden sind Beschäftigungen im Freien. Aus diesen wird der Lebensunterhalt gewonnen. Sobald alles untergebracht ist, ist aber jemand erforderlich, der es 20 verwahrt und die Arbeiten verrichtet, die innerhalb des Hauses anfallen. Der Schutz des Daches ist notwendig bei der Versorgung neugeborener Kinder. Unter einem Dach muss die Verarbeitung der Ernte und die Herstellung von Kleidung statt- 25 finden. Da beide Tätigkeiten, die im Innern und die im Freien, ausgeführt und beaufsichtigt werden müssen, hat Gott die körperliche Beschaffenheit entsprechend ausgestattet. Und zwar die der Frau für Arbeiten und Besorgungen im Innern, 30 die des Mannes hingegen für Tätigkeiten und Beaufsichtigungen außerhalb.

Zit. nach: Thomas Späth und Beate Wagner-Hasel (Hrsg.), Frauenwelten in der Antike, Stuttgart 2000, S. 327

M5 Frau und Kind
Figurengruppe aus gebranntem Ton, Höhe: ca. 11 cm, gefunden in Attika, 5. Jh. v. Chr.
Solche Tonfiguren könnten als Kinderspielzeug gedient haben, wurden aber auch in Tempeln geopfert.

1. *Beschreibe mithilfe von M2 den Lebensraum einer Athener Frau.*
2. *Überprüfe heutiges Spielzeug darauf, ob Kinder damit bestimmte Rollen aus der Welt der Erwachsenen nachspielen. Vergleiche mit M5.*
3. *Fasse zusammen, wie Xenophon (M4) die unterschiedlichen Rollen von Frauen und Männern begründet. Vergleiche seine Meinung mit unserer heutigen Ansicht über die Rechte und Pflichten der Geschlechter.*
4. *Arbeite aus M3 heraus, welche Möglichkeiten griechische Frauen und Männer hatten, eine Ehe einzugehen und aufzulösen.*
5. *Diskutiert, ob wir Athen wirklich eine „Demokratie" nennen dürfen, obwohl Frauen von vielen Lebensbereichen ausgeschlossen waren.*

Eine ungleiche Gesellschaft

M 1 Silberbergwerk Laurion, Attika
Rekonstruktionszeichnung von Oliver Frey (2009)
In den Silberbergwerken von Laurion arbeiteten bis zu 20 000 Sklaven. Sie gehörten verschiedenen Besitzern oder waren angemietet.

Metöken – frei, aber keine Bürger

Jeder zehnte Bewohner Athens zur Zeit des Perikles war ein eingewanderter Fremder, ein **Metöke**. Die Metöken durften ihre Berufe frei wählen. Meist waren sie Kaufleute, die durch Fernhandel zu Athens Reichtum beitrugen. Athener selbst waren selten Händler.

Metöken konnten ihren Wohnort frei wählen, aber kein Land kaufen. Sie mussten mit in den Krieg ziehen, eine besondere Steuer zahlen und durften an den religiösen Festen der Athener teilnehmen. Politische Rechte besaßen sie aber nicht. Vor Gericht mussten sie sich von einem Athener vertreten lassen. Die Aufnahme in die Bürgerschaft war möglich, wenn 6000 Bürger in einer Volksversammlung zustimmten.

Sklaven – keine Menschen, sondern Sachen

Im 5. Jh. v. Chr. war jeder dritte Bewohner Athens ein **Sklave**. Die meisten Sklaven kamen als Gefangene nach Athen. Ihre Zahl wuchs ständig, denn auch ihre Kinder blieben Sklaven. Griechen waren kaum darunter, denn den Athenern wurde im 5. Jh. v. Chr. verboten, Hellenen als Sklaven zu kaufen. Die meisten kamen vom Schwarzen Meer oder aus Kleinasien. Sklaven galten als „Menschenvieh" oder als Sachen, da sie angeblich keine Vernunft besaßen und nur zum Gehorchen geboren seien. Kaum ein Grieche bezweifelte das.

Eine Ausnahme war Alkidamas. Dieser griechische Philosoph aus dem 4. Jh. v. Chr. meinte: „Die Götter haben alle Menschen frei erschaffen, die Natur hat niemanden zum Sklaven gemacht."

Wofür wurden Sklaven gebraucht?

Die meisten Sklaven arbeiteten als Hausdiener, Lehrer oder Musiker. Reiche Bürger leisteten sich bis zu 50 Haussklaven. Andere arbeiteten in Handwerksbetrieben und Geschäften. Ihr Leben unterschied sich kaum von dem einfacher Bürger. Einzelne Sklaven gelangten als Verwalter eines Gutes oder Betriebes zu Wohlstand. Sie konnten freigelassen werden. Darüber entschied ihr Herr. Einige Reiche vermieteten Sklaven als Erntehelfer an kleine Bauern.

Der größte bekannte Sklavenhalter Athens um 430 v. Chr. war Nikias. In den Silbergruben von Laurion beschäftigte er über 1 000 Sklaven. In engen, dunklen Stollen förderten sie beim Qualm der Öllampen unter fürchterlichen Bedingungen kostbares Silbererz.

M 2 Grabstein einer Athenerin
Höhe: 1,52 m, um 410 v. Chr., gefunden in Athen
Die Frau rechts ist die verstorbene Hegeso. Dem Kästchen, das ihre Dienerin ihr reicht, entnimmt sie ein Schmuckstück. Es war aufgemalt und ist heute nicht mehr erkennbar.

M3 In einer Tongrube
Tontafel, 6. Jh. v. Chr., gefunden in Korinth
Mit einer Hacke löst ein Arbeiter (ein Sklave?) Tonklumpen von der Wand. Ein anderer sammelt den Ton in einem Korb. Ein dritter hebt einen Korb aus der Tongrube.

M4 Keinesfalls mit ihnen scherzen ...

Der Athener Philosoph Platon äußert sich um 350 v. Chr. über die richtige Behandlung von Sklaven:

Sklaven sind ein Besitz, der sehr schwer zu handhaben ist. Das zeigt sich in ihren häufigen Aufständen, Diebstählen und Räubereien [...].
Es gibt zwei Lösungen: Erstens soll man nicht
5 Griechen, sondern vielmehr Leute von möglichst verschiedener Sprache zu Sklaven zu nehmen. Diese werden sich ihrem Schicksal williger fügen. Zweitens soll man sie richtig behandeln [...]: Wir sollen gegen unsere Sklaven weder Schandtaten
10 noch Bosheiten begehen. Denn gerade gegenüber Leuten, bei denen es ungefährlich ist, ihnen Unrecht zu tun, zeigt sich, ob man in seinem Wesen das Recht liebt und das Unrecht verabscheut. Freilich muss man aber die Sklaven, wenn sie es
15 verdienen, bestrafen. Man darf sie nicht verwöhnen, indem man sie wie freie Leute nur mit Worten ermahnt. Die Anrede an einen Sklaven muss fast immer ein Befehl sein. Man darf keinesfalls mit ihnen scherzen [...] wie es viele tun. Das
20 macht den Sklaven das Leben schwerer zum Gehorchen, ihnen selbst aber zum Befehlen.

Platon, Nomoi 6, 777 f. – Werke in acht Bänden, hrsg. von Gunther Eigler, Bd. 8.1, Darmstadt ³1990, S. 353 f. (gekürzt und vereinfacht)

M5 Athen – eine Sklavenhaltergesellschaft?

Der Althistoriker Stefan Rebenich beleuchtet 2006 die Rolle der Sklaven in der Athener Gesellschaft:

Sklaven waren im Athen des 5. Jh. v. Chr. allgegenwärtig. Der wirtschaftliche Aufschwung ermöglichte vielen Bürgern und Metöken den Sklavenkauf.
5 Sklaven waren grundsätzlich persönlich unfrei und Eigentum ihres Herrn. Ihre Tötung wurde nur als Totschlag geahndet. Sklaven waren meist Handelsware oder Kriegsgefangene. Am politischen Leben hatten Sklaven keinen Anteil. Mehr-
10 heitlich waren sie in der Wirtschaft tätig. Dennoch war Athen keine „Sklavenhaltergesellschaft", da die athenische Wirtschaft nicht ausschließlich auf der Arbeit von Sklaven basierte. Ein Bauer mit einem kleineren Anwesen hatte höchstens 1-2
15 Sklaven. Auf größeren Gütern gab es mehr, teilweise auch einen Gutsverwalter, der unfrei war. Besitzer großer Handwerksbetriebe hatten in seltenen Fällen bis zu 120 Arbeitssklaven.
Es gab keinen Wirtschaftszweig, in dem nur Skla-
20 ven arbeiteten. Auf den Baustellen der Akropolis, in Steinbrüchen und Bergwerken waren immer auch freie Bürger und Metöken beschäftigt.

Stefan Rebenich, Die 101 wichtigsten Fragen – Antike, München ²2008, S. 53 f. (gekürzt und vereinfacht)

---

1. *Nenne den Unterschied zwischen Metöken und Sklaven (Darstellung).*
2. ● *Erkläre, warum Hegeso auf ihrem Grabstein (M2) zusammen mit ihrer Dienerin gezeigt wird.*
3. ● *Beurteile, ob das Bild M2 eine zuverlässige Quelle für den Umgang der Griechen mit ihren Haussklaven ist.*
4. ● *Vergleiche M3 mit M1. Begründe, wofür Griechen so viel Ton brauchten.*
5. *Ein Sklave war für die Griechen ein „sprechendes Werkzeug". Erkläre diese Haltung und weise sie mithilfe von M4 nach.*
6. *Finde in M5 Argumente für und gegen die These: „Athen war keine Sklavenhaltergesellschaft" (Zeile 11).*
7. *Erkläre, warum die antiken Griechen die Sklaverei für notwendig und erlaubt hielten.*
   ● *Begründe, warum Sklaverei bei uns heute verboten ist.*

Die Kunst blüht auf

M1 **„Phidias zeigt seinen Freunden den Fries im Parthenon"**
Ölbild von Lawrence Alma-Tadema, 1868, 72 x 110 cm
Der Maler stellte sich vor 150 Jahren den Künstler Phidias vor. Der hatte den größten Tempel Athens gebaut, den Parthenon auf der Akropolis (vgl. M4). Die bunten Reliefs waren hoch oben am heiligsten Raum des Tempels angebracht. Einfache Besucher konnten sie nicht sehen.

Schönheit im Alltag

Griechen liebten das Schöne und die Kunst. Reiche Stadtbewohner ließen ihre Häuser von Künstlern ausmalen und mit Mosaiken verschönern. Bürger diskutierten leidenschaftlich über neue Statuen, die in ihrer Stadt aufgestellt wurden. Auch bei Dingen des Alltages legten sie Wert auf schöne Gestaltung. Das Geschirr für ihre Gastmähler war von den Töpfern mit Szenen aus der Welt der Götter und der Heroen oder mit Alltagsszenen bemalt worden.

Tempel – Bauwerke für Kult und Kunst

Den größten Aufwand betrieben die Künstler bei den Tempeln. Zu ihnen gingen alle Griechen. Die ersten Tempel im 8. Jh. v. Chr. bestanden noch aus Holz. Später wurden sie vor allem aus Marmor gebaut. Ein griechischer Tempel hatte einen großen, fensterlosen Raum, in dem das Götterbild stand. Er war von Säulen umgeben. Diesen Kultraum durften nur Tempeldiener betreten. Außen waren die Tempel mit reichem Schmuck versehen. Länge und Breite, Zahl und Abstand der Säulen und die Maße aller Bauteile sollten perfekt zueinander passen – die Griechen strebten nach Harmonie.
Tempel waren keine Versammlungsräume für die Gläubigen wie unsere Kirchen. Gottesdienst und Opfer fanden unter freiem Himmel am Altar statt.

Tipp zu M2:
Auf S. 46 findest du ein Bild, das erklärt, woher die Griechen den Stil solcher Statuen übernommen haben.

Künstler entdecken das „Ich"

Im 5. Jh. v. Chr. lösten sich griechische Bildhauer und Maler von alten Vorbildern. Aus genauer Beobachtung und mit Gespür für Vollkommenheit schufen sie neuartige Bildnisse: Sie zeigten Menschen als Einzelpersonen in ganz verschiedenen Situationen oder mit individuellen Gefühlen. Wie die Bürger in der Demokratie ihre Persönlichkeit verwirklichen wollten, so versuchten die Künstler, Persönlichkeit im Bild festzuhalten. Maler und Bildhauer entwickelten einen persönlichen Stil, und immer mehr Künstler kennen wir auch mit Namen. Griechische Kunstwerke dieser Zeit gelten noch heute als vollendet. Wir bezeichnen sie als „**klassisch**".

M2 **Jüngling („Kouros")**
Höhe 1,94 m, Statue eines Mannes, 520 v. Chr., gefunden in Attika
Laut Inschrift stand diese Figur auf dem Grab eines gefallenen Kriegers.

M3 **„Diskuswerfer"**
Höhe 1,55 m, römische Kopie einer Statue des Bildhauers Myron aus Athen, 460 v. Chr.
Das bronzene Original der Statue ist verloren. Es stand in Delphi oder Olympia. Das Werk war so berühmt, dass die Römer später viele Kopien aus Marmor anfertigten.

klassisch

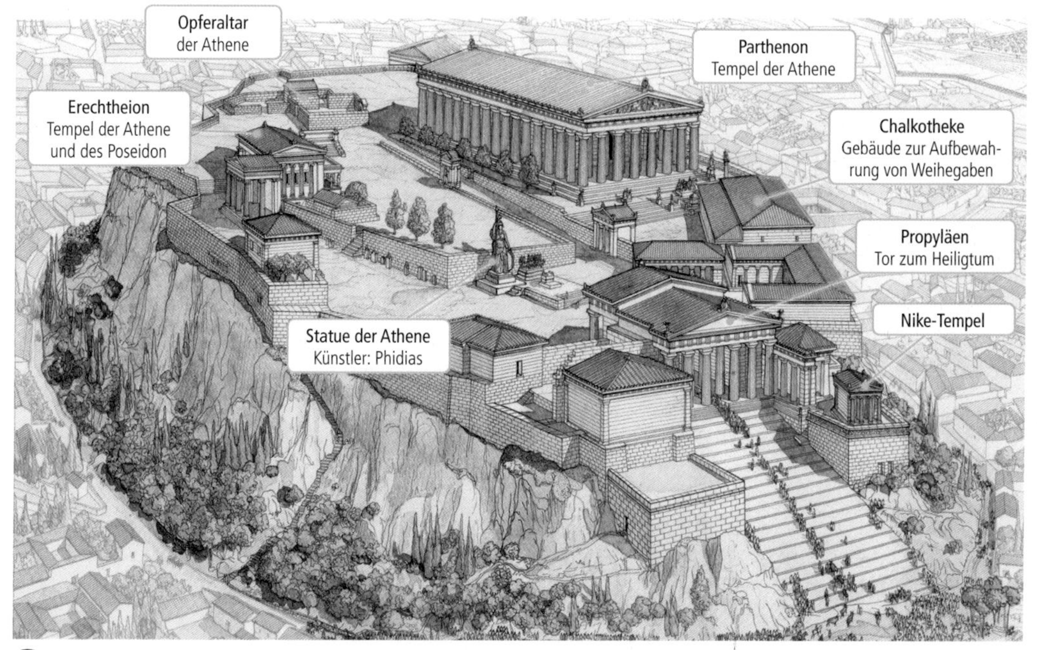

M 4 Die Akropolis von Athen am Ende des 5. Jh. v. Chr.
Ansicht von Westen; Rekonstruktion von Jean-Claude Golvin, 2005

Auf dem Berg befand sich im 8. Jh. v. Chr. die Burg der Polis.[1] Als Athen wuchs, verlor die **Akropolis** (griech. *Oberstadt*) ihre Verteidigungsfunktion und wurde in ein Heiligtum verwandelt. Ein Tempel für Athens Stadtgöttin Athene, der **Parthenon**, wurde gebaut. 480 v. Chr. zerstörten die Perser alle Bauten.[2] Der Politiker Perikles[3] setzte einen Neubau durch: Die Akropolis sollte alle anderen greichischen Heiligtümer übertreffen. Die Bauleitung hatte sein Freund **Phidias**. Der **neue Parthenon** wurde 447 - 433 v. Chr. gebaut. Darin stand ein Kultbild der Athene aus Gold und Elfenbein. Die Giebel trugen bunt bemalte Götterfiguren. Im **Erechtheion** (*Erechtheus*: angeblicher König der Frühzeit) waren die ältesten Kulte angesiedelt. Weiter östlich stand der **Altar**, an dem die Bürger opferten. Eine 9 m hohe **Athene-Statue** stellte Phidias im Freien auf. Den Glanz ihrer vergoldeten Lanzenspitze konnten Seeleute von Ferne sehen.

M 5 Kunst-Touristen

Phidias hat auch das Zeus-Standbild im Tempel von Olympia geschaffen. Der griechische Philosoph Epiktet spottet um 100 n. Chr.:

Ihr reist nach Olympia, um das Werk des Phidias zu sehen, und jeder von euch hält es für ein Unglück, zu sterben, ohne es besichtigt zu haben. Dabei ist gar keine Reise dorthin nötig:
5 Die Gottheit ist nämlich überall anwesend und in ihren Werken gegenwärtig. Und dort wollt ihr nicht hinschauen?

Zit. nach: Kai Brodersen, Die Sieben Weltwunder. Legendäre Kunst- und Bauwerke der Antike, München [7]2007, S. 61 (vereinfacht)

Internettipp
Viele Informationen zur Akropolis von Athen früher und heute bekommt ihr unter 31041-13

[1] Siehe S. 74.
[2] Siehe S. 86.
[3] Siehe S. 94 f.

1. *Überprüfe, was von den alten Bauwerken der Akropolis von Athen (M4) heute noch erhalten ist (Internettipp!). Erarbeite eine Führung*
   a) als antiker Fremdenführer für Besucher des alten Athen (die gab es damals an allen bedeutenden Orten) oder
   b) als heutiger Reiseleiter für eine moderne Touristengruppe.
2. *Vergleiche die Statuen M2 und M3. Beschreibe Gemeinsamkeiten und Unterschiede.*
3. *Beurteile die Entwicklung der Kunst in der Zeit zwischen M2 und M3. Welches der beiden Kunstwerke gefällt dir besser? Begründe.*
4. *Versetze dich in die Rolle des Perikles um 450 v. Chr. Der Neubau der Akropolis-Bauten wird die Bürger sehr viel kosten. Versuche, die Athener in der Volksversammlung von deinem Plan zu überzeugen.*
5. *Arbeite heraus, was Epiktet (M5) an den Griechen kritisiert.*

Standgefäß S. 75, M4 · Kouros M2 · Diskuswerfer M3 · Neubau Akropolis
Zeit der geometrischen Kunst · Zeit der archaischen Kunst · Zeit der klassischen Kunst
800 v. Chr. · 700 v. Chr. · 600 v. Chr. · 500 v. Chr. · 400 v. Chr. · 300 v. Chr.

Philosophen erklären die Welt

M 1 Sieben Weise Männer aus Athen
Mosaik aus Pompeji (Italien), 1. Jh. v. Chr.
In Griechenland begannen Menschen damit, den Erscheinungen der Welt mit dem eigenen Verstand auf den Grund zu gehen. Manche dieser Denker entdeckten Zusammenhänge, die noch heute gültig sind.

Philosophen fragen

Wie entstand die Welt? Warum geht die Sonne auf? Solche Fragen haben sich die Menschen seit jeher gestellt. Wie andere Völker glaubten die Griechen an übermenschliche, ewige Götter. Sie hätten die Welt erschaffen und seien verantwortlich für alles, was geschieht. Donner und Blitz erklärten sie sich damit, dass der Göttervater Zeus zornig sei. Für den Lauf der Sonne sei der Gott Helios verantwortlich, der mit seinem Wagen täglich von Ost nach West über den Himmel fahre. Mit solchen Mythen erklärten die Menschen sich das Geschehen auf der Welt.

Neugier notwendig

Seit etwa 600 v. Chr. gab es in Griechenland Männer, die die Natur mit anderen Augen ansahen: Sie waren neugierig, beobachteten genau und schrieben auf, was sie sahen. Und sie stellten noch schwierigere Fragen: Wie entstand das Leben? Was war am Anfang von allem? Diese fragenden Männer nannte man Philosophen (griech. *philos*: Freund; *sophia*: Weisheit). Ihnen verdanken wir die Anfänge der europäischen **Philosophie**. Einer von ihnen war Thales von Milet. Er schloss aus Beobachtungen, dass das Wasser der Ursprung der Welt sei. Denn ohne Wasser sei kein Leben denkbar. Außerdem sei dieses Element allen anderen überlegen, weil es nicht nur fließen, sondern auch wie Luft fliegen und hart wie Erde sein könne.

Vom Mythos zum Logos

Thales und andere Denker wie Pythagoras stellen fest, dass man in der Natur immer wieder auf dieselben Zahlen und einfachen Figuren stößt und diese nach bestimmten Regeln zueinander in Beziehung stehen. So fand Thales heraus, dass der Durchmesser jeden Kreis in zwei gleich große Hälften teilt. Mathematik und Geometrie wurden Wissenschaften, mit denen allgemeine Lehrsätze aufgestellt und schwierige Beweise erbracht werden konnten. An die Stelle der Mythen trat die **Logik** (griech. *logos*: Sprache, Vernunft). Das „logische" Denken wurde Grundlage der Wissenschaften.

Gut oder böse?

Die Philosophen des 5. und 4. Jh. v. Chr. fragten auch: Was können wir überhaupt wissen? Was ist gut oder böse? Wie sollen wir leben? Welches ist die beste Staatsform?
Bei ihren Antworten nahmen sie immer weniger Rücksicht auf die Götter. Oft stritten sich die Anhänger des alten Glaubens und die Befürworter der „logischen" Sichtweise. Eines der ersten Opfer dieser Auseinandersetzungen wurde Ende des 5. Jh. v. Chr. Protagoras. Wegen seiner Zweifel an den Göttern verurteilten ihn die Athener zum Tode. Er konnte entkommen, starb aber bei der Überfahrt nach Sizilien. Seine Schriften wurden verbrannt. Ein anderes Opfer wurde Sokrates. Sein Ziel war es, durch ständiges Fragen das Gute und Gerechte herauszufinden. Auch ihn verurteilten die Athener zum Tode. Er nahm das Urteil an und lehnte es ab zu fliehen.

Vom Marktplatz in die Schule

Kein Wunder, dass die Philosophen mit ihren Stellungnahmen zu Fragen des öffentlichen Lebens vorsichtiger wurden. Sie zogen sich von der Agora, dem Markt- und Versammlungsplatz, in die Schule zurück. So gründete Platon um 385 v. Chr. in Athen eine bedeutende Schule: die Akademie. Aus ihr ging Aristoteles hervor, einer der bedeutendsten Denker aller Zeiten. Er war Platons Schüler, erforschte alle Wissensgebiete und schrieb über Physik, Biologie und Politik.

Internettipp
Mehr über griechische Philosophen und ihre Art, über Probleme nachzudenken, erfährst du unter 31041-14

Philosophie Logik

M2 Sokrates und der Soldat Trasybulos

Sokrates will die Menschen zur Selbsterkenntnis führen und zu sinnvollem Leben anregen. Deshalb verwickelt er die Leute gern ins Gespräch:

Trasybulos: Guten Morgen, Sokrates!
Sokrates: Guten Morgen, Trasybulos! Gut siehst du aus in deiner Rüstung. Du bist wohl ein tüchtiger Soldat?
5 **T(rasybulos):** Klar! Ich habe im Kampf schon zehn Thebaner totgeschlagen.
S(okrates): Brav, Trasybulos; denn die Thebaner sind alle Lumpen.
T: Das hat unser General auch gesagt, Sokrates.
10 **S:** Und der General der Thebaner hat seinen Soldaten gesagt, alle Athener sind Lumpen.
T: Aber das stimmt doch nicht, Sokrates! Wir Athener sind keine Lumpen.
S: Sind denn die Thebaner Lumpen?
15 **T:** Meinst du etwa, unser General habe nicht Recht?
S: Ich weiß nicht, Trasybulos. Wir wollen das nächste Mal darüber weitersprechen.

Zit. nach: Gustav A. Süß, Sokrates – der Archetypus des Wahrheitssuchers, in: Praxis Geschichte 3/2003, S. 28

M3 Sokrates verteidigt sich

Platon berichtet, wie sich sein Lehrer Sokrates 399 v. Chr. in Athen vor Gericht verteidigt hat:

Ihr könntet sagen: „Sokrates, wir lassen dich frei, wenn du mit deiner Fragerei aufhörst und nicht mehr nach Weisheit suchst. Wenn wir dich aber noch einmal dabei erwischen, musst du sterben!“ 5 Dann würde ich antworten: Ich bin euer Freund. Aber so lange ich atme, werde ich nicht aufhören, nach Weisheit zu suchen und euch zu ermahnen. Wenn ich euch treffe, werde ich mit meinen gewohnten Reden fortfahren: „Schämst du dich 10 nicht, für Geld, Ruhm und Ehre zu sorgen, aber nicht für Einsicht, Wahrheit und deine Seele?“ Ich glaube, dass unserer Polis niemals ein größerer Dienst geleistet wurde. Ich tue nichts anderes, als Jung und Alt zu überreden, für ihre Seele zu 15 sorgen. Nicht aus Reichtum entsteht die Tugend, sondern aus Tugend der Reichtum. Ob ihr mich nun freisprecht oder nicht: Ich werde nie anders handeln, und wenn ich noch so oft sterben muss!

Platon, Apologie 29 d - 30 c – Werke in acht Bänden, hrsg. von Gunther Eigler, Bd. 2, Darmstadt [3]1990, S. 1-69 (gekürzt)

M4 Denken ist gefährlich!

Der Althistoriker Udo Hartmann schreibt:

In Athen bildete sich seit Mitte des 5. Jahrhunderts v. Chr. das wichtigste Zentrum der Philosophie heraus. Die Stadt war aber auch ein Ort der Verfolgung zahlreicher Philosophen. Eine Reihe 5 wurde wegen „Gottlosigkeit“ unter Anklage gestellt. Dieser Vorwurf wurde meist nur erhoben, um politische Ziele zu erreichen. Das Volk mag durch die Meinungen der Philosophen in seinen religiösen Gefühlen verletzt gewesen sein. Hinter 10 den Anklägern standen aber in der Regel politische Gruppen. So wurde gegen Anaxagoras eine Gottlosigkeitsklage angestrengt. Anaxagoras wird in den Quellen als Lehrer des Perikles[1] bezeichnet. Kleon klagte ihn an, weil er die Sonne für 15 einen glühenden Metallklumpen erklärt hatte. Plutarch schreibt, [... das] eigentliche Ziel der Bemühungen gegen Anaxagoras sei Perikles gewesen. Dessen Gegner zielten auf einen Freund und Berater des Staatsmanns, weniger auf einen gott- 20 losen Philosophen. Perikles' Position sollte geschwächt werden.

Udo Hartmann, Griechische Philosophen in der Verbannung, in: Andreas Goltz, Andreas Luther und Heinrich Schlange-Schöningen (Hrsg.), Gelehrte in der Antike, Wien / Köln / Weimar 2002, S. 59-86, hier S. 60-62 (gekürzt und vereinfacht)

[1] Siehe S. 94 f.

1. *Das Gespräch M2 zeigt, wie Sokrates Fragen stellte, um die Menschen zum Nachdenken zu bringen. Entwickle eine Fortsetzung des Gespräches mit Trasybulos. Notiere Fragen, die Sokrates noch stellen könnte.*
2. *Erkläre mit M2 und M3, warum manche Athener Sokrates für gefährlich hielten und vor Gericht stellten.*
3. *Erläutere mit M4, warum in Athen viele Philosophen verfolgt wurden.*
4. *Sokrates sagte einmal: „Ich weiß, dass ich nicht weiß“ („... dass ich ein Nichtwissender bin“). Erkläre, was er damit gemeint haben könnte.*

Sokrates · Gründung der Akademie in Athen · Perikles · Platon · Pythagoras · Protagoras · Aristoteles · Thales von Milet · Anaxagoras
700 v. Chr. · 600 v. Chr. · 500 v. Chr. · 400 v. Chr. · 300 v. Chr.

Alexander erobert ein Weltreich

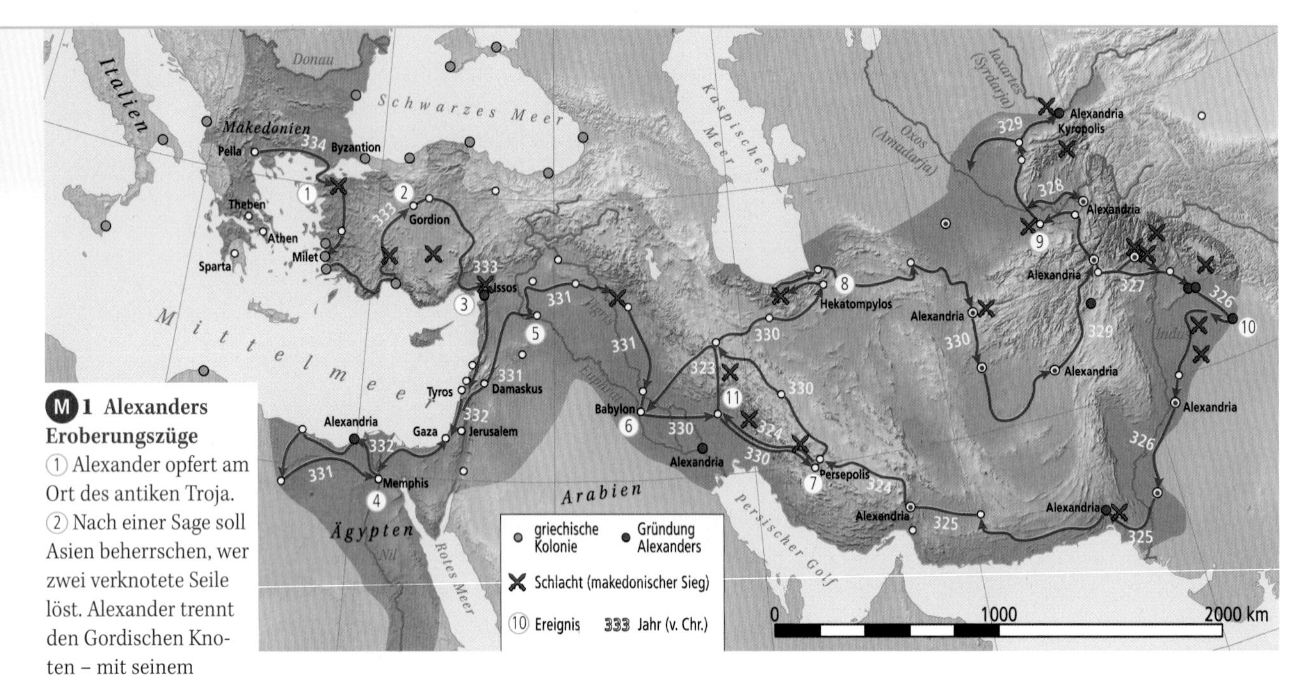

M 1 Alexanders Eroberungszüge
① Alexander opfert am Ort des antiken Troja.
② Nach einer Sage soll Asien beherrschen, wer zwei verknotete Seile löst. Alexander trennt den Gordischen Knoten – mit seinem Schwert.
③ Alexander nimmt Dareios' Familie gefangen.
④ Alexander lässt sich zum Pharao krönen.
⑤ Das Heer überquert den Euphrat und betritt persisches Kernland.
⑥ Alexander lässt sich in Babylon zum König von Asien ausrufen.
⑦ Das Heer erobert die persische Hauptstadt.
⑧ König Dareios stirbt.
⑨ Diener planen einen Mordanschlag auf Alexander. Er schlägt fehl.
⑩ Alexander will auch Indien erobern, aber seine Soldaten wollen in die Heimat zurück.
⑪ 10 000 Soldaten werden mit persischen Frauen verheiratet.

Makedonen unterwerfen Griechen

Im Norden Griechenlands herrschte ein König über das Volk der Makedonier. Die selbstständigen griechischen Stadtstaaten waren im 4. Jh. v. Chr. untereinander zerstritten. So konnte König Philipp II. die makedonische Herrschaft über Griechenland ausdehnen. Sein Sohn und Nachfolger **Alexander** war von griechischen Lehrern erzogen worden und bewunderte die griechische Kultur. Er soll sich hellenische Helden zum Vorbild genommen haben.

Ein Weltreich entsteht

Alexander wollte das Großreich der Perser bekämpfen. Makedonen und Griechen sollten gemeinsam den persischen Überfall vor 150 Jahren rächen. 334 v. Chr. zog Alexander mit einem Heer aus etwa 30 000 Makedoniern und Griechen nach Kleinasien – der Krieg gegen Persien begann. Alexanders Truppen besiegten die Streitmacht des persischen Großkönigs Dareios III., der zuletzt auf der Flucht starb.

Im Jahr 327 v. Chr. drang Alexander nach Nordindien vor. Ein Jahr später stand er am Indus. Er wollte immer weiter – bis an das Ende der Welt. Doch seine Truppen waren müde und wollten zurück nach Griechenland. So kehrte das Heer um.

Zurück in Persien bemühte sich Alexander, Griechen, Makedonier und Perser zu vereinigen. In den eroberten Gebieten setzte Alexander oft einheimische Männer als Stellvertreter ein. Er selbst behielt jedoch die oberste Macht in der Hand und regierte ohne jede Beschränkung. Zeigte sich Widerstand, schlug er ihn rücksichtslos nieder. Er selbst übernahm die Rolle des persischen Gottkönigs: Besucher mussten sich vor ihm auf den Boden werfen. Er heiratete persische Prinzessinnen, darunter die Tochter Dareios III. Seine Beamten, Heerführer und Soldaten forderte er auf, ebenfalls Ehen mit Perserinnen einzugehen.

Der König stirbt – sein Reich zerfällt

Alexander plante einen neuen Feldzug nach Arabien, da wurde er krank. 323 v. Chr. starb er mit 32 Jahren in Babylon. Das riesige Reich fiel in die Hände seiner obersten Feldherren. Diese Diadochen (griech.: Nachfolger) kämpften gegeneinander um die Macht. Drei Herrschaften konnten sich behaupten. Griechische Königsfamilien herrschten seither in Ägypten, in Vorderasien sowie in Makedonien und Griechenland.

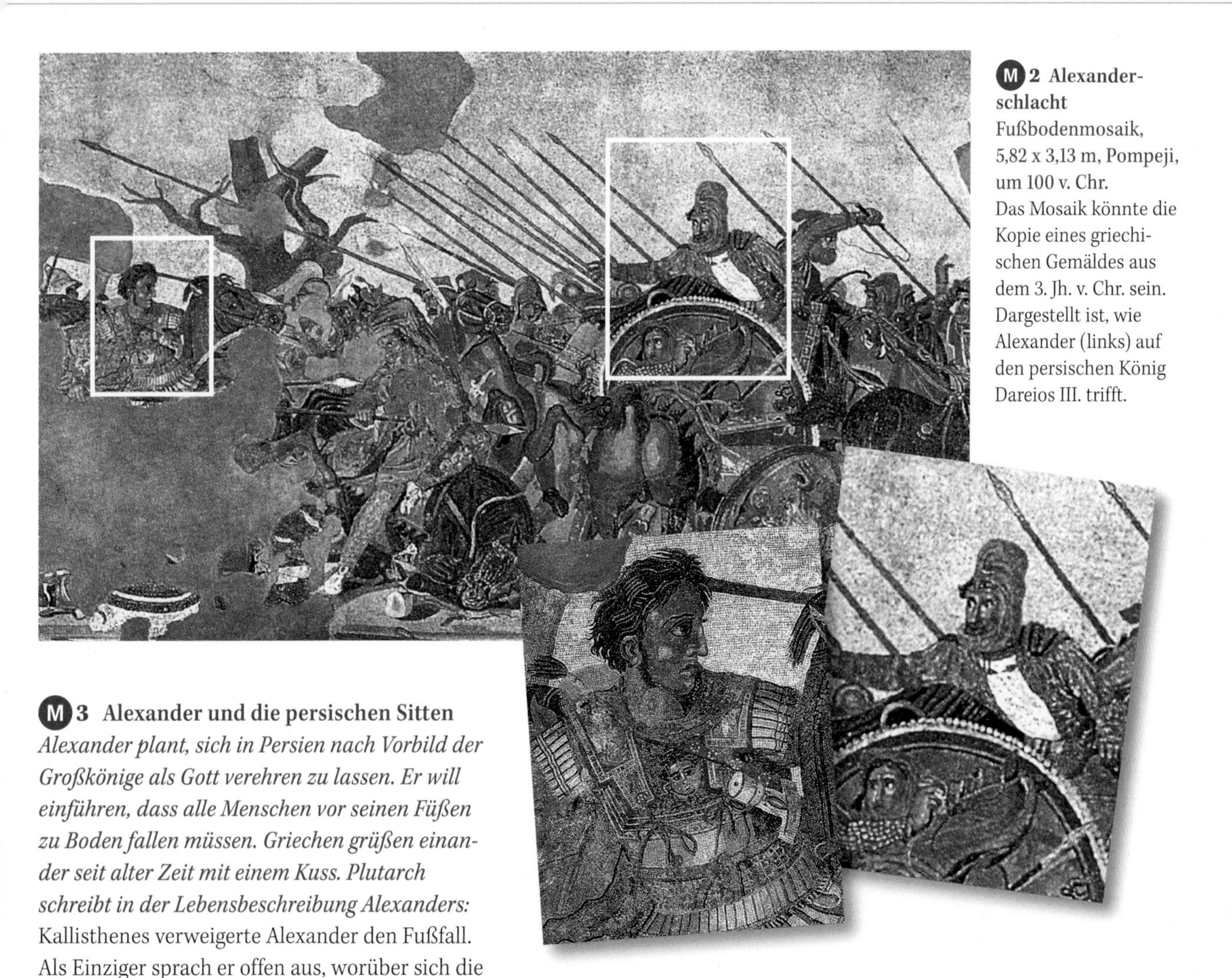

M 2 Alexanderschlacht
Fußbodenmosaik, 5,82 x 3,13 m, Pompeji, um 100 v. Chr.
Das Mosaik könnte die Kopie eines griechischen Gemäldes aus dem 3. Jh. v. Chr. sein. Dargestellt ist, wie Alexander (links) auf den persischen König Dareios III. trifft.

M 3 Alexander und die persischen Sitten

Alexander plant, sich in Persien nach Vorbild der Großkönige als Gott verehren zu lassen. Er will einführen, dass alle Menschen vor seinen Füßen zu Boden fallen müssen. Griechen grüßen einander seit alter Zeit mit einem Kuss. Plutarch schreibt in der Lebensbeschreibung Alexanders:

Kallisthenes verweigerte Alexander den Fußfall. Als Einziger sprach er offen aus, worüber sich die vornehmen Makedonier nur im Stillen ärgerten. Dadurch bewahrte er die Griechen vor großer
5 Schande – und auch Alexander selbst.
Bei einem Gastmahl hielt Alexander, nachdem er getrunken hatte, einem Gast die Schale hin. Dieser nahm sie, trat an einen Opferaltar, trank, machte den Fußfall vor Alexander, küsste ihn
10 dann und legte sich wieder hin. Dies taten der Reihe nach alle anderen Gäste. Kallisthenes aber nahm die Schale, trank und wollte den König sofort danach küssen. Aber ein anderer Gast rief: „Alexander, küss ihn nicht! Er ist der Einzige, der
15 vor dir keinen Fußfall gemacht hat!" Alexander wich dem Kuss aus, und Kallisthenes sagte laut: „Also gut, dann habe ich eben einen Kuss weniger, wenn ich heimgehe!"

Plutarch, Biographie Alexanders des Großen, cap. 54 (frei nacherzählt von Markus Sanke)

1. *Beschreibe die möglichen Probleme, die Alexanders Heer während der Eroberungszüge in Asien lösen musste.*
2. *Erzähle Alexanders Feldzug nach. Nutze dazu den Darstellungstext, die Karte M1 und die Angaben zu den Ereignissen während des Krieges.*
3. *Jahrhunderte nach Alexanders Tod wurde das Mosaik (M2) gelegt. Beschreibe, wie Alexander und sein Gegner dargestellt wurden.*
4. *Begründe, warum Alexander den Fußfall einführen wollte (M3). Begründe, warum viele Makedonier ihn nicht ausüben wollten (Z. 2 f.).*

Die Kultur des Hellenismus

M 1 Laokoon-Gruppe
Römische Marmorkopie einer griechischen Bronzeplastik, um 200 v. Chr.
Die Gruppe zeigt den Trojanischen Priester Laokoon. Er soll die Trojaner vor dem griechischen Geschenk des „Trojanischen Pferdes“ gewarnt haben. Die Göttin Athene, die aufseiten der Griechen stand, habe ihm daraufhin zwei Giftschlangen geschickt, die ihn und seine Söhne töteten.

Die griechische Kultur wird verbreitet

Alexander der Große hatte in den eroberten Gebieten zahlreiche Städte nach griechischem Vorbild gründen lassen. Viele erhielten seinen Namen. In diese Städte zogen Griechen und Makedonen als Händler, Beamte oder Siedler. Ihre Sprache und Religion behielten sie. Griechisch wurde zur wichtigsten Sprache und blieb in den Ländern im östlichen Mittelmeerraum noch Jahrhunderte vorherrschend. Griechische Architektur prägte bald das Bild der Städte. Überall entstanden Tempel und **Theater**. Die vornehmen Einheimischen passten ihre Lebensweise an. Umgekehrt übernahmen die Griechen vieles aus der orientalischen Kultur. Dazu zählten die Verherrlichung der Herrscher als Götter, neue Formen der Kriegsführung und vieles mehr. Diese Zeit bezeichnen wir als **Hellenismus**.
Während Wissenschaft und Künste in den Städten eine Blüte erlebten, veränderte sich auf dem Lande wenig. Hier, wo die große Mehrheit der Bevölkerung lebte und arbeitete, blieben die Menschen bei ihren ägyptischen oder orientalischen Sitten und Bräuchen.

Alexandria – eine Weltstadt

Alexander hatte 332 v. Chr. im westlichen Mündungsgebiet des Nil die Stadt Alexandria gegründet. Nach griechischen Plänen entstand hier ein Zentrum der hellenistischen Kultur.
Alexandria erhielt das Recht auf den Alleinhandel mit Papyrus, Parfüm und Glas. Vor allem durch den Getreidehandel konnte die Stadt an Bedeutung gewinnen. Schiffswerften wurden errichtet und große Betriebe, die Waren für den Export herstellten. Alexandria zählte bis zu 500 000 Einwohner. Hier lebten Ägypter, Syrer, Juden, Araber, Perser, Afrikaner. Aber nur Griechen und Makedonen hatten Bürgerrechte.

M 2 Ein hellenistisches Königreich in Indien
Silbermünze, geprägt um 180 v. Chr.
In Nordindien setzten sich im 3. Jh. v. Chr. griechische Könige durch. Sie prägten solche Münzen. Der Elefant ist im Buddhismus heilig, das Rind im Hinduismus. Dies waren die vorherrschenden Religionen. Die Umschrift „König Apollodotos, Retter“ ist griechisch und indisch.

Erfinder und Gelehrte

Der Ruhm der Stadt ging auf eine königliche Forschungsstätte zurück. Nach den Musen, den griechischen Göttinnen der Künste und der Wissenschaften, war sie Museion benannt. Hier forschten und lehrten zahlreiche Wissenschaftler. Für ihren Lebensunterhalt sorgte der Herrscher. Den Gelehrten stand die größte und beste Bibliothek der Antike zur Verfügung. Sie soll rund 700 000 Schriftrollen besessen haben. Im 3. Jh. v. Chr. forschten in Alexandria bedeutende Gelehrte: Euklid verfasste ein Lehrbuch der Geometrie, das bis ins 19. Jh. verwendet wurde. Archimedes erfand eine Schraubenpumpe und den Flaschenzug. Eratosthenes berechnete den Erdumfang erstaunlich genau und vermutete, man könne von Spanien aus westwärts nach Indien segeln.

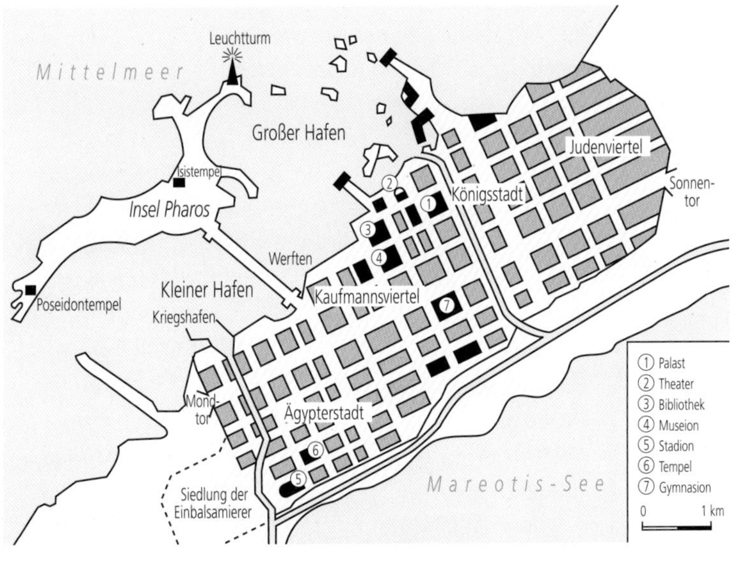

M 3 Plan von Alexandria
Die Angaben beruhen weitgehend auf Vermutungen.

M 4 Eine Beschreibung Alexandrias

Der griechische Geograf und Geschichtsschreiber Strabon, der an der Wende vom 1. zum 2. Jh. n. Chr. gelebt hat, beschreibt die Stadt so:

Vielseitig ist die Gunst der Lage: Von zwei Meeren wird der Platz umspült, von Norden her durch das „Ägyptische" Meer, im Süden durch den Mareotischen See. Ihn speist der Nil mit vielen Kanä-
5 len, auf denen weit mehr eingeführt wird als vom Meer. Dafür ist im Meereshafen die Ausfuhr aus Alexandria höher als die Einfuhr.

Die Grundfläche der Stadt erinnert in ihrer Form an einen Mantel, dessen Längsseiten vom Meer
10 umspült werden und etwa 30 Stadien [5,5 km] ausmachen. Die ganze Stadt wird von Straßen durchschnitten, die Platz für Reiter und Wagen bieten. Zwei sind besonders geräumig und mehr als ein Plethron breit [etwa 31 m]; sie schneiden
15 sich im rechten Winkel. Die Stadt hat sehr schöne öffentliche Bezirke und den Bezirk der Königspaläste, die ein Viertel oder Drittel des Umfangs ausmachen.

Der Wohlstand der Stadt aber ist vor allem darin
20 begründet, dass in ganz Ägypten nur dieser Platz zu beidem geschaffen ist: zum Seehandel wegen der guten Hafenverhältnisse und zum Binnenhandel, weil der Strom wie ein bequemer Fährmann alles transportiert und an einem Platze zu-
25 sammenführt, der der größte Handelsplatz der Welt ist.

Zit. nach: Walter Arend (Bearb.), Altertum. Geschichte in Quellen, München [3]1978, S. 367 f. (gekürzt und vereinfacht)

M 5 Der Leuchtturm von Alexandria
Rekonstruktionszeichnung, um 2000
Für die Seeschifffahrt wurde Anfang des 3. Jh. v. Chr. auf der Insel Pharos vor Alexandria ein etwa 100 Meter hoher Leuchtturm errichtet. Dessen Feuer wurde durch einen Hohlspiegel so verstärkt, dass es noch 50 km entfernt zu sehen war. Er war der erste von einem Architekten entworfene Leuchtturm der Welt und das Vorbild aller weiteren Leucht- und Kirchtürme sowie Minarette. Der Leuchtturm von Alexandria wurde in der Antike zu den Sieben Weltwundern gezählt. Er zerfiel im 14. Jh. n. Chr.

Internettipp
Vieles über die berühmten Sieben Weltwunder erfährst du unter 31041-15

1. *Weise anhand der Münze M2 nach, dass die Toleranz ein wesentliches Merkmal der hellenistischen Kultur war.*
2. *Nenne die Gründe, die Strabon für den Reichtum der Stadt angibt (M4).*
3. *Beschreibe den Straßenverlauf der Stadt (M3). Vergleiche ihn mit dem deines Schul- oder Wohnortes. Stelle die Lage der bedeutenden Einrichtungen fest. Für wen waren sie bestimmt? Begründe deine Antworten.*
4. *Der Leuchtturm von Alexandria (M5) ist eines der Sieben Weltwunder der Antike. Informiert euch über die anderen Weltwunder. Sucht Bilder und schreibt erläuternde Texte dazu.*

Am Anfang dieses Kapitels steht die Leitfrage: *Die Leistungen der Griechen in der Antike – warum erinnern wir uns heute noch daran?* Mit den Arbeitsfragen zu den fünf Kategorien auf S. 78 kannst du sie nun beantworten:

Wirtschaft

Die fruchtbaren Gebiete in Griechenland sind durch Berge und Buchten voneinander getrennt, außerdem gibt es viele Inseln. Daher gründeten Griechen kleine, selbstständige **Poleis**. Das Meer lieferte ihnen Nahrung und war Handels- und Verkehrsraum. Silber- und Goldminen schufen Reichtum – **Sklaven** gewannen das Metall. Marmor war für öffentliche Bauten begehrt. Mit Schiffen wanderten Griechen an andere Küsten aus und gründeten **Kolonien**.

Herrschaft

In den **Poleis** regierten anfangs Könige (**Monarchie**). Reiche Familien setzten sie ab und bildeten Adelsherrschaften (**Aristokratie**). Einfache Leute mussten kämpfen und Abgaben zahlen, daher wollten auch sie mitbestimmen. In vielen Poleis setzten sie ihre Beteiligung in **Volksversammlungen** durch (**Demokratie**). In Athen war sie am größten. In Sparta dagegen unterdrückten wenige Spartiaten die Bewohner eroberter Gebiete. König Philipp II. aus Makedonien eroberte später viele Poleis. Sein Sohn **Alexander** schuf ein griechisches Weltreich.

Kultur

Griechen stellten sich ihre Götter wie Menschen mit übernatürlichen Kräften vor. Von ihnen erzählten viele **Mythen**. Auch **Heroen** der Vergangenheit, etwa vom Kampf um **Troja**, galten als Götter. Vor wichtigen Entscheidungen wurden **Orakel** befragt. Sportwettkämpfe wie die **Olympischen Spiele** wurden zu Ehren der Götter veranstaltet. Künstler stellten den Menschen in vollendeter **Harmonie** dar. Ihre Werke gelten bis heute als „**klassisch**". **Philosophen** fragten nach den Ursachen aller Dinge. Sie ergänzen den **Mythos** durch die **Logik**.

Gesellschaft

Die Hellenen fühlten sich als ein Volk, obwohl sie in verschiedenen **Stadtstaaten** lebten. Die gemeinsame Sprache, Religion und Kultur verband sie. Die kleinste Einheit der Gesellschaft war der **Oikos**. Männer übten Berufe aus und trafen Entscheidungen. Sie luden einander oft zu **Gastmählern** ein. Die Frauen arbeiteten im Haus, das sie selten verließen. **Sklaven** waren persönlicher Besitz des Hausherrn. Viele mussten härteste Arbeit tun, einige hatten auch angesehene Berufe.

Vernetzung

Durch Handel und Migration kamen Griechen in Berührung mit anderen Kulturen. **Kolonisation** verbreitete griechische Lebensweise im ganzen Mittelmeerraum. Fremde Völker galten den Griechen als **Barbaren**. Als der **Großkönig** des **Perserreiches** Griechenland erobern wollte, schlossen sich viele **Poleis** zusammen. In den Perserkriegen wehrten sie den Angriff ab. **Alexanders** Heer brachte griechischen Einfluss in viele Länder. Nach dessen Ende blühte griechische Kultur im **Hellenismus** weiter. Die Weltstadt Alexandria ist dafür ein Beispiel.

Kompetenz-Test
Einen Fragebogen, mit dem du überprüfen kannst, was du schon erklären kannst und was du noch üben solltest, findest du unter 31041-16

1. *Partnerarbeit: Frage deinen Sitznachbarn ab, ob er die gelb markierten Begriffe erklären kann, ohne ins Buch zu sehen. Wechselt euch ab.*
2. *Stellt euch weitere Fragen zum Inhalt der Karten.*
3. *Besprecht, welche Leistungen der Griechen euch beeindrucken und was euch an ihnen nicht gefällt. Begründet eure Meinung!*

M1 Was Schiffswracks erzählen
Die Griechen der Antike haben viele Gegenstände ihres alltäglichen Lebens mit Schiffen über das Meer transportiert. Die Schiffe sanken oft. Mache wurden später gefunden und von Archäologen untersucht. Ihre Ladung gibt uns viele Hinweise auf die griechische Kultur.

① Schiffswrack von Kyrenia (Zypern), gesunken 300 v. Chr.; ② Münzen der Polis Korinth, um 480 v. Chr.; ③ Hand Statue, um 440 v. Chr.; ④ Wein-Amphoren aus Rhodos, um 250 v. Chr.; ⑤ Amphore, die dem Sieger eines Wettkampfes überreicht wurde, 530 v. Chr.; ⑥ Bronzestatue eines Gottes (Zeus oder Poseidon), 460 v. Chr.; ⑦ Brustpanzer, Speerspitze, Helm, 500-100 v. Chr.; ⑧ Säulenteile, um 400 v. Chr.

M2 Athen nach Perikles
Der Philosoph Aristoteles (384-322 v. Chr.) ist kein Freund der Demokratie. Er schreibt:
Solange Perikles Vertreter des einfachen Volkes war, stand es ganz gut um den Staat. [...] Nach Perikles' Tod führte Nikias die Vornehmen, Kleon das Volk. Dieser trug durch seine wilden Ausbrüche sehr dazu bei, das Volk zu verderben: Als erster schrie und schimpfte er auf der Rednertribüne und hielt seine Volksreden in schlampiger Kleidung. Die anderen redeten immer anständig. Danach führte das Volk Kleophon, ein Leier-Macher. Er ließ als erster zwei Obolen an die Theaterbesucher auszahlen. Eine Zeitlang fand die Zahlung so statt. Dann hob Kallikrates diese Regel auf: Er versprach, zu den zwei Obolen noch einen weiteren hinzuzufügen. Von Kleophon an übernahmen die Volksführung ohne Unterbrechung nur noch die, die sich am unverschämtesten aufführten und dem Volk nach dem Munde redeten. Dabei dachten sie aber nur an den Augenblick.
Aristoteles, Der Staat der Athener 28. – Werke Bd. 10.I, übers. von Mortimer Chambers, Darmstadt 1990, S. 35

1. *Die Funde aus M1 stammen von gesunkenen griechischen Schiffen. Versetze dich in einen Archäologen: Was kannst du deinen Zuhörern über das Leben der Griechen erzählen?*
2. *Erkläre die Herrschaftsform der Athener Demokratie. Arbeite aus M2 heraus, was Aristoteles dazu meint.*
3. *In diesem Kapitel findest du viele Bilder von Keramikfunden. Stelle fest, was auf ihnen dargestellt ist. Lege eine Tabelle an, in der du die Abbildungen nach Kategorien (Wirtschaft, Religion ...) ordnest. Erläutere, warum solche Bilder wichtige Quellen der griechischen Geschichte sind.*

5

Rom – ein Weltreich auf drei Kontinenten

Alle Wege führen nach Rom" – so lautet ein bekanntes Sprichwort. Auch in Baden-Württemberg stoßen wir immer auf Zeugnisse der römischen Kultur. Sicherlich hast du solche oder ähnliche Schilder schon einmal gesehen. Sie stehen häufig an Autobahnen oder anderen Straßen und weisen auf Stätten hin, an denen die Römer in unserer Gegend Spuren hinterlassen haben.

M **Römerspuren an der Autobahn**
Fotos von 2015

- *Finde heraus, wofür dieses Hinweisschild aufgestellt wurde. Suche im Internet nach weiteren Orten, an denen die Römer bei uns ihre Spuren hinterlassen haben. Zeichne eine Landkarte Baden-Württembergs zur Römerzeit.*
- *Informiere dich, was das Sprichwort „Viele Wege führen nach Rom" bedeutet.*

Fragen an ... das Römische Reich

Rom, heute die Hauptstadt Italiens, war vor zwei Jahrtausenden das Zentrum des riesigen Römischen Reiches. Seine Bürger nannten sich Römer. Ihre Sprache, Latein, wird bis heute in Schulen gelehrt. Überall, wo die Römer herrschten, hat es Spuren hinterlassen: Italienisch, Spanisch, Französisch, Rumänisch – sie alle gehen auf das Latein zurück. Auch viele deutsche Worte haben dort ihren Ursprung: „Straße" heißt auf Lateinisch „via strata", „Frucht" heißt „fructus".

Die Römer hatten viele Gebiete auch nördlich der Alpen erobert und dort ihre Lebensweise verbreitet. Sie gründeten Städte, die es noch heute gibt, zum Beispiel Köln – von den Römern Colonia genannt. Technische Erfindungen der Römer finden wir heute in unserem Alltag wieder: Wasserleitungen, Kanalisation, mehrstöckige Häuser und Bäder.

In diesem Kapitel erfährst du, wie sich die Stadt Rom zu einem großen Reich entwickelt hat, wie die Römer lebten und wie sie mit anderen Völkern umgingen.

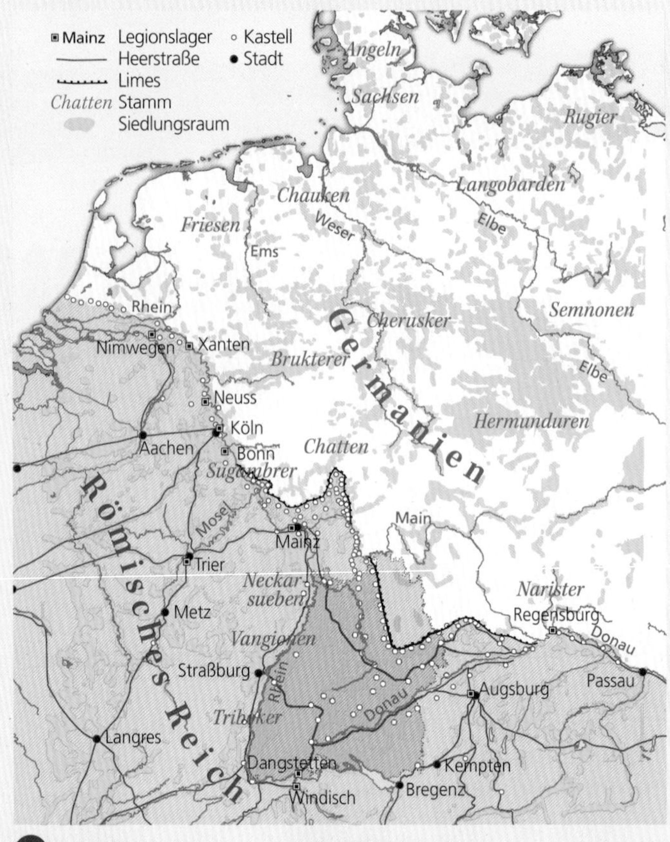

M 1 Die Römer bei uns – und ihre Nachbarn

Leitfrage

Vom Stadtstaat zum Weltreich – warum wurde Rom so mächtig und einflussreich?

Pont du Gard, Südfrankreich – eine der größten Wasserleitungen (Aquädukte) der Römer.

S.P.Q.R. (Senat und Volk von Rom), Kürzel für den Römerstaat, auf einem Kanaldeckel in Rom.

Wirtschaft

Die Römer sind bis heute berühmt für ihre Bauwerke. Manche von ihnen sind technische Meisterleistungen.
Welchen Nutzen hatten römische Aquädukte? Wie beeinflussten Römer ihre Umwelt? ...

Herrschaft

Die Römer gründeten einen Stadtstaat, der ständig wuchs. Daraus entstanden Probleme für das Zusammenleben der Menschen.
Wie organisierten die Römer Herrschaft über riesige Räume? ...

Aufstieg Roms zur Großmacht – Bildung eine

1000 v. Chr. | 900 v. Chr. | 800 v. Chr. | 700 v. Chr. | 600 v. Chr. | 500 v. Chr. | 400 v. Chr. | 300 v. Chr.

Blütezeit der griechischen Antike

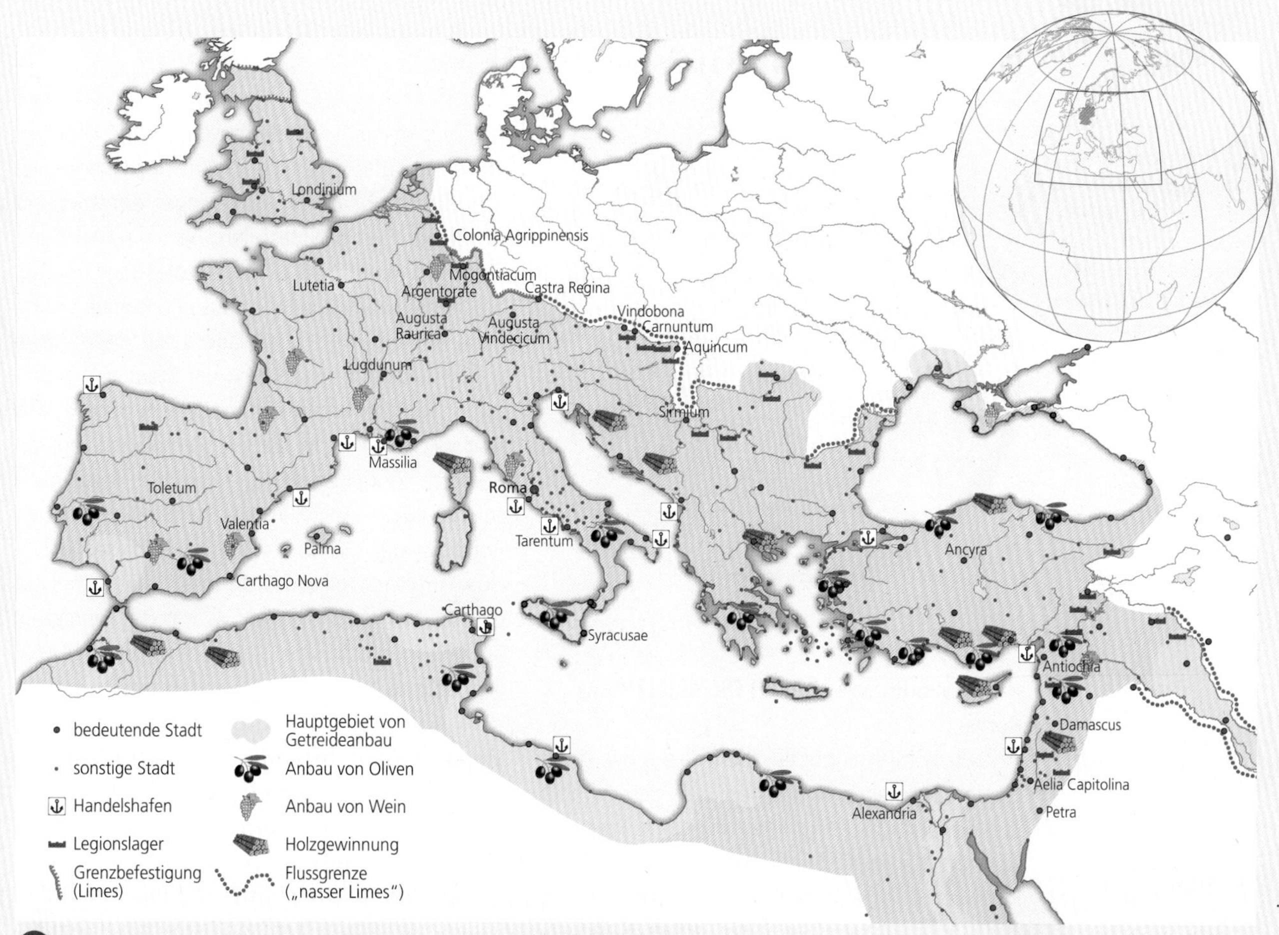

M 2 Das Römische Reich zum Zeitpunkt seiner größten Ausdehnung (2. Jh. n. Chr.)

Die Grenze des Römerreiches (der Limes): befestigt und bewacht, aber nicht undurchlässig.

Der Adler, das Tier der höchsten Gottes Jupiter, wurde zum Wappentier des Römischen Reiches.

Vornehme Römer vertraten einfache Leute vor Gericht. Die stimmten dafür bei Wahlen für sie.

Vernetzung

Meer und Alpen konnten die Römer überwinden. Um ihr Reich zu umgrenzen bauten sie Wälle und Mauern. Auf welche Völker trafen die Römer bei ihrer Ausdehnung? Was wurde ausgetauscht? …

Kultur

Wie die Griechen verehrten die Römer viele Götter. Gegenüber Göttern anderer Völker waren sie meist tolerant. Welche Rolle spielte die Religion für den Alltag der Römer und für die Eroberungen? …

Gesellschaft

In der römischen Gesellschaft gab es Gruppen mit unterschiedlichen Rechten. Es war nicht leicht, seine eigene Schicht zu verlassen. Wie veränderte sich die römische Gesellschaft mit der Zeit? …

Imperiums – Untergang des Römischen Reiches

100 v. Chr. | Chr. Geb. | 100 | 200 | 300 | 400 | 500 | 600

Roms Geschichte beginnt

M1 Aus der Gründungssage Roms
Im 3. Jh. v. Chr. prägten die Römer diese Münze – einen silbernen Denar. Auf ihr bildeten sie einen Ausschnitt aus ihrer Gründungssage ab.

Huhn, Wölfin oder Schaf? Die Entstehung Roms

„7-5-3, Rom schlüpft aus dem Ei" – mit dieser Eselsbrücke haben sich schon viele Schülerinnen und Schüler das Gründungsjahr Roms gemerkt. Aber denken wir einmal nach: Kann das sein?
Rom wurde von keinem Huhn ausgebrütet, das ist klar. Dürfen wir dann der Zahl Glauben schenken? Woher wissen wir sie? Wenn wir die Römer selbst befragen, dann erfahren wir, dass sie eine ganz genaue Vorstellung von der Gründung ihrer Stadt hatten und ihnen deren Geschichte immer sehr wichtig war.
Schon vor über 2000 Jahren lernten die Kinder in der Schule, dass **Romulus und Remus** Rom gegründet haben, und zwar angeblich am 21. April 753 v. Chr. Das hatten Geschichtsschreiber so festgelegt. Sie sagten aber noch mehr über die Entstehung der Stadt. Ihrer Schilderung nach waren die Zwillinge Kinder des Gottes Mars und der Königstochter Ilia, zu deren Vorfahren Aeneas gehört habe. Dieser Held der griechischen Sage sei einst aus dem brennenden Troja geflohen und nach einer zehn Jahre dauernden Irrfahrt in Italien gelandet. Ein Onkel der beiden Säuglinge, der ihrem Großvater die Macht entrissen habe, habe die Jungen in einem Körbchen auf dem Tiber ausgesetzt. Der Sage nach hat er befürchtet, dass sie ihn später einmal vom Thron jagen würden. Die beiden ertranken jedoch nicht, sondern wurden ans Ufer gespült. Dort fand sie eine Wölfin und säugte sie. Schließlich habe ein Hirte die Jungen entdeckt und mit seiner Frau großgezogen. Als sie später dann Rom gründeten, so berichtet die Sage weiter, brach Streit zwischen ihnen aus und Romulus habe dabei seinen Bruder erschlagen. Auf diese Weise sei Romulus der erste König der Stadt geworden, sechs weitere hätten sie nach ihm regiert, bis schließlich 510 v. Chr. der letzte von ihnen von den Römern vertrieben worden sei. Der Sage nach spielte also eine Wölfin eine ganz entscheidende Rolle bei der Gründung Roms. Ist dieser **Gründungsmythos** glaubwürdiger als die Sache mit dem Huhn? Und wie sieht es mit der Jahreszahl aus? Geschichtsforscher haben noch weitere Möglichkeiten, die Entstehung Roms zu untersuchen.

Was hat die Archäologie herausgefunden?

Nach den Erkenntnissen, die Archäologen bei Ausgrabungen gewonnen haben, lebten Menschen im Bereich der Hügel am Tiber schon lange vor dem angeblichen Gründungsjahr: Die Forscher haben Spuren von Lehmhütten und Gräbern aus dem 11. bis 9. Jh. v. Chr. gefunden. Da hier eine wichtige Handelsstraße den Tiber überquerte, entstanden an den Ufern des Flusses Dörfer. Zum Teil gehörten die Bewohner dem Volk der **Etrusker**, zum Teil dem der Latiner an. Die Menschen lebten vor allem von der Landwirtschaft, bauten Getreide an und züchteten Schafe. Im 7. Jh. v. Chr. übernahmen die Etrusker dort die Herrschaft. Während dieser Zeit hatte nur ein einzelner König die Macht. Die Zahl der Einwohner wuchs und es wurde viel gebaut: Häuser aus Stein, Tempel, eine Brücke über den Tiber. Die Bewohner legten einen zentralen Markt an und umgaben die Stadt mit einer Mauer, deren älteste Überreste aus der Zeit um 600 v. Chr. stammen. Ein genaues Datum für die Gründung der Stadt können die Archäologen nicht angeben. Keine Stadt – auch Rom nicht – wurde an einem einzigen Tag erbaut, sondern sie entstand allmählich auf den sieben Hügeln und Schafe haben eine deutlich wichtigere Rolle dabei gespielt als die bekannte Wölfin.

Internettipps:
Über das antike Rom und seine historischen Stätten findest du Informationen unter 31041-17

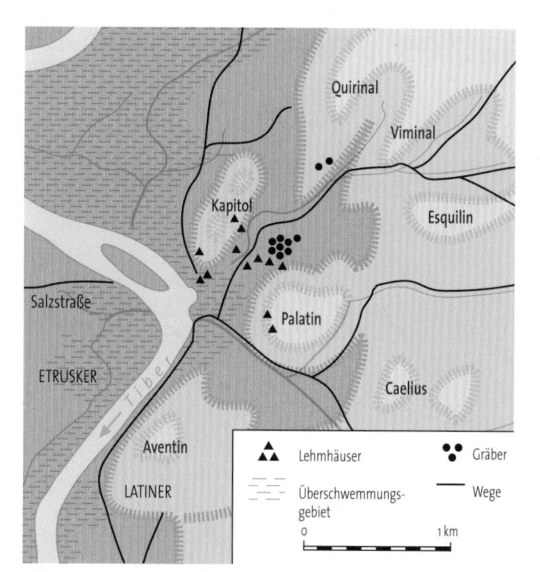

M 2 Rom – die Hügel um 900 v. Chr.
Roms Hügel (rot) und Siedlungsspuren um 900 v. Chr. Der Tiber bildete damals die Grenze zwischen dem Volk der Latiner, zu dem die Römer gehörten, und den Etruskern.

M 4 Rom feiert „Geburtstag"
Die italienische Post gab 1997 diese Briefmarke heraus. Sie erinnert an die Gründung Roms.
Der Text lautet: „2750. Jahrestag Gründung von Rom".

M 3 Die „kapitolinische Wölfin"
Lebensgroße Bronzefigur der Wölfin, die Romulus und Remus der Sage nach gesäugt haben soll. Sie befindet sich in den kapitolinischen Museen in Rom.

M 5 Warum gerade hier?

Die Stadt Rom wird 387 v. Chr. von Völkern aus dem Norden verwüstet. Die Römer überlegen, ob sie sie an anderer Stelle aufbauen sollen. Der Historiker Livius schreibt um 25 v. Chr. die Rede eines Römers auf, der für den Aufbau am alten Ort spricht:

Nicht ohne Grund haben Götter und Menschen diesen Platz zur Gründung der Stadt ausgewählt: gesunde Hügel, ein günstig gelegener Fluss, auf dem Früchte herabgeführt und Güter des Meeres 5 entgegen genommen werden. Vorteilhaft nah am Meer, aber doch nicht so dicht, dass es durch fremde Flotten gefährdet ist. Mitten in Italien gelegen, für das Wachstum der Stadt von der Natur einzigartig ausgezeichnet. Ein Beweis dafür ist 10 die Größe dieser so jungen Stadt: Wir leben im 365. Jahr der Stadt, ihr Bürger. Gegen so viele uralte Völker führtet ihr Kriege. Und nicht einmal die Etrusker, so mächtig zu Land und See und in Italien von Meer zu Meer wohnend, sind euch im 15 Krieg gewachsen.

Livius, Ab urbe condita, V 54, 4-5, übersetzt von Markus Sanke

1. *Beschreibe das Streben der Römer, das in der Sage zum Ausdruck kommt. Erkläre, weshalb sie auf ihre Herkunftssage so stolz waren, dass sie der Wölfin ein Denkmal setzten (M3).*
2. *Überprüfe, ob du in der Sage einen Teil der tatsächlichen Entstehungsgeschichte Roms wiederfindest.*
3. *Arbeite mithilfe von M2 und M5 heraus, welche Vorteile die Landschaft für die Entwicklung einer Stadt bot. (Nutze dazu auch die Karten auf S. 112 f.)*
4. *Beschreibe die Briefmarke M4 und erläutere die Darstellung. Vergleiche sie mit M1 und M3.*

Mehrere Dörfer ... | ... wachsen zur Stadt Rom zusammen | 753: Gründung Roms nach der Sage | Etruskische Könige herrschen in Rom

Bronzezeit in Italien | Eisenzeit in Italien | Kultur der Etrusker

1100 v. Chr. | 1000 v. Chr. | 900 v. Chr. | 800 v. Chr. | 700 v. Chr. | 600 v. Chr. | 500 v. Chr.

Die Etrusker – ein rätselhaftes Volk

M1 Sarkophag (Prunksarg) der vornehmen Etruskerin Larthia Seianti
Länge ca. 1,80 m, um 150 v. Chr.
Die Etrusker nutzten ein Alphabet, aber wir kennen nur sehr wenige Inschriften. Daher sind wir auf die Gegenstände angewiesen, die dieses Volk hinterlassen hat. Aus Grabfunden erfahren wir etwas über die Glaubensvorstellungen und über den Aufbau der Gesellschaft. Wie mag die Frau gelebt haben, die in diesem Sarkophag beigesetzt wurde?

Roms rätselhafte Nachbarn

Wer waren die mächtigen Etrusker, von denen schon im vorangegangenen Kapitel die Rede war? Viel wissen wir nicht von diesem Volk, denn von ihm sind nur wenige schriftliche Zeugnisse überliefert. Wir kennen die Menschen nur aus dem, was andere über sie geschrieben haben, und von dem, was sie an Überresten hinterlassen haben. Eines ist aber sicher: Für die Römer waren sie unbequeme Nachbarn. Lange wehrten sie sich dagegen, von Rom unterworfen zu werden.

Von woher die Etrusker nach Italien eingewandert waren, wissen wir nicht genau. Vermutlich kamen sie aus dem östlichen Mittelmeerraum und besiedelten das Gebiet der heutigen italienischen Regionen Toskana und Umbrien sowie Teile Latiums. In Italien entwickelten sie ihre reichhaltige Kultur weiter.

Vor ihren Städten legten die Etrusker hausförmige Grabanlagen mit bunten Wandmalereien an. Diese zeigen ihre Bewohner im Alltag. Sie musizierten mit verschiedenen Instrumenten, tanzten viel und auch Sport war ihnen sehr wichtig. Dabei hatten sie eine Vorliebe für gewalttätig-spektakuläre Wettkämpfe. Aus gebranntem Ton formten die Etrusker kunstvolle Figuren und Vasen. Sie beherrschten auch die **Metallverarbeitung** und schufen Bronzefiguren, die Menschen und Tiere darstellen.

Religion und Gesellschaft der Etrusker

Die Etrusker waren sehr religiös. Niemals trafen sie eine wichtige Entscheidung, ohne vorher ihren Göttern Tiere zu opfern. Die inneren Organe der Opfertiere untersuchten sie und deuteten daraus den Willen der Götter. Auch aus den Flugbahnen der Vögel und dem Lauf der Blitze bei einem Gewitter lasen sie ab, ob die Götter mit ihrem Tun einverstanden waren oder nicht.

Frauen und Männer hatten bei diesem Volk vermutlich die gleichen Rechte. Das lässt sich auch daran erkennen, dass die Kinder oft nach ihrer Mutter benannt wurden. Dies war bei den Römer nicht der Fall. Frauen durften auch an Sportwettkämpfen und Festtafeln teilnehmen. Ohne Zweifel waren die Etrusker die erste bedeutende **Zivilisation** im antiken Italien. Ihre Blütezeit hatte sie im 6. Jh. v. Chr. Verursacht durch die Ausdehnung des Römischen Reiches sowie innere Unruhen, die von sozialen Konflikten herrührten, erlebte die etruskische Kultur bis zum 1. Jh. v. Chr. einen allmählichen Niedergang.

Die Römer haben von den Etruskern viel gelernt und übernommen. Besonders der etruskische Glaube an Vorzeichen und die **Wahrsagekunst** fanden Eingang in die römische Kultur.

Metallverarbeitung Zivilisation Wahrsagekunst

M2 Römer übernehmen etruskische Sitten

Der Geschichtsschreiber Livius berichtet, was die Römer im Jahr 361 v. Chr. bei einer schlimmen Seuche tun:

Sowohl in diesem wie im folgenden Jahr [...] wütete eine Seuche. Darum geschah nichts Bemerkenswertes, nur dass man, um die Götter um Gnade zu bitten, ein feierliches Göttermahl gab. 5 Und da die Gewalt der Krankheit weder durch menschliche Maßnahmen noch durch die Macht der Götter gelindert wurde, soll man, da sich der Aberglaube der Gemüter bemächtigte, neben den anderen Sühnemitteln für den Zorn der Götter 10 auch Bühnenspiele eingerichtet haben. Das war eine Neuerung für das kriegerische Volk, denn es hatte nur das Schauspiel im Circus gegeben. Es war übrigens auch eine unbedeutende Sache, wie fast alles am Anfang, und sie kam aus der 15 Fremde. Ohne jede gebundene Rede, ohne Gestikulation, die den Inhalt eines Textes dargestellt hätte, führten aus Etrurien herbeigerufene, zu den Weisen eines Flötenspielers tanzende Männer nach etruskischer Sitte nicht unschöne Bewe- 20 gungen aus. Die jungen Leute fingen dann an, sie nachzuahmen, wobei sie zugleich in kunstlosen Versen einander Scherze zuriefen, und ihre Bewegungen standen mit den Worten im Einklang. Die Sache fand daher Gefallen und wurde durch öfte- 25 re Ausübung weiterentwickelt. Den einheimischen Künstlern gab man, weil der Tänzer im Etruskischen „ister“ hieß, den Namen „histriones“. Sie warfen sich nicht mehr, wie früher, aus dem Stegreif ungelenke und primitive Verse [...] im 30 Wechsel zu, sondern führten Saturae auf, ganz mit Melodien unterlegt, wobei der Gesang zum Spiel der Flöte genau vorgeschrieben war und die Bewegung dazu passte.

Livius 7.2 – Titus Livius, Römische Geschichte, Buch VII-X, Fragmente der zweiten Dekade. Lat. u. dt. hrsg. v. Hans-Jürgen Hillen, Darmstadt [2]1997 (gekürzt und vereinfacht)

M3 Tanzendes Etruskerpaar
Etruskisches Wassergefäß (Ausschnitt), 4. Jh. v. Chr.
Die Etrusker hatten einen eigenen Tanzstil entwickelt. Er wies eine große Vielfalt an Figuren und Bewegungen auf. Tänze dieser Art wurden häufig bei festlichen Anlässen aufgeführt.

M4 Modell einer Schafsleber
Bronze, 126 x 76 x 60 mm,
gefunden 1877 bei Piacenza, Norditalien
Schafe waren die bevorzugten Opfertiere der Etrusker. Nach dem Opfer wurde dem Schaf die Leber entnommen. Priester und Wahrsager untersuchten sie genau. Aus Erhebungen und Vertiefungen an bestimmten Stellen des Organs erschlossen sie den Willen der Götter. Das Bronzemodell ist in Zonen eingeteilt, die mit etruskischen Buchstaben beschriftet sind. Sie sind nicht eindeutig entziffert. Vermutlich erläutern sie, was eine Beobachtung an der jeweiligen Stelle der Leber bedeutet.

1. *Beschreibe die Haltung der Tanzenden (M3).*
2. *Arbeite aus dem Text (M2) die Gründe heraus, weshalb die Etrusker tanzten.*
3. *Arbeite aus dem Text M2 heraus, inwiefern die etruskische Kultur die römische beeinflusste.*
4. *Finde Beispiele für Ereignisse, die manche Menschen noch heute für gute oder schlechte Vorzeichen halten.*

7. Jh.: Entstehung größerer Städte
um 600 v. Chr.: Gründung eines Bundes aus zwölf unabhängigen Stadtstaaten
seit 540 v. Chr.: etruskische Seeherrschaft im westlichen Mittelmeer
5. Jh.: Niedergang der etruskischen Macht
474 v. Chr.: Seeschlacht bei Cumä; Etrusker verlieren Seeherrschaft
396 v. Chr.: Eroberung der Etruskerstadt Veji durch Rom

700 v. Chr. | 600 v. Chr. | 500 v. Chr. | 400 v. Chr. | 300 v. Chr.

Rom wird Republik

M 1 Concordia-Tempel in Rom
Rekonstruktion, 2009
Mitten in der Stadt, am Forum Romanum, bauten die Römer einen Tempel zu Ehren der Concordia, der Göttin der Eintracht und Einigkeit. Der erste Concordia-Tempel wurde 366 v. Chr. „gemeinsam von Senat und Volk" errichtet.

Wer herrscht nach den etruskischen Königen?

510 v. Chr. erhoben sich vornehme Römer und verjagten die etruskischen Herrscher. Sie wollten, dass nie wieder ein König über Rom herrschte. Deshalb bezeichneten sie ihren Staat nun als **Republik** (lat. *res publica*: öffentliche Angelegenheit). Wer aber sollte die Aufgaben des ehemaligen Königs übernehmen, also regieren, das Heer anführen und oberster Richter sein? Und wie sollte bestimmt werden, wer diese Aufgaben übernehmen darf?
Anders als die Athener schufen die Römer keine Demokratie. Nur die **Patrizier** (lat. *patres*: Väter) übernahmen die Macht. Diese reichen Landbesitzer galten als Nachfahren der „Väter", die mit Romulus die Stadt gegründet hätten. Patrizier war man von Geburt an. Durch besondere Leistungen konnte man nicht in diesen Kreis aufsteigen. Auch durch Heirat konnte man nicht dazugehören: Patriziern war die Ehe mit den übrigen Bürgern streng verboten. Für sie galten Bauern, Handwerker, Händler und Tagelöhner als **Plebejer** (lat. *plebs*: Volk). Dieser zweite Stand umfasste den größten Teil der römischen Gesellschaft. Er war von der Herrschaft ausgeschlossen.

Plebejer gegen Patrizier – die Ständekämpfe

Auch die Plebejer waren freie Bürger. Einige von ihnen wurden reich, wodurch sie Selbstbewusstsein gewannen und die volle Gleichberechtigung mit den Patriziern forderten. Sie hatten erkannt, dass die Patrizier auf sie als Arbeitskräfte und Soldaten angewiesen waren. Was lag näher, als für mehr Rechte zu streiken?
So verweigerten die Plebejer mehrfach ihre Mitarbeit, zuerst 494 v. Chr.: Als das Heer für einen Kriegszug versammelt werden sollte, zogen sie aus der Stadt auf den nahen „Heiligen Berg", wo sie ihre Forderungen stellten. Damals und in den folgenden 200 Jahren erstritten die Plebejer Zugeständnisse, die ihnen Schritt für Schritt mehr politische und private Rechte einbrachten. Die Patrizier hatten eingesehen, dass der Staat nur bestehen kann, wenn er allen Bürgern gehört und alle Einfluss auf die politischen Angelegenheiten haben.

Was die Plebejer erkämpften

Die wichtigsten Erfolge der Plebejer waren:

- Sie durften jährlich aus ihren Reihen Volkstribune wählen. Diese konnten gegen Maßnahmen der Patrizier Einspruch erheben und sie verhindern. Während ihrer Amtszeit durften die Volkstribune nicht angeklagt oder verurteilt werden.
- Kein Römer durfte mehr wegen hoher Schulden versklavt werden.
- Sie konnten in höchste Ämter gewählt werden.
- Patrizier durften keine Todes- oder Prügelstrafen mehr ohne richterliches Urteil verhängen.
- Alle Gesetze wurden auf Bronzetafeln öffentlich bekannt gemacht (Zwölf-Tafel-Gesetz).
- Das Heiratsverbot zwischen Plebejern und Patriziern wurde aufgehoben.
- Plebejer erhielten Zugang zu Priesterämtern.
- Eine regelmäßige Volksversammlung der Plebejer wurde eingerichtet, an der kein Patrizier teilnehmen durfte. Sie konnte Beschlüsse fassen, die auch die Patrizier befolgen mussten.

Republik Patrizier Plebejer

M 2 Der Magen und die Glieder

Die Plebejer fühlen sich von den Patriziern oft schlecht behandelt. 494 v. Chr. fordern sie mehr Mitbestimmungsrechte. Viele von ihnen versammeln sich außerhalb der Stadt. Da schickt der Senat den Senator Agrippa Menenius zu ihnen. Um 25 v. Chr. schreibt der Geschichtsschreiber Livius auf, was Agrippa den Plebejern erzählt haben soll:

Stellt euch einen Körper vor mit Kopf, Armen, Beinen, Rumpf und Magen. Eines Tages empörten sich die Glieder dieses Körpers. Denn sie mussten ja schließlich alle für den Magen arbeiten, der 5 selbst nichts anderes tat, als faul in der Mitte zu liegen und die ihm zugeführten Wohltaten zu genießen. Die empörten Glieder sprachen sich untereinander ab: Die Hände wollten keine Speisen mehr zum Mund führen, der Mund weigerte sich, 10 Essen aufzunehmen, die Zähne hörten auf, Nahrung zu zerkleinern.
Bald mussten sie aber erkennen, dass der ganze Körper verfiel! Sie selbst wurden immer schwä- 15 cher, nur weil sie geglaubt hatten, sie könnten den Magen durch Hunger bestrafen und auf ihn verzichten.

Livius, Ab urbe condita II 32, 9 - 11, nacherzählt von Dieter Brückner

M 3 „Der Volksredner"
Bronzefigur, Höhe: 1,85 m, um 80 v. Chr.
Der Mann ist mit einer Toga gekleidet, die am unteren Saum einen eingewebten Streifen hat. Am Finger der linken Hand trägt er einen Ring. Beides kennzeichnet ihn als Patrizier.

Ständekämpfe
5. - 3. Jh. v. Chr.

Ziele:

Ergebnisse:

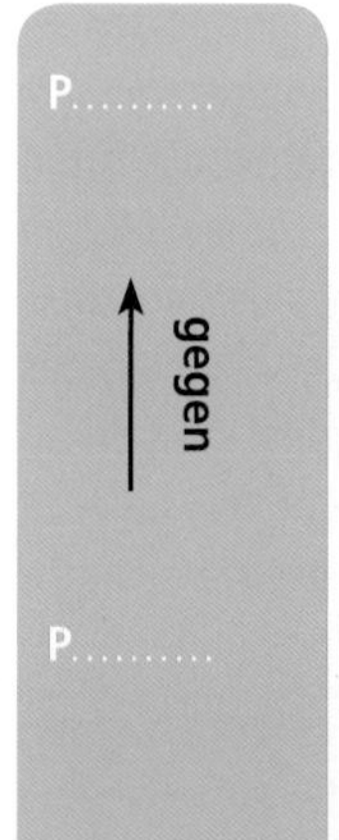

M 4 Schema zu den Ständekämpfen in Rom

1. *Nenne die Ursachen für die Auseinandersetzungen zwischen Plebejern und Patriziern und erkläre den Begriff „Ständekämpfe".*
2. *Übertrage das Schaubild M4 in dein Heft. Ergänze die fehlenden Stellen mithilfe des Darstellungstextes.*
3. *Erläutere, wieso die Plebejer langfristig erfolgreich waren.*
4. *Nenne die Hauptaussage der Geschichte M2 und erkläre, was Agrippa Menenius den Plebejern mit der Geschichte sagen wollte.*
5. *Bewerte das Verhalten von Menenius Agrippa.*
6. *Wenn ein Römer hervorragend reden konnte, fiel es ihm leicht, die Volksversammlung auf seine Seite zu ziehen. Beurteile, ob so immer die besten Entscheidungen gefällt werden.*

510: Vertreibung des letzten Etruskerkönigs
494: Beginn der Ständekämpfe
um 450: Zwölf-Tafel-Gesetz
367: Plebejer können in höchste Ämter aufsteigen
Königszeit (etruskische Könige in Rom)
Römische Republik
700 v. Chr. 600 v. Chr. 500 v. Chr. 400 v. Chr. 300 v. Chr.

Wer regiert die Römische Republik?

M1 Stimmabgabe in einer Volksversammlung
Münzen gehen von Hand zu Hand und werden von vielen Menschen betrachtet. Ihre Bilder können als Werbung angesehen werden. Diese römische Silbermünze wurde unter dem Münzmeister Publius Nerva um 113 v. Chr. geprägt. Sie zeigt, wie Römer bei einer Wahl ihre Stimme abgeben.

Eine neue Führungsschicht entsteht

Nicht alle Plebejer waren in gleicher Weise Gewinner der Ständekämpfe. Zwar erstritten sich die einfachen Römer eine ganze Reihe von Rechten, auch erreichten sie in vielen Bereichen eine Gleichstellung mit den Patriziern. Aber politisch einflussreich waren nur die reichsten Plebejer. Da die Tätigkeit in einem Staatsamt nicht bezahlt wurde, konnten nur sie es sich leisten, Ämter zu bekleiden. Und nur mit den wohlhabenden Plebejern waren die Patrizier bereit, ihre Kinder zu verheiraten. So entstand im Laufe der Zeit eine neue Führungsschicht in Rom: die Nobilität. Sie wurde von den etwa 30 einflussreichsten Familien der Patrizier und Plebejer gebildet. Diese bestimmten über Jahrhunderte die römische Politik.

Patron und Klient

Ein weiterer Grund dafür, dass die Patrizier ihre Machtstellung weitgehend bewahren konnten, war das Klientelwesen: Meist unterstellten sich die ärmeren Plebejer einem Patrizier und wurden damit zu **Klienten** eines **Patrons**. Dieser gewährte ihnen Schutz, half in Notsituationen und vertrat sie vor Gericht. Als Gegenleistung stimmten sie bei Wahlen für ihren Patron. Beide Partner gelobten sich gegenseitig Treue, die ein Leben lang galt und auch auf die Kinder übertragen wurde. Damit wirkte das Klientelwesen wie ein unsichtbares Band, das den Zusammenhalt der römischen Gesellschaft sichern half.

Ämter und Verantwortung

Die römische Regierung bestand aus einer Anzahl von Beamten, den **Magistraten**. An ihrer Spitze standen zwei gewählte Konsuln, die im Krieg das Heer befehligten. Unterstützt wurden sie von weiteren Beamten: Prätoren vertraten sie und überwachten die Gerichte. Ädile waren für Sicherheit und Sauberkeit der Stadt verantwortlich, kontrollierten auf den Märkten die Preise, Maße und Gewichte und organisierten die Lebensmittelversorgung. Quästoren verwalteten die Staatskasse.
Jedes Amt war mindestens mit zwei Männern besetzt. Alle Beamten wurden jedes Jahr neu gewählt. Auch durfte niemand ein Amt zweimal oder unmittelbar nacheinander innehaben. Jeder Beamte konnte gegen die Entscheidungen seines Kollegen Einspruch erheben. Durch diese Regeln sollte jeglicher Amtsmissbrauch vermieden werden.
Daneben gab es noch zwei besondere Ämter: Zwei Zensoren wurden nur alle fünf Jahre gewählt. Sie schätzten das Vermögen der Bürger und teilten sie danach in Gruppen ein. Sie durften Bürger, die sich nicht an die Regeln hielten oder gegen die Sitten verstoßen hatten, öffentlich rügen. Ferner wählten sie die Senatsmitglieder aus. Ein zweites Amt wurde nur in Krisenzeiten besetzt: Auf Vorschlag des Senats konnte dann einer der beiden Konsuln einen Diktator benennen. Seine Amtszeit dauerte höchstens ein halbes Jahr. Er hatte große Vollmachten, alle mussten seinen Anweisungen folgen.

Die Machtzentrale

Die meisten politischen Entscheidungen fielen in Rom im **Senat**. Ihm gehörten etwa 300 ehemalige Staatsbeamte an, die den Magistrat unterstützten. Da die Senatoren über viel Erfahrung verfügten, bezogen sie zu allen wichtigen politischen Fragen Stellung, gaben Ratschläge und Empfehlungen. Bei ihren Sitzungen bereiteten sie vor allem Gesetze und Wahlvorschläge vor. Stimmte die Mehrheit einem Antrag zu, wurde daraus ein Senatsbeschluss. Aufgrund des hohen Ansehens der Senatoren hatte ihre Meinung großes Gewicht. Deshalb konnte kein Magistrat gegen einen solchen Beschluss handeln.

Patron und Klient Magistrat Senat

M2 Das Volk entscheidet mit

Eine Historikerin schreibt über das römische Volk:
Das römische Volk besaß auch selbst politische Macht. Die Bürger wählten die Magistrate, beschlossen Gesetze und stimmten über Krieg und Frieden ab. Dazu wurden unterschiedliche Volksversammlungen einberufen. Abgestimmt wurde aber nicht einzeln, sondern nach Gruppen, wobei jede eine Stimme hatte, egal wie viele Personen sie umfasste. Die Gruppen waren nach dem Vermögen der Bürger eingeteilt und die Patrizier besetzten die meisten, sodass sie bei Abstimmungen stets die Mehrheit hatten. Diskussionen gab es in den Volksversammlungen nicht, sondern die Bürger stimmten nur mit Ja oder Nein.

Eigenbeitrag Caroline Galm

M3 Vorteil der Mischverfassung

Der römische Politiker Cicero nennt drei Herrschaftsformen seiner Zeit: Monarchie (Herrschaft eines Einzelnen), Aristokratie (Herrschaft einiger) und Demokratie (Herrschaft aller). Er urteilt:
Von diesen drei Arten ist meiner Meinung nach die Monarchie die weitaus beste. Die Monarchie selbst wird aber noch übertroffen von einer ausgewogenen und maßvollen Mischung aller drei Herrschaftsarten. Denn es ist richtig, dass jemand dem Staat nach Art eines Königs vorsteht, dass andere Dinge der Herrschaft der besten Männer zugewiesen sind und dass schließlich gewisse Angelegenheiten dem Urteil und Willen der Masse vorbehalten sind. Eine solche Ordnung hat erstens eine gewisse Gleichheit, auf die freie Männer nicht länger verzichten können. Außerdem hat sie Festigkeit, während sich die drei erstgenannten sehr leicht in ihre schlechten Gegenteile verwandeln: Aus einem König kann ein Gewaltherrscher, aus den Vornehmen eine Clique, aus dem Volk eine verwirrte Masse werden. Auch wechseln die Arten von Herrschaft einander oft ab. Das geschieht in einer maßvoll gemischten Verfassung des Staates nicht, denn für solche Umwandlungen gibt es keinen Grund.

Cicero, De Re Publica I.45 (69), vereinf. übers. v. Markus Sanke

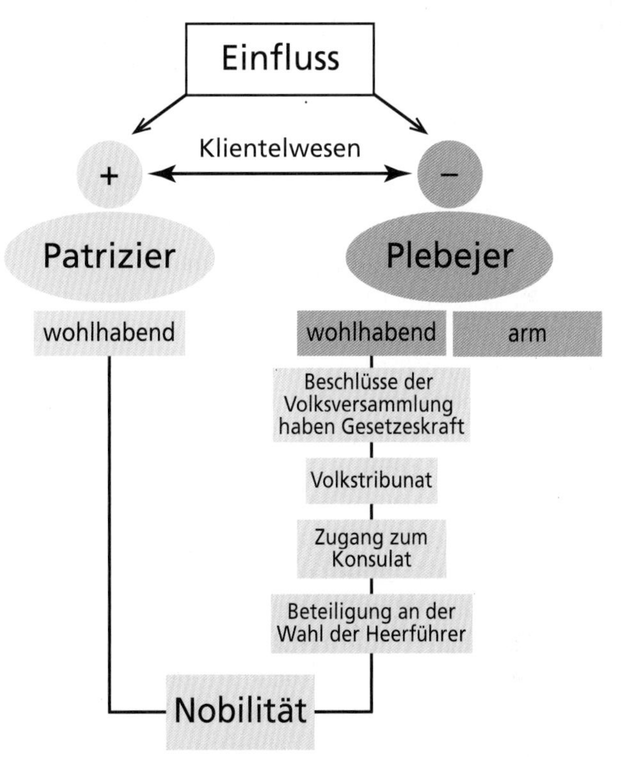

M4 Die Entstehung einer Herrschaftsklasse
Stell dir vor, du hast ein Referat zur Frage „Wer herrschte in der Römischen Republik?" erarbeitet. Damit deine Mitschülerinnen und Mitschüler deinen Ausführungen besser folgen können, unterstützt du deinen Vortrag mit dieser Visualisierung.

---

1. *Arbeite aus M2 und dem Darstellungstext heraus, welchen politischen Einfluss römische Plebejer hatten. Konnten sie im Streitfall etwas gegen die Patrizier ausrichten?*
2. *Cicero nennt in M3 drei Herrschaftsformen, die in Rom miteinander gemischt sind.*
   a) *Weise für jede eine römische Einrichtung oder ein römisches Amt nach.*
   b) *Erkläre, worin Cicero den Vorteil dieser Mischung dreier Herrschaftsformen sieht.*
3. *Erarbeite mit M4 einen Vortrag zur Frage: „Wer herrschte in der römischen Republik" und halte ihn vor der Klasse.*
4. *Vergleiche die Machtverteilung in der Römischen Republik mit der in der Athener Demokratie. Welche Ordnung war demokratischer?*

Die römische Gesellschaft zur Zeit der Republik

M 1 Ein Sturz in die Tiefe
Relief, vermutlich aus dem 1. Jh. v. Chr.
Das Relief zeigt den römischen Soldaten Marcus Curtius. Es steht heute auf dem Forum Romanum.

Was alle eint – Werte und Tugenden

Römer waren stolz auf ihre Vorfahren. Sie sahen es als Pflicht an, deren Sitten und Regeln weiter zu befolgen und ihre Erfahrungen zu achten. Die **Tradition** der Ahnen stellte einen so hohen Wert dar, dass sie den Römern als Richtschnur für ihr eigenes Handeln diente. In Geschichten hoben sie die Leistungen ihrer Vorfahren hervor. Eine solche Geschichte überliefert der Geschichtsschreiber Livius:
362 v. Chr. öffnete sich auf dem Forum ein tiefer Spalt. Die Römer versuchten, ihn mit Erde zu füllen, aber nichts half. Da befragten sie die Seher. Die gaben ihnen zu verstehen, dass sie das kostbarste Gut opfern sollen, von dem Roms Stärke am meisten abhänge. Der Soldat Marcus Curtius verstand diesen Spruch: Er nahm all seine Waffen, schmückte sein Pferd und stürzte sich mit ihm in die Tiefe. Sofort schloss sich der Spalt und ein kleiner See entstand.

Für die Römer war also auch die Tapferkeit ein sehr wichtiger Wert, besonders, wenn sie in den Dienst der Gemeinschaft oder des Staates gestellt wurde. Mutige Taten waren hoch angesehen und brachten Autorität und Ehre. Zwar betrafen Tradition und Tapferkeit vor allem die Nobilität, wurden aber auch von einfachen Bürgern geachtet.

Sparsamkeit, Gehorsam, Treue, Frömmigkeit, Beständigkeit, Mäßigung, Fleiß und Würde waren Tugenden, die für alle Römer galten. Ihre Einhaltung schuf ein Zusammengehörigkeitsgefühl der Bürger und sicherte den Zusammenhalt der Gesellschaft.

Die Familie

Verantwortlich für die Bewahrung der Tradition und Weitergabe der Werte war vor allem die **Familie**. Zu ihr gehörten nicht nur die Eltern und Kinder, sondern die Verwandten aller Generationen sowie die Freigelassenen und die Sklaven. In diesem Kreis wurden die Söhne und Töchter mit den Regeln einer ehrbaren Lebensführung vertraut gemacht.

Oberhaupt der Familie war das älteste männliche Mitglied, der **Pater familias**. Er bestimmte über alle Angehörigen und durfte sie bestrafen, sogar mit dem Tod. Er bestimmte Ausbildung, Beruf und oft auch Ehepartner seiner Kinder. Er verwaltete das Vermögen und vertrat die Familie vor Gericht. Nur er durfte wählen und politische Ämter bekleiden. Er war auch das religiöse Oberhaupt, denn nur ihm war es erlaubt, den Hausgöttern Opfer zu bringen. Widersetzte sich ein Familienmitglied seinem Willen, galt dies als Verstoß gegen die überlieferten Sitten der Vorfahren und konnte zum Ausschluss aus der Familie führen. Eine solche Herrschaft des männlichen Familienoberhaupts nennen wir Patriarchat (lat. *pater*: Vater, griech. *archein*: herrschen).

Die Rolle der römischen Frau

Die Frauen arbeiteten vor allem im Haus und waren von ihren Männern weitgehend abhängig. Selbstständig konnten sie so gut wie keine Entscheidungen treffen. Ihr Vermögen ging bei einer Heirat automatisch in den Besitz des Mannes über. Seit dem Ende des 3. Jh. v. Chr. konnten Paare aber einen Ehevertrag abschließen, bei dem die Frau ihren Besitz behielt. Diese Form der Ehe konnte geschieden werden, wenn ein Partner es verlangte. Waren Frauen berufstätig, dann vor allem als Hebammen, Näherinnen, Gastwirtinnen oder Ärztinnen. Auch nahmen sie am gesellschaftlichen Leben teil, gingen allein in die Öffentlichkeit, besuchten Wagenrennen und Gladiatorenkämpfe.

M 2 Ein Römer trauert um seine Ehefrau

Am Grab seiner Ehefrau hält ein Römer im 1. Jh. v. Chr. diese Rede:

Was soll ich deine häuslichen Tugenden preisen, deine Keuschheit, deine Folgsamkeit, dein freundliches und umgängliches Wesen, deine Beständigkeit in häuslichen Arbeiten, deine Frömmigkeit, frei von allem Aberglauben, deine Bescheidenheit im Schmuck, die Einfachheit im Auftreten? Wozu soll ich reden von der Zuneigung zu den Deinen, deiner liebevollen Gesinnung gegenüber der ganzen Familie? Wir haben uns so die Pflichten geteilt, dass ich die Betreuung deines Vermögens übernahm und du über dem meinen wachtest. [...]
Wir sehnten uns nach Kindern, die ein neidisches Schicksal uns für lange Zeit verweigert hatte. Verzweifelnd an deiner Fruchtbarkeit und untröstlich darüber, dass ich ohne Kinder bleiben sollte, sprachst du von Scheidung und dass du das kinderlose Heim einer anderen, fruchtbareren Gattin abtreten wolltest. Du versichertest, ihre Kinder wie deine eigenen zu halten. Du bist bei mir geblieben; hätte ich doch dir nicht nachgeben können, ohne mir selbst Unehre und uns beide unglücklich zu machen.

Zit. nach: Jochen Martin, Das alte Rom. Geschichte und Kultur des Imperium Romanum, München 1994, S. 188 (übers. von Hans-Jürgen Hillen, vereinfacht)

M 3 Patrizier mit Büsten seiner Vorfahren
Marmorstatue, Höhe 1,65 m, 1. Jh. v. Chr.
Bildnisse der Vorfahren wurden zu festlichen Anlässen gezeigt. Vornehme Römer drückten so deren Weiterleben in der Erinnerung aus.

M 4 Was treibt die Römer an?

Lucius Metellus hat erreicht, was ein Römer erreichen kann: Er ist Oberpriester, zweimal Konsul, Diktator, Befehlshaber der Reiterei und vieles mehr. In der Totenrede 221 v. Chr. sagt sein Sohn:

Mein Vater hat die zehn höchsten und besten Güter in sich vereinigt, für die weise Männer ihr Leben einsetzen: Er hat nämlich der erste Krieger sein wollen, der beste Redner, der tapferste Feldherr. Er hat sich bemüht, unter seinem Vorsitz die wichtigsten Angelegenheiten zu verhandeln. Er hat die höchsten Ehrenämter, die größte Weisheit, die erste Stelle unter den Senatoren angestrebt. Er hat es geschafft, sehr viel Geld auf ehrenvolle Weise zu verdienen, viele Kinder zu hinterlassen und der berühmteste Mann im Staat zu sein. Alles dies ist ihm gelungen wie keinem seit der Gründung Roms.

Plinius, Naturgeschichte VII.45 (übers. von Markus Sanke, vereinfacht)

1. *Arbeite aus dem Darstellungstext die römischen Werte und Tugenden heraus.*
2. *Ordne die Tugenden und Werte diesen Bereichen zu: a) ehrbare Lebensführung des Einzelnen, b) Einordnung in die Gemeinschaft, c) Vorstellung der Führungsschicht von sich selbst.*
   Diskutiert eure Einteilung in der Klasse.
3. *Arbeite aus der Grabrede M2 heraus, was der Ehemann an seiner Frau schätzte.*
4. *Vergleiche die Ergebnisse aus Aufgabe 3 mit den Eigenschaften, die der Sohn an seinem Vater lobt (M4). Begründe die Unterschiede mit der Rolle von Frau und Mann.*
5. *Als Pater familias / vornehme Römerin willst du eine Statue von dir fertigen lassen (M3). Teile dem Bildhauer mit, wie er dich darstellen soll.*
6. *Schreibe als Römer(in) einen Brief an deinen Sohn / deine Tochter. Gib darin Ratschläge für das berufliche und private Leben.*

Vom Stadtstaat zum Imperium Romanum

M1 Titusbogen auf dem Forum in Rom
Foto von 2014
Der Senat und das Volk von Rom stifteten erfolgreichen Feldherren solche Triumphbögen. Sie ehrten damit deren Leistung und hielten die Erinnerung an sie wach. Der Titusbogen wurde gegen Ende des 1. Jh. n. Chr. erbaut und erinnert an die Eroberung von Jerusalem durch Kaiser Titus im Jahre 70 n. Chr.

Italien wird römisch

Als Rom Republik wurde, war der Staat kaum größer als die Stadt selbst. Die Römer vergrößerten ihn aber durch zahllose Kriege beträchtlich. Schon um 270 v. Chr. beherrschten sie Italien von der Südküste bis zur Po-Ebene. Die Ursachen für die Ausdehnung des Machtbereiches (**Expansion**) waren:

- gestiegener Bedarf an Ackerland infolge der stark gewachsenen Bevölkerung
- Kriege zur Verteidigung des Landes gegen tatsächliche oder vermeintliche Feinde

Die Römer waren ihren Nachbarn militärisch überlegen. Das bedeutete aber nicht, dass sie immer leichtes Spiel gehabt hätten.

Rom erobert den Mittelmeerraum

Die neuen Nachbarn der Römer jenseits des Meeres hießen Karthago, Spanien und Makedonien. Stärkster und gefährlichster Gegner war Karthago, die See- und Handelsmacht an der Küste Nordafrikas, die den westlichen Mittelmeerraum beherrschte. Im Streit um den Besitz Siziliens kam es zum Zusammenstoß zwischen den beiden Rivalen. Diesen ersten Punischen (= karthagischen) Krieg gewannen die Römer, nachdem sie eine starke Kriegsflotte gebaut hatten. Die Karthager gaben jedoch nicht klein bei. Sie bauten in Spanien ihre Herrschaft aus und ihr Heerführer Hannibal versuchte, Rom von Norden her anzugreifen. Mit seinen Soldaten und Kriegselefanten zog er über die Alpen und drang nach Italien ein. Er brachte der römischen Armee die schlimmste Niederlage ihrer Geschichte bei: Etwa 60 000 Soldaten starben 216 v. Chr. bei Cannae. Letztlich blieb sein Vorhaben aber erfolglos. Der römische Feldherr Scipio schlug Hannibal bei Zama vernichtend. Nach seiner Niederlage wurde auch Spanien 201 v. Chr. römische **Provinz**.

In den folgenden zwei Jahrhunderten kamen Griechenland, große Teile Nordafrikas, Vorderasien und Gallien dazu. Nun gab es weit und breit keinen Staat mehr, der die römische Vorherrschaft bedrohen konnte. Schon bald bürgerte sich die Bezeichnung **Imperium Romanum** (römisches Weltreich) ein.

„Gerechte Kriege"?

Ihrer Meinung nach führten die Römer nur „gerechte Kriege": Sie sahen in den jeweiligen Gegnern Angreifer, die die Sicherheit Roms bedrohten. Daraus leiteten sie das Recht auf Verteidigung ab. Im Fall von Karthago kann man sicherlich darüber streiten, ob die Römer angegriffen wurden oder ob sie die Absicht hatten, Gebiete zu erobern. Im Fall der östlichen Staaten ist die Sache klar: Hier gingen die Römer rücksichtslos vor und dehnten ihren Herrschaftsbereich mit militärischer Macht aus.

Absicherung der Eroberungen

Die neuen Gebiete machten die Römer zu Provinzen, zu Amtsbereichen römischer Magistrate. Ihre Bewohner mussten Dienste leisten und Abgaben zahlen. Eine andere Form, die Herrschaft zu sichern, war es, Kolonien im Land der Gegner zu gründen. Diese dienten vor allem als militärische Stützpunkte. Bündnisse waren das dritte Mittel, die Kontrolle zu behalten. Wenn Gegner bereit waren, ein Bündnis einzugehen, versprachen die Römer ihnen Schutz. Die Partner verpflichteten sich, Rom künftig im Krieg mit Soldaten zu unterstützen. Lehnten die Gegner ab, begann der Krieg. Nach einem Sieg zwangen die Römer die Unterlegenen zum Bündnis.

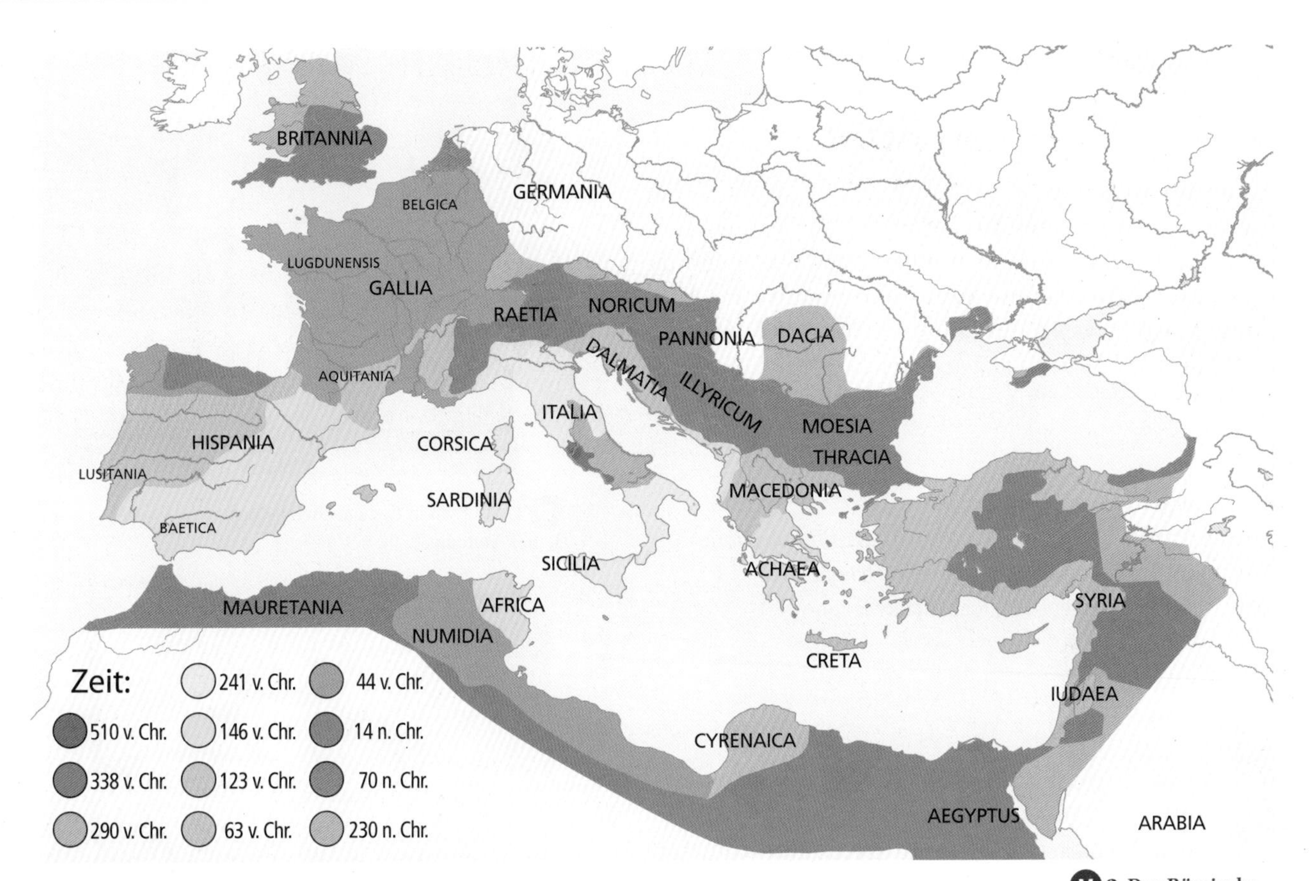

M 3 Das Römische Reich dehnt sich aus
Die Vergrößerung eines Machtbereiches heißt „Expansion".

M 2 Zwei Meinungen über Roms Herrschaft

a) Der aus Sizilien stammende griechische Geschichtsschreiber Diodor (80 - 29 v. Chr.) schreibt:
Die Römer errichteten ihre Weltherrschaft durch die Tapferkeit ihrer Heere und brachten sie zur größten Ausdehnung durch die überaus anständige Behandlung der Unterworfenen [...]. Als die 5 Römer aber nahezu die ganze bewohnte Erde beherrschten, da begannen sie, ihre Herrschaft durch Terror und die Vernichtung der ansehnlichsten Städte zu sichern.

b) Der römische Dichter Vergil schreibt um 20 v. Chr. über die Aufgabe der Römer:
Du, Römer, lenke durch deine Herrschaft die Völ- 10 ker! Bedenke, das kannst du am besten: gesitteten Frieden stiften, die Unterworfenen schonen und die Hochmütigen bezwingen.

Zit. nach: Walter Arend (Bearb.), Altertum, a. a. O., S. 456 (Diodor) und Vergil, Aeneis 6, 847ff., übers. von Klaus Gast

1. *Nenne die wichtigsten Stationen Roms vom Stadtstaat zum Imperium Romanum. Verwende dazu auch die Karte M3.*
2. *Der Darstellungstext enthält Tatsachen und Werturteile. Analysiere den Text und schreibe jene Stellen heraus, die Wertungen enthalten.*
3. *Arbeite aus den Quellen M2 a und b heraus, wie Diodor und Vergil den römischen Herrschaftsanspruch jeweils beurteilen.*
4. *Beurteile, wessen Urteil deiner Meinung nach am ehesten zutrifft. Berücksichtige auch die Herkunft der beiden Autoren.*
5. *Vergleiche die Bewertungen aus dem Darstellungstext mit denen aus den beiden Quellentexten.*

Sklavenleben in Rom

Lebendige Werkzeuge

Auf den vorigen Seiten hast du erfahren, wie die römische Gesellschaft aufgebaut war. Eine Gruppe fehlt jedoch, denn über die sollst du selbst etwas herausfinden – die Sklaven. Einer von ihnen war sogar recht bekannt – Spartakus. Wie du ja schon weißt, gab es Sklaven auch bei den Ägyptern und den Griechen. Sie waren also keine Besonderheit der Römer. Doch wie lebten Sklaven in Rom?

Vorschläge für Forschungsfragen:

Thema 1: *Welche Bedeutung hatten Sklaven für die Römer?*
Thema 2: *Spartakus – eine Gefahr für die Republik?*
Aber vielleicht fallen euch ja noch andere Fragen ein?

Beschreiben

Thema 1: *Beschreibe die Lebensverhältnisse der Sklaven im Römischen Reich.*
Thema 2: *Arbeite heraus, welche Gründe Sklaven für ihre Aufstände hatten.*

Untersuchen

Thema 1: *Analysiere, wie die Römer die Sklaven behandelten.*
Thema 2: *Analysiere die Reaktion der Römer auf den Spartakus-Aufstand.*

Einordnen

Thema 1: *Prüfe, ob Seneca mit seiner Behauptung über Sklaven Recht hat: „Wir haben sie nicht als Feinde, wir machen sie erst dazu."*
Thema 2: *Überprüfe worin eine mögliche Gefahr der Sklavenaufstände für die Römische Republik bestanden haben könnte.*

Präsentieren

Thema 1: *Erstelle eine Plakat, auf dem du die Bedeutung, darstellst, die die Sklaven für die Römer hatten.*
Thema 2: *Verfasse einen kurzen Text, in dem du die Frage beantwortest, ob der Sklavenaufstand unter Spartakus deiner Meinung nach eine Gefahr für die Römische Republik darstellte.*

M 1 Sklaven in der Landwirtschaft
Relief, Venedig, 2. Jh. n. Chr.

M 2 Sklaven im Haus
Relief, Rom, 1. Jh. v. Chr.

M 3 Sklaven für die Unterhaltung
Mosaik aus Nennig (Saarland), 3. Jh. n. Chr. (Ausschnitt)

M4 Die Lage der Sklaven im Bergbau

Der griechische Geschichtsschreiber Diodor hat im ersten Jh. v. Chr. lange in Rom gelebt.

Die Sklaven, die im Bergbau beschäftigt sind, bringen ihren Besitzern unglaubliche Einkünfte; sie selbst aber müssen unterirdisch graben, und viele sterben infolge der übermäßigen Anstren-
5 gung – denn Erholung oder Pausen in der Arbeit gibt es nicht; Aufseher zwingen sie mit Schlägen, die furchtbaren Leiden zu ertragen.

Diodorus 5,336 ff., nach: Heinz-Dieter Schmid (Hrsg.) Fragen an die Geschichte, Bd. 1, Frankfurt am Main 1979, S. 96

M5 Menschen sind's

Der römische Philosoph Seneca schreibt um 62 n. Chr. in einem Brief an seinen Freund Lucilius:

Gern habe ich erfahren, dass Du mit Deinen Sklaven freundlich umgehst. Das steht Deiner Klugheit gut an. „Sklaven sind's." – Nein, Menschen sind's, wenn du bedenkst, dass dem Schicksal
5 gegen sie und uns gleich viel erlaubt ist.
Deshalb muss ich über die lachen, die es für eine Schande halten, mit ihren Sklaven zusammen das Essen einzunehmen. Da isst der Herr mehr, als er vertragen kann, und stopft sich den Magen voll,
10 der schon am Platzen ist. Aber den unglücklichen Sklaven ist es nicht einmal erlaubt, die Lippen zu bewegen, um zu sprechen. Mit einer Tracht Prügel muss einer büßen, wenn er die Stille durch einen Laut unterbricht. Die ganze Nacht stehen sie
15 da, nüchtern und stumm. Die aber, die sich mit ihrem Besitzer unterhalten dürfen, sind bereit, für ihn den Hals hinzuhalten und Gefahren auf sich zu nehmen. Es gibt ein Sprichwort: „Man hat so viele Feinde wie Sklaven." Nein, wir haben sie
20 nicht als Feinde, sondern machen sie erst dazu.

Seneca, Epistulae Morales 47,1-5, hrsg. und übers. von Gerhard Fink, Düsseldorf 2007, S. 241 f. (gekürzt und vereinfacht)

M6 Einmal Sklave – immer Sklave?

Auch die Freilassung von Sklaven ist möglich, etwa beim Tod des Herrn, nach einer gewissen Dienstzeit oder gegen Geld. Ein römisches Gesetz:

Wenn ein Sklave sich mit eigenem Geld freikaufen will, kann er dies verlangen, wenn sein Eigentümer ihm dies zugesagt hat. Wenn er von ihm nicht freigelassen wird, kann der Sklave Anklage
5 erheben. In Rom kann er dies vor dem Stadtpräfekten tun, in den Provinzen beim Gouverneur. Wenn ein Sklave eine solche Anklage vorbringt, sie aber nicht beweisen kann, wird er zur Zwangsarbeit in die Bergwerke geschickt. Wenn
10 sein Herr ihn zurückfordert, darf er ihn bestrafen, aber nicht härter als die Behandlung im Bergwerk.

Zit. nach: Thomas Wiedemann, Greek and Roman Slavery, London/New York 2005, S. 47 f. (übers. von Markus Sanke)

M7 Der Sklavenaufstand des Spartakus

Der ehemalige Gladiator Spartakus hat 70 000 Kämpfer um sich geschart und mehrmals römische Heere besiegt. Appian berichtet um 140 n. Chr.:

Drei Jahre hatte bereits dieser anfangs von den Römern als einfacher Sklavenaufstand verachtete, nun gefürchtete Krieg gedauert. Bei der anstehenden Wahl von neuen Prätoren zögerten alle
5 und niemand bewarb sich. Da übernahm endlich L. Crassus, ein vornehmer und reicher Mann, die Prätur und zog mit sechs Legionen gegen Spartakus. Als er im Kriegsgebiet angekommen war, nahm er auch die beiden Legionen der Konsuln
10 in sein Heer auf. Weil diese Heere wiederholt von Spartakus besiegt worden waren, ließ er jeden zehnten Legionär auslosen und sofort hinrichten.

Appian, Bellum Civile, lib. 1 cap. 118 (vereinfacht)

M8 Sklavenaufstände in Rom

Immer wieder kam es im Verlauf der römischen Geschichte zu Sklavenaufständen. Dabei wollten die Sklaven ihre Lebensbedingungen verbessern. Nie hatten sie das Ziel, die Sklaverei abzuschaf-
5 fen. Auch hatten sie nicht die Absicht, die römische Gesellschaft zu verändern. Der gefährlichste Aufstand war sicherlich der von Spartakus. Aber letztlich blieb auch er erfolglos. Nachdem ein römisches Heer die Aufständischen 71 v. Chr. be-
10 siegt hatte, sollen 6 000 Sklaven an der Via Appia zwischen Capua und Rom gekreuzigt worden sein. Alle Aufstände hatten keinen Erfolg. Die Lebensbedingungen der Sklaven änderten sich nicht. Die Sklaverei blieb lange Zeit eine wichtige
15 Grundlage der römischen Landwirtschaft.

Eigenbeitrag Volker Herrmann

Anteil der Sklaven: ca. 12 %
135-132 v. Chr. Sklavenaufstand in Sizilien
104-100 v. Chr. Sklavenaufstand in Sizilien
73-71 v. Chr. Sklavenaufstand in Italien
• Spartakus fällt im Kampf, seine Mitkämpfer werden hingerich-
Anteil der Sklaven: vielleicht über 40 %
200 v. Chr. | 150 v. Chr. | 100 v. Chr. | 50 v. Chr. | Chr. Geb. | 50 n. Chr.

Eine Krise bahnt sich an

M1 Getreideverteilung
Mosaik aus Ostia, 2. Jh. n. Chr.
Das Mosaik zeigt, wie Korn an arme Bürger verteilt wird. Gaius und Tiberius Gracchus forderten bereits über 200 Jahre früher die verbilligte oder kostenlose Abgabe von Getreide.

Gewinner und Verlierer

Die vielen Kriege boten der Nobilität die Möglichkeit, Reichtum und Ansehen zu erwerben. Das war wiederum die Voraussetzung dafür, bei Wahlen zu einem politischen Amt erfolgreich zu sein.
Im Gegensatz dazu waren die Bauern die Verlierer: Sie mussten in den Krieg ziehen, der immer häufiger weit von Rom entfernt stattfand und lange dauerte. So konnten sie ihre Felder nicht bestellen, ihre Höfe verfielen. Wollten sie sie wieder aufbauen, mussten sie sich Geld bei adligen Großgrundbesitzern leihen. Wer die Schulden nicht zurückzahlen konnte, verlor seinen Hof. Viele Kleinbauern litten auch unter billig eingeführtem Getreide aus den Provinzen. Sie konnten mit den Großbauern nicht mithalten und gerieten in Not. Immer mehr Familien zogen vom Land in die Stadt. Arbeit suchten sie dort vergeblich – Sklaven waren billiger. So verarmten sie noch mehr.

Lösungsversuche

Tiberius Gracchus, Volkstribun und Senatorensohn, erkannte das Problem und forderte, Staatsland an verarmte Bauern zu verteilen. Mit dieser **Landreform** wollte er einerseits den Bauern helfen, andererseits aber auch seinen politischen Einfluss vergrößern. Seine Gegner fürchteten, dass Gracchus dadurch zu mächtig wird. Sie wollten alles beim Alten belassen. Bei einer Volksversammlung wurde er schließlich von Senatoren erschlagen. Fortan gab es zwei große politische Gruppen in Rom, die sich bekämpften, auch mit Gewalt. Die Einheit der politischen Führung war zerbrochen.
Durch die Krise gab es immer weniger freie Bauern, die in den Krieg ziehen konnten. Am Ende des 2. Jh.s v. Chr. spitzte sich die Lage zu: Germanen schlugen die römische Armee in Norditalien. Roms Macht war in Gefahr! In dieser Lage wählten die Römer den Feldherrn Gaius Marius mehrmals hintereinander zum Konsul (104-100 v. Chr.). Er nahm Freiwillige aus der Unterschicht in das Heer auf. Der Staat bezahlte sie und rüstete sie aus. Marius hatte Erfolg: Mit seinem neu organisierten Heer schlug er die Germanen zurück. Die Soldaten bekamen von ihrem Anführer am Ende ihrer Dienstzeit Land als Altersversorgung. Ihre Treue galt nun mehr dem Feldherrn als der Republik. Marius gewann eine riesige Anhängerschaft. Das war problematisch, weil sich die alten Klientelbeziehungen lockerten und durch neue zwischen Feldherr und Soldat ersetzt wurden (**Heeresklientel**).

Die Republik ist bedroht

Eine große Heeresklientel hatte auch **Sulla**, nachdem er 85 v. Chr. die Provinz Asia für Rom zurückerobert hatte. Anders als Marius zog er mit seinem Heer nach Rom und bekämpfte dort seine politischen Gegner. Er beschlagnahmte ihren Besitz und verteilte ihn an seine Soldaten.
Die nächsten Probleme waren Unruhen in Kleinasien und die Seeräuberplage im Mittelmeer. Wieder war es ein einzelner Feldherr, der Roms Vormachtstellung sicherte: Pompeius. Der Senat aber weigerte sich, seine Leistungen anzuerkennen und seine Soldaten zu versorgen – aus Angst, dass der Feldherr zu mächtig wird. Dadurch trieb er Pompeius in die Arme des reichen Crassus und des ehrgeizigen Caesar. Zu dritt beherrschten sie nach 59 v. Chr. die Republik und ließen dem Senat kaum noch Einfluss.
Im 1. Jh. v. Chr. hing die politische Karriere eines Mannes also nicht mehr von seinen Leistungen in Rom ab, sondern vom Erfolg als Feldherr. Wer die Probleme der Zeit lösen konnte, hatte hohes Ansehen, passte aber nicht mehr in die politische Ordnung der Republik.

Landreform Heeresklientel

M2 Klagen über die Reformen

Über den Vorschlag von Tiberius Gracchus geraten die römischen Bürger in Streit miteinander. Zwei Gruppen tragen ihre Sorgen vor:

Einige fragten, ob sie denn mit den Ländereien auch das Geld verlieren würden, das sie ihren Nachbarn dafür bezahlt hatten. Andere beriefen sich darauf, dass auf den Ländereien die Gräber 5 ihrer Vorfahren liegen, und dass sie das Land von den Vätern geerbt hätten. Andere sagten, dass sie die Mitgift ihrer Frauen dafür ausgegeben oder die Äcker ihren Kindern als Ausstattung geschenkt hätten. Gläubiger wiesen darauf hin, dass 10 auf dem Land Schulden lagen, und überall gab es laute Klagen und Entrüstung.

Auf der anderen Seite aber klagten die Armen, dass sie vom Wohlstand in höchste Armut und schließlich, weil sie nicht in der Lage wären, Kin- 15 der zu ernähren, in Kinderlosigkeit versetzt würden. Sie zählten alle Feldzüge auf, die sie für die Eroberung dieser Ländereien mitgemacht hatten. Sie schimpften zugleich auf diejenigen, die nicht freie Leute, Bürger und Krieger in ihren Dienst 20 nehmen, sondern Sklaven, ein treuloses, stets feindlich gesinntes und deshalb zum Kriegsdienst unbrauchbares Volk.

Appian, Bellum Civile, lib. 1 cap. 10 (vereinfacht übersetzt von Markus Sanke)

M3 Warum zerbrach die Republik?

Der Geschichtsforscher Christian Meier erklärt das Scheitern der Republik so:

Das eigentliche Problem war, dass in Rom politische Herausforderungen anstanden, die nicht mehr wie bisher gelöst werden konnten: nämlich durch das Zusammengehörigkeitsgefühl und die 5 Zusammenarbeit der Senatoren. Das wiederum lag – direkt oder indirekt – daran, dass Rom eine Weltmacht geworden war. Daraus entstanden viele schwer zu lösende Probleme. Somit kann festgehalten werden, dass die römische Republik 10 an einem Widerspruch zerbrach: es wurde versucht, Probleme, die durch die Weltherrschaft entstanden waren, mit den Mitteln eines Stadtstaates zu lösen.

Freie Nacherzählung von: Christian Meier, Caesar, München [5]2002, S. 425.

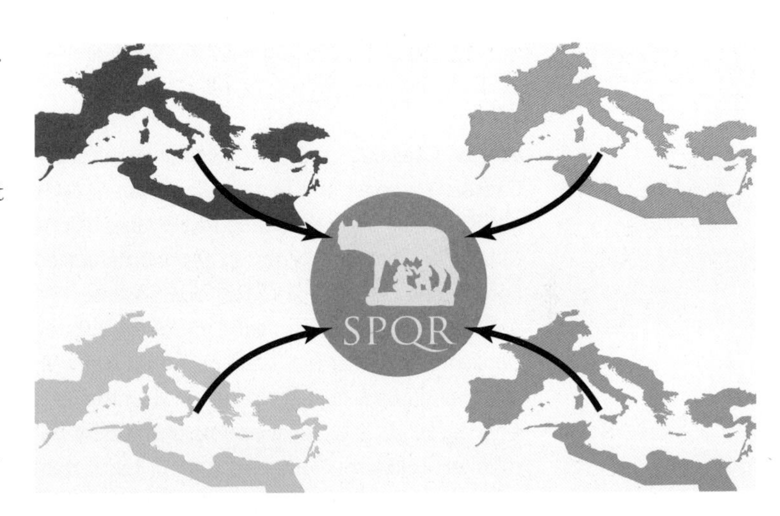

M4 Rückwirkungen der Expansion auf Rom

Geschichtsforscher veranschaulichen die Folgen von historischen Ereignissen häufig mit einer Grafik. So verstehen wir als Leser Zusammenhänge besser.

1. *Prüfe, ob die Verteilung von Getreide (M1) eine sinnvolle Maßnahme war, um die Probleme zu lösen, die den Römern aus ihrem Weltreich erwuchsen.*
2. *Arbeite aus M2 heraus, welche Sorgen die beiden Gruppen hatten. Diskutiert in eurer Klasse, wessen Probleme größer waren.*
3. *Fasse Christian Meiers Behauptung (M3) in eigenen Worten zusammen. Erläutere sie mit Beispielen. Benutze dazu die Informationen aus dem Darstellungstext.*
4. *Erkläre, inwiefern die beschriebene Situation dazu beitrug, dass die römische Gesellschaft an Zusammenhalt verlor.*
5. *Jeder der Pfeile in M4 stellt eine Rückwirkung der Expansion des Römischen Reiches auf die Republik dar. Zeichne das Schema in dein Heft und beschrifte die Pfeile mithilfe des Darstellungstextes.*

Tiberius Gracchus – Gaius Gracchus – Marius – Sulla – Caesar, Crassus, Pompeius – Triumvirat: 59 v. Chr.

150 v. Chr. – 100 v. Chr. – 50 v. Chr.

Die Krise spitzt sich zu

M1 Gaius Julius Caesar
Marmorbüste, Höhe 33 cm, angefertigt im 1. Jh. n. Chr.
Es gibt viele Bildnisse von Caesar. Diese Büste gilt als das am besten erhaltene Porträt. Sie wurde erst 2003 auf einer Insel im Mittelmeer in einer antiken Zisterne ausgegraben.

Wer ist Caesar?

Caesars Name ist eng verbunden mit dem Ende der Republik. Geboren wurde er im Jahre 100 v. Chr. Seine Familie gehörte zu den vornehmsten Roms – den Patriziern – sie war aber verarmt. Die politische Karriere begann er 68 v. Chr. als Quästor. Danach durchlief er die römische Ämterlaufbahn, wobei er große Schulden machte, und wurde 59 v. Chr. Konsul. In Jahr zuvor schloss er mit dem berühmten Feldherrn Pompeius und Crassus, dem reichsten Mann Roms, das sogenannte erste Triumvirat („Dreimännerbund"). Nichts sollte in Rom geschehen, was einem der drei missfiel.

Info: Erstes Triumvirat
Pompeius hatte das Mittelmeer von Piraten befreit und neue römische Provinzen erobert. Crassus war der reichste Römer und bezahlte Caesars Schulden.
Crassus starb 53 v. Chr. Pompeius wechselte auf die Seite des Senats und wurde Caesars Feind.

Caesars Problem

Caesar wusste, dass militärische Erfolge der Schlüssel zur politischen Macht in Rom waren. Im Gegensatz zu Marius, Sulla und Pompeius, die ein tatsächliches militärisches Problem zu lösen hatten, fehlte Caesar ein solcher Auftrag. Wollte er auf der politischen Bühne Erfolg haben, musste er sich eine entsprechende Aufgabe suchen. Kurzerhand schuf sich Caesar eine, indem er zwischen 58 und 51 v. Chr. Gallien unterwarf, ohne dass von dort eine Gefahr für Rom ausgegangen wäre. Die Reichtümer des Landes füllten Caesars Kassen und die seiner Anhänger. Als er mit seinen Soldaten nach Rom zurückehren wollte, verlangte der Senat aus Angst vor der Macht des Feldherrn, dass er sein Heer entlassen sollte. Caesar lehnte ab und führte daraufhin seine Legionen nach Rom. Es folgte ein blutiger Bürgerkrieg an dessen Ende die Alleinherrschaft Caesars stand.

Caesar errichtet eine Alleinherrschaft ...

Julius Caesar vereinte zahlreiche wichtige Ämter in seiner Person: Mehrmals bekleidete er das Amt des Konsuls, er war wiederholt Diktator auf Zeit und schließlich auf Lebenszeit, auch besaß er das alleinige Kommando über sämtliche römischen Truppen und verfügte als Einziger über die römischen Staatsfinanzen. Seine Macht sicherte er zudem durch Maßnahmen, die ihm die Zustimmung großer Bevölkerungsteile bescherten. So vergab er beispielsweise das römische Bürgerrecht an die Bewohner von Norditalien, senkte die Arbeitslosigkeit durch Bauprogramme und vergrößerte den Senat um ein Vielfaches: Da nun auch Bewohner der Provinzen Senatoren werden durften, zählte dieses Gremium unter Caesar alsbald 900 Mitglieder. Der so umgestaltete Senat verdankte Caesar viel und brachte seine Verbundenheit durch zahlreiche Ehrungen zum Ausdruck. Caesar bekam den Ehrentitel „Pater Patriae" („Vater des Vaterlandes") verliehen und das Recht zugesprochen, die purpurne Toga und den goldenen Lorbeerkranz eines siegreichen Feldherrn zu tragen.

... und fällt einer Verschwörung zum Opfer

Vielen alteingesessenen Senatoren erschien er dabei eindeutig zu selbstherrlich. Sie sahen in ihm einen Mann, der mit seinem Machtstreben und Auftreten die Regeln der Republik missachtete. Als schließlich das Gerücht in Rom die Runde machte, Caesar wolle die verhasste Königsherrschaft wieder einführen, war für einige Senatoren der Bogen überspannt. Sechzig von ihnen taten sich zu einer Verschwörung unter Führung des Brutus zusammen und ermordeten ihn 44 v. Chr. im Senat.

M 2 Sueton über Caesar

Der Schriftsteller Sueton (70 - 140 n. Chr.) schreibt über Caesar:

Seine Soldaten beurteilte er weder nach ihrer Moral noch nach ihrer äußeren Stellung, sondern nur nach ihren militärischen Fähigkeiten [...]. Weder nahm er alle Vergehen zur Kenntnis, noch 5 bestrafte er sie ihrer Schwere entsprechend, war aber gegenüber Deserteuren[1] und Meuterern ein sehr strenger Richter und Rächer; im Übrigen drückte er ein Auge zu [...]. Bei Ansprachen redete er sie nicht mit „Soldaten", sondern mit dem 10 schmeichelhafteren „Kameraden" an, und er hielt auch auf ihr Äußeres: So stattete er sie mit silber- und goldverzierten Waffen aus, einmal des Aussehens wegen, dann auch, damit sie im Kampf eher darauf achteten und Angst hätten, sie zu verlie- 15 ren [...]. Auf diese Weise spornte er sie zu größter Ergebenheit und Tapferkeit an. [...] Gegenüber seinen Freunden war Caesar immer zuvorkommend und nachsichtig [...]. Auf dem Gipfel seiner Macht erhob er auch Leute aus den untersten 20 Schichten zu hohen Ehren.

Sueton, Leben der Caesaren, übers. und hrsg. von André Lambert, Reinbek 1960, S. 38 f.

M 4 Gaius Julius Caesar
Szene aus „Cleopatra", einem US-amerikanischen Historienfilm mit Rex Harrison als Caesar, 1963

[1] Deserteur: Soldat, der seinen Platz verlässt oder zur Gegenseite überläuft

M 3 Gaius Julius Caesar
Ausschnitt vom Titelbild des Comics „Der Papyrus des Caesar", 2015

M 5 Gaius Julius Caesar
Ölbild von Clara Grosch, 1892

1. *Stelle die wichtigsten Charaktereigenschaften Caesars dar (Darstellungstext). Findest du diese im Caesar-Porträt M1 wieder?*
2. *Arbeite heraus, warum Caesar bei seinen Anhängern ein so hohes Ansehen hatte (M2).*
3. *Erkläre, wie Caesar durch sein Handeln zum Untergang der Republik beitrug (Darstellung).*
4. *Vergleiche die drei modernen Darstellungen Julius Caesars (M3 - M5). Gib jedem der Bilder einen passenden Titel.*

Gaius Julius Caesar – eine römische Karriere

Tod des Vaters: Caesar ist Pater familias der Julier · Pontifex · Quästor · Statthalter in Spanien · Pontif. maximus · Prätor · Konsul (K) · Krieg in Gallien · Bürgerkrieg · Diktator (K) · Dikt. 10 J. (K) · Dikt. ewig (K K) · Ermordung in Rom 15.3.44 v. Chr.

100 v. Chr. | 90 v. Chr. | 80 v. Chr. | 70 v. Chr. | 60 v. Chr. | 50 v. Chr. | 40 v. Chr.

Von der Republik zum Kaiserreich

M 1 Augustus
Statue aus Primaporta bei Rom, um 20 v. Chr. Rekonstruktion von 1998/99
Das Original der Marmorstatue wurde in der Villa der Livia, der Frau des Augustus, gefunden. Die bunte Fassung wurde nach Farbspuren rekonstruiert. Auf dem Brustpanzer ist dargestellt, wie der König der Parther dem Kriegsgott Mars römische Feldzeichen übergibt. Die Römer hatten sie 53 v. Chr. in einer Schlacht verloren, Augustus erreichte 20 v. Chr. ihre Rückgabe.

Octavian errichtet eine Alleinherrschaft ...

Wenn die Römer gedacht hatten, der Ausnahmezustand sei mit dem Tod Caesars zu Ende und die Republik wieder hergestellt, hatten sie sich getäuscht. Der Bürgerkrieg ging lediglich in eine neue Runde, denn schon bald stritten sich andere ehrgeizige Männer um die Macht. Sieger dieser Kämpfe war Octavian, der Adoptivsohn Caesars. Ihm gelang es in kürzester Zeit, die Republik in eine **Monarchie** umzuwandeln und 41 Jahre als Alleinherrscher zu regieren. Wie war das möglich?

... und hat Erfolg

Was hatte Octavian anders gemacht als Caesar? Schon während der militärischen Auseinandersetzungen verzichtete Octavian demonstrativ auf die Amtsgewalt eines „Diktators auf Lebenszeit". Im Jahr 27 v. Chr. gab er sogar – für alle überraschend – seine gesamten Ämter an den Senat zurück. Die Senatoren werteten dies als Zeichen der Versöhnung und der Unterordnung. Sie verliehen Octavian den Beinamen **Augustus** („der Erhabene"). Als Dank für sein bescheidenes, auf Ausgleich bedachtes Auftreten gaben sie ihm neue Vollmachten.
In Rom wurde nun von der „wiederhergestellten Republik" gesprochen. Tatsächlich war aber eine Monarchie „im republikanischen Gewand" entstanden. Denn Augustus verfügte über so viele und so weitreichende Befugnisse wie niemand sonst im Reich.

Stützen der Herrschaft: Volk, Senat und Heer

Warum regte sich kein Widerstand gegen Octavian? Die Herrschaft des Augustus erfreute sich großer Zustimmung. Beim Volk war die Bereitschaft, einen Alleinherrscher zu akzeptieren und zu verehren, ohnehin groß. Auch die Nobilität unterstützte ihn, denn Augustus wahrte den republikanischen Schein und ließ den Senat nach außen weiterhin die Rolle des entscheidenden Machtzentrums spielen. Bei Senatssitzungen erschien Augustus nicht prächtiger gekleidet als die Senatoren. Ihnen gegenüber gab er sich betont bescheiden als *primus inter pares* (Erster unter Gleichen) und *princeps senatus* (Erster des Senats). Aus dieser Bezeichnung leitet sich die heute übliche Bezeichnung für die Herrschaft des Augustus und seiner Nachfolger ab: **Prinzipat**. Gleichbedeutend kannst du auch die Begriffe **Kaiser** und **Kaisertum** verwenden. Diese leiten sich von Julius Caesar ab, dessen Namen alle römischen Herrscher seit Augustus als Titel übernahmen. Ausgesprochen wurde er „Kaesar".
Die eigentliche Machtbasis für Augustus und seine Nachfolger war jedoch das Heer: Augustus band seine Soldaten durch Vereidigung an seine Person. Zu seiner Heeresklientel zählten tausende von Legionären, die zu ihm in einem besonderen Schutz- und Treueverhältnis standen. Auf diese Männer konnte er im Falle einer Auseinandersetzung zählen. Das sicherte seine Macht und drängte den Senat immer weiter in die politische Bedeutungslosigkeit.

Monarchie Augustus Prinzipat Kaiser(tum)

M2 Über den Aufstieg des Augustus

In seinen Annalen charakterisiert Cornelius Tacitus (56 - 117 n. Chr., Konsul, Senator, Historiker) die Herrschaft des Augustus folgendermaßen:

Nach dem Tod des Brutus[1] [...] war keinerlei staatliche Heeresmacht mehr vorhanden. [...] Die Partei der Julier [hatte] keinen anderen Führer mehr als Octavian. Dieser legte nun den Titel eines Triumvirn[2] nieder, wollte nur als Konsul gelten und begnügte sich mit der tribunizischen Gewalt zum Schutz des Volkes. Sobald er aber das Heer durch Geldgeschenke, das Volk durch Getreidespenden, alle zusammen durch die Süßigkeit des Friedens an sich gezogen hatte, erhob er allmählich sein Haupt und nahm die Befugnisse des Senats, der Beamten und der Gesetzgebung an sich. Dabei fand er keinerlei Widerstand, da gerade die tapfersten Männer [...] gefallen waren. Der übrige Adel wurde, je bereitwilliger er zur Knechtschaft war, durch Reichtum und Ehrenstellen ausgezeichnet und zog [...] die gegenwärtige Sicherheit den früheren Gefahren vor. Auch die Provinzen lehnten dies [...] nicht ab, weil ihnen die Herrschaft des Senats und des Volkes durch den Kampf der Großen und die Habsucht der Beamten verleidet war. Die Hilfe der Gesetze, die durch Gewalt, durch Einfluss, zuletzt durch Bestechung in Verwirrung gebracht wurden, war unwirksam geworden. [...] Im Innern blieb die Lage ruhig, die Titel der Beamten waren die gleichen. Die jüngeren Leute waren schon nach der Schlacht bei Actium[3] geboren, auch die meisten älteren erst zur Zeit der Bürgerkriege: Wie viele lebten überhaupt noch, die noch die Republik gesehen hatten?

Tacitus, Annalen I.2-3, hrsg. von Carl Hoffmann, München 1954, S. 7 - 11 (sprachlich leicht verändert)

M3 Augustus' Verdienste

Velleius Paterculus (19 v. Chr. - 31 n. Chr., General unter Kaiser Tiberius) bewertet die Taten des Augustus wie folgt:

Nichts können sich die Menschen von den Göttern noch weiter wünschen, nichts die Götter noch gewähren [...], was nicht Augustus nach seiner Rückkehr in die Stadt dem Staat, dem römischen Volk und der Welt gegeben hat. [...] Den Gesetzen ist nun erneut Geltung, den Gerichten Autorität und dem Senat Hoheit gegeben und die magistratische Gewalt wieder in die Form gebracht worden, die sie einst hatte [...]. Jene alte Staatsform [die Republik] wurde erneut aufgerichtet und ermöglichte auf diese Weise den Feldern wieder die Bebauung, den Kulten die Ehrerbietung, den Menschen die Sicherheit und jedem Einzelnen den sicheren Besitz seines Eigentums.

Velleius Paterculus, Geschichte Roms, zit. nach: Jochen Bleicken, Augustus. Eine Biografie, Berlin 2000, S. 37

[1] Siehe S. 130.
[2] Auch Octavian hatte, wie schon Caesar, ein Dreimännerbündnis mit mächtigen römischen Führern geschlossen („zweites Triumvirat").
[3] Actium: Griechische Halbinsel. Hier besiegte Octavian im Jahr 31 v. Chr. seine Gegner in einer Seeschlacht.

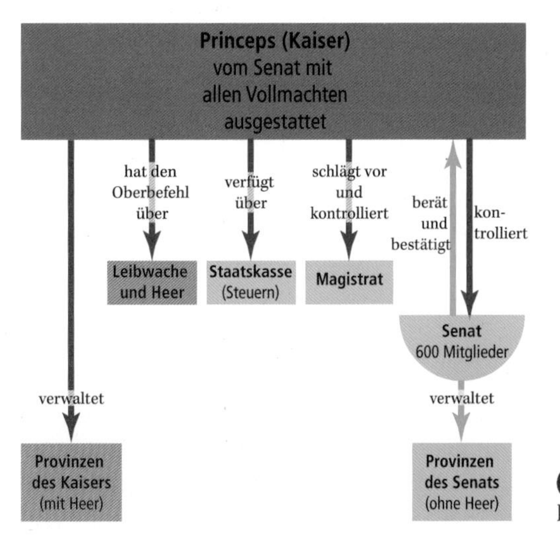

M4 Wie viel Macht hat der „erste Bürger"?

1. *Warum war Augustus erfolgreicher als Caesar? Nenne die wesentlichen Unterschiede (Darstellungstext).*
2. *Erläutere mithilfe von M2, auf welche Weise Augustus laut Tacitus an die Macht kommt.*
3. *Erkläre, wieso der erste Princeps bei Tacitus „Octavian", bei Paterculus hingegen „Augustus" genannt wird. Achte dabei auch auf die Berufe der beiden Verfasser (M2, M3).*
4. *Beurteile die Aussage von Paterculus, Augustus habe die Republik „erneut aufgerichtet" (M3, Darstellungstext).*
5. *Stelle mit M4 dar, wie viel Macht der Princeps und wie viel Macht der Senat hat. Berücksichtige dabei auch, was es bedeutet, wenn in den kaiserlichen Provinzen Heere stehen, in den senatorischen hingegen keine.*

spätе Römische Republik | 44: Ermordung Caesars | 31: Octavian siegt bei Actium | 27: Senat überträgt Octavian alle Macht | frühe Römische Kaiserzeit

Gaius Julius Caesar | Octavian (Augustus) | Tiberius

100 v. Chr. | 50 v. Chr. | Chr. Geb. | 50 n. Chr.

Der Princeps: Gott und Wohltäter

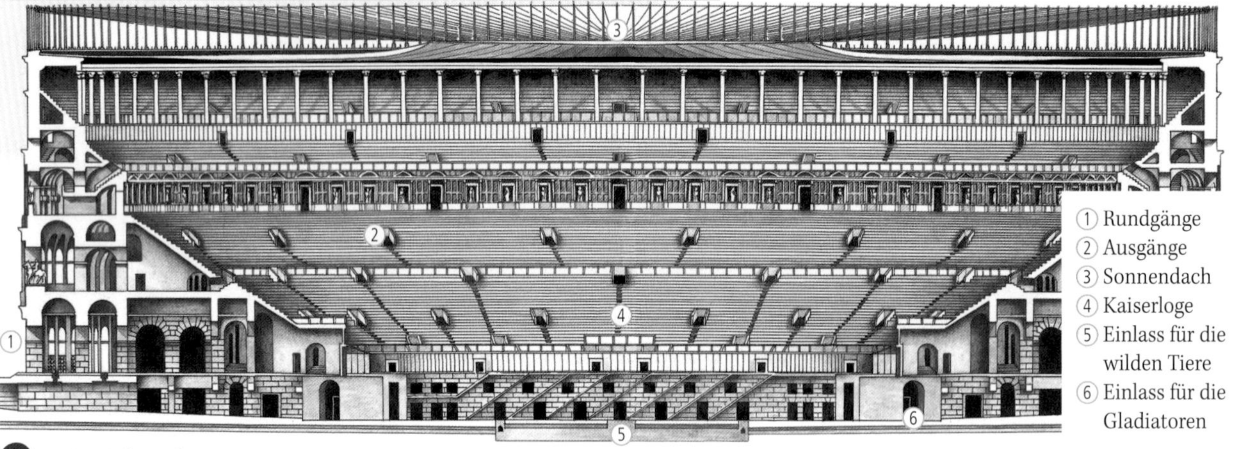

M1 Ein High-Tech-Stadion der Antike
Schnittzeichnung des Kolosseums in Rom
Der ovale Bau war 51 m hoch und konnte 50 000 Zuschauer aufnehmen. Zu Tierkämpfen wurden aus den Kellergeschossen Löwen, Panther, Bären und sogar Elefanten und Nashörner in die Arena geführt. Diese konnte für das Nachspielen von Seeschlachten auch mit Wasser geflutet werden.

Der Kaiser als Gott

Er habe, so behaupteten die Menschen, göttliche Kraft und Fähigkeiten, stehe unter dem besonderen Schutz der Götter, sei gar „Gottes Sohn" und werde spätestens nach seinem Tod in den Götterhimmel aufgenommen.
Die gottgleiche Verehrung, die man Augustus und seinen Nachfolgern entgegenbrachte, zeigt besonders deutlich, dass die Republik nur noch als Fassade bestand. Denn nur schwer ließ sich dieser **Kaiserkult** mit den althergebrachten republikanischen Vorstellungen von Bescheidenheit und Gleichheit aller Magistrate vereinbaren. Augustus tat also gut daran, aus Rücksicht auf den Senat und die alten Sitten die religiöse Überhöhung seiner Person in Tempeln und auf Altären zumindest in der Hauptstadt zu verbieten. Jenseits von Rom aber trug der Kaiserkult zur Einigung der unterschiedlichen Teile des Vielvölkerreiches bei. Besonders in dessen östlichen Provinzen hatte die Vorstellung vom Kaiser als Gott eine lange Tradition. Schon die ägyptischen Pharaonen und Alexander der Große waren auf diese Weise verehrt worden.

Der Kaiser und das Volk

Der Prinzipat wäre nicht denkbar gewesen ohne die Zustimmung der Bevölkerung. Um die Bürger für sich einzunehmen, errichteten die Kaiser vor allem in Rom prachtvolle öffentliche Bauten auf dem **Forum**. Mit Thermen, Bibliotheken und großen Arenen wie dem Kolosseum oder dem Circus Maximus wollten die Kaiser ihre Fürsorge für das Volk unter Beweis stellen. Um zu verdeutlichen, wie wichtig ihnen das Wohl ihrer Untertanen war, übernahmen die Kaiser höchstpersönlich die Organisation der Getreideversorgung in der Stadt Rom und führten zahlreiche Feiertage ein. Im 4. Jh. waren es fast 180! An ihnen ließen sie kostenlose Gladiatorenspiele, sportliche Wettkämpfe, Wagenrennen, Tierspektakel und Theateraufführungen veranstalten. Dass sie dies taten, wurde von ihnen geradezu erwartet. So berichteten schon Zeitgenossen spöttisch, die Bevölkerung Roms verlange von seinen Herrschern vor allem **„Brot und Spiele"** (Panem et Circenses).
Tatsächlich wollte das Volk aber nicht nur seinen Hunger gestillt und den Wunsch nach Unterhaltung befriedigt sehen. Vielmehr waren gerade die Spiele Festlichkeiten mit politischer Bedeutung, die mit prächtigem Zeremoniell und großem Aufwand begangen wurden und bei denen Volk, Adel und kaiserliche Familie einer strengen Sitz- und Kleiderordnung folgten. Sie boten Gelegenheit, Ordnung und Einigkeit zu demonstrieren sowie Nähe und Zustimmung zum Princeps zu zeigen. Die zur Schau gestellte Einigkeit von Herrscher und Volk war den Kaisern so wichtig, dass sie bei den Spielen fast immer anwesend waren. Konnten sie nicht kommen, ließen sie sich für ihr Fehlen entschuldigen.

Kaiserkult Forum „Brot und Spiele"

M2 Eine Schulung gegen den Schmerz

Marcus Tullius Cicero (107 - 44 v. Chr., römischer Politiker, Redner und Philosoph) berichtet über die Gladiatorenkämpfe:

Die Gladiatoren, verworfene Menschen oder Barbaren, was für Schläge halten sie aus! Wie jene, die gut unterrichtet sind, sich lieber den Schlägen aussetzen als sie mit Schande vermeiden! Wie oft 5 zeigt es sich, dass sie nichts lieber wollen, als entweder ihrem Herrn gefallen oder dem Volke! [...] Welcher auch nur einigermaßen tüchtige Gladiator hat je gestöhnt und hat seine Miene verzogen? [...] Wer hat den Kopf eingezogen, als er ge- 10 fallen war und den Befehl erhielt, den Hals hinzuhalten? [...]

Manchem kommt das Gladiatorenspiel grausam und unmenschlich vor, und ich bin nicht sicher, ob es nicht stimmt, so wie diese Spiele jetzt gege- 15 ben werden. Als aber Verbrecher mit dem Schwerte kämpften, so konnte es, wenn nicht für die Ohren, so doch sicher für die Augen keine härtere Schulung gegen den Schmerz geben als diese.

Cicero, Tusculanen 2.41, zit. nach: Jochen Martin, Das alte Rom, Gütersloh 1994, S. 122

M3 Mörder gegen Mörder

Über seinen Besuch im Circus schreibt Lucius Annaeus Seneca (4 v. Chr. - 65 n. Chr., Philosoph, Politiker und Schriftsteller) an seinen Freund Lucilius:

Durch Zufall bin ich in das Mittagsprogramm des Circus geraten, Scherze erwartend und Witze und etwas Entspannung, damit sich die Augen der Menschen vom Anblick des Menschenblutes 5 ein wenig erholen können. Das Gegenteil ist der Fall: Der lustige Teil fällt weg, und es findet eine bloße Menschenschlächterei statt. Die Kämpfer haben nichts, womit sie sich schützen können. [...] Wozu eine Rüstung, wozu Fechtkünste? Für 10 [die Zuschaauer] ist dies alles nur eine Verzögerung des Todes. Morgens wirft man die Menschen den Löwen und Bären zum Fraß vor, mittags ihrem eigenen Publikum! Dies möchte Mörder gegen Mörder kämpfen sehen und hebt den Sieger 15 für einen weiteren Mord auf. Am Schluss steht der Tod aller Kämpfer.

Seneca, Ad Lucillum, 7.2 - 6, übers. von Klaus Gast

M4 Gladiatoren
Bodenmosaike einer Villa bei Tusculum, 3. Jh. n. Chr.
Gladiatoren waren in der Regel Kriminelle, Kriegsgefangene oder Sklaven. Sie waren Eigentum eines Herrn, der sie trainierte und bei Spielen gegeneinander oder gegen wilde Tiere kämpfen ließ. So konnten sie nach Jahren die Freiheit erlangen. Oft endeten die Kämpfe jedoch mit dem Tod: Die Gladiatoren waren gegen die Attacken ihrer Gegner meist kaum geschützt.

1. *Lassen sich heutige sportliche Großveranstaltungen (Fußballspiele, Formel-1-Rennen) mit den Spielen der Römer vergleichen? Begründe deine Meinung (Darstellung, M1, M4).*
2. *Erkläre anhand der Beziehung zwischen Herrscher und Volk, dass der römische Prinzipat ganz wesentlich auf der Zustimmung der Bevölkerung beruhte (Darstellung).*
3. *Vergleiche die Meinungen Ciceros (M2) und Senecas (M3) zu Gladiatorenkämpfen und Circusspielen.*
4. *Stell dir vor: Du sitzt neben Cicero im Circus. Ihr unterhaltet euch über die Gladiatorenkämpfe. Wie bewertest du Ciceros Sicht (M2)? Gestalte ein Gespräch.*

Münzgeschichte(n)

Stell dir vor, du bist römischer Kaiser und möchtest beim Volk für dich als Herrscher werben. Doch wie erreichst du Millionen von Untertanen? Welche „Reklame" lässt sich leicht von Nordafrika bis Britannien verbreiten und wandert dabei noch ganz von selbst von Hand zu Hand? Die Münze!
Über Jahrhunderte nutzten die Römer ihre Münzen nicht nur als Zahlungsmittel. Auf Vorder- und Rückseite prägten sie Bilder, Texte und Zeichen, um politische Botschaften und Meinungen unters Volk zu bringen. Zur Zeit der Republik zeigten die Münzen vor allem römische Gottheiten, Sagen oder römische Tugenden, die das Selbstverständnis der Römer gegenüber anderen Stämmen und Völkern ausdrückten.
Später brauchten die Kaiser die Zustimmung der Bevölkerung im ganzen Reich, um ihre Herrschaft zu rechtfertigen und zu sichern. Deshalb ließ nun jeder Princeps Geldstücke prägen mit seinem Porträt, seinem Namen, seinen (Ehren-)Titeln und weiteren Symbolen und Bildnissen, je nach beabsichtigter „Werbe-Botschaft".
Für uns heute sind römische Münzen ergiebige Quellen, die uns Aufschluss geben über Zeitumstände, politische Ereignisse und Entwicklungen oder über Absichten und Haltungen der Auftraggeber. Es ist also sehr lohnenswert, sie zu untersuchen und ihnen ihre Geheimnisse zu entlocken. Dabei kannst du folgendermaßen vorgehen:

Schritt 1: Was sehe ich? Was bedeutet das?

(beschreiben und entschlüsseln)
Welche Personen, Gegenstände, Symbole, Inschriften (Legenden) usw. sind zu erkennen? Wofür stehen die Bilder, was besagt die Legende?

Schritt 2: Was weiß ich über die Hintergründe?

(in Zusammenhang einordnen)
Aus welcher Zeit stammt die Münze? Auf welche Personen oder Ereignisse bezieht sie sich? Welche politischen Verhältnisse herrschten damals?

Schritt 3: Was ist die Botschaft?

(Aussage formulieren)
Was soll dem Betrachter mitgeteilt werden? Welche Überzeugung soll ihm nahe gebracht werden?

Schritt 4: Was lerne ich daraus?

(Fazit ziehen)
Welche neuen Erkenntnisse habe ich gewonnen? Wo sehe ich Verbindungen zu bereits Gelerntem? Welche grundlegenden Fragen kann ich nun besser beantworten als zuvor?

Zu klein für große Erklärungen – Münzabkürzungen
Münzen haben keinen Platz für lange Texte. Zum Glück kannten viele Römer die Abkürzungen, die sie auf Münzen lesen konnten. Eine kleine Auswahl:

C oder CAES	Caesar; zuerst „Familienname", dann verwendet als „Kaiser" oder „künftiger Kaiser"
AVG	Augustus; Beiname der Kaiser seit der Verleihung an Octavian 27 v. Chr.
F	Filius; also Sohn eines Herrschers
DIC	Diktator
COS	Konsul
DIV(VS)	Divus; der Göttliche, auch als Genitiv: Divi
IVLIV(S)	Julius; aus der Familie der Julier, also Julius Caesars
IMP	Imperator; zunächst Ehrentitel eines siegreichen Feldherrn, ab Augustus gleichbedeutend mit „Kaiser"
SPQR	Senatus Populusque Romanus; Senat und Volk Roms

Die wichtigsten Bildmotive und Symbole
Viele Römer konnten nicht lesen. Aber auch sie verstanden die Botschaften der Münzen. Denn ihre Bildmotive konnte fast jeder deuten. Eine Auswahl:

Lorbeerkranz	Zeichen der römischen Könige, Siegeszeichen der Feldherren
Gottheit	Tugend/positive Eigenschaft, z.B.: Mars = Kriegsgott, Caeres = Göttin der Fruchtbarkeit, Concordia = Göttin der Eintracht
kleine geflügelte Gestalt	Victoria, Siegesgöttin
zwei gleiche Reiter	Castor und Pollux, Söhne Jupiters, stehen für Zusammenhalt und gegenseitige Treue
Zepter/Stab	Herrscherzeichen
Stern/Sonne	Göttlichkeit
Frau mit geflügeltem Helm	Roma, römische Stadtgöttin, etwa wie Athene, Stadtgöttin der Athener
Stab mit „Schnecke" am Ende	Zeichen des obersten Priesters
Getreide/Ähre	Getreideversorgung, Zeichen von Reichtum und Wohlstand

M1 Silbermünze (Denar)
Geprägt in Rom, 211 - 170 v. Chr.

Castor und Pollux waren in der griechischen und römischen Mythologie zwei unzertrennliche Zwillinge. Castor war sterblich, Pollux dagegen unsterblich. Als Castor im Kampf getötet wurde, bat Pollux den Zeus, ihm die Unsterblichkeit zu nehmen, damit er wieder mit seinem Bruder zusammen sein kann.

So könntest du diese Münze beschreiben und auswerten:

Schritt 1:
Vorderseite: Porträt einer Frau mit Flügelhelm
Rückseite: zwei Reiter mit Lanzen und wehenden Mänteln
Legende: Vorderseite keine, Rückseite ROMA
Die abgebildete Frau ist Roma, die Stadtgöttin der Römer.
Die Reiter sind die Zwillinge Castor und Pollux.

Schritt 2:
Zeit: geprägt zwischen 211 und 170 v. Chr.
Ereignis: zweiter Punischer Krieg (endet 202 v. Chr. mit Sieg Roms über Karthago und Einrichtung der Provinz Spanien)
Politische Verhältnisse: Römische Republik

Schritt 3:
„Wir Römer sind stolz auf unsere Stadt. Wir sind das mächtigste Volk weit und breit. Kein Feind kann uns etwas anhaben, denn wir halten zusammen und sind einander treu."

Schritt 4:
Erkenntnisse: Selbstbewusstsein und Tugenden der Römer als überlegenes Volk; Abgrenzung gegenüber anderen Völkern im Mittelmeerraum (vielleicht gegenüber den Karthagern).
Die Münze diente entweder als „Mutmacher" (während des Krieges) oder als Zeichen des Triumphs (nach Kriegsende)
Verbindungen: S. 124 f. – Rom wird durch die Punischen Kriege zur Großmacht

Jetzt bist du dran: Eine Münze auswerten

M2 Silbermünze (Denar)
Geprägt in Rom, 19 - 18 v. Chr.

Im Juli 44 v. Chr. war dieser Komet sieben Tage am Himmel Roms zu sehen, auch tagsüber! Dies hielten viele Römer für ein Zeichen, dass Julius Caesar in den Götterhimmel aufgestiegen war. Augustus ließ kurz danach seinem Adoptivvater Caesar einen Tempel bauen. Das Standbild Caesars darin trug den Kometen auf der Stirn.

DIVVS IVLIV(S) = Divus Iulius („vergöttlichter Julius")

CAESAR AVGVSTVS = Caesar Augustus

Arbeite aus M2 heraus, was du über den Münzherrn Octavianus Augustus erfährst.

Nützliche Sätze bei der Auswertung von Münzen:
Schritt 1: Die Vorderseite/Rückseite der Münze zeigt …
Folgende Legenden kann ich lesen: …
Das Symbol ... bedeutet …
Bei der abgebildeten Person handelt es sich um …
Schritt 2: Die Münze stammt aus der Zeit …
Wichtige Personen waren damals …
Die Situation/das Problem zu dieser Zeit war …
Schritt 3: „Ich bin ...", „Wir wollen …", „Ich kann ..."
(Lass den/die Urheber der Münze zu Wort kommen)
Schritt 4: Die Münze hat mir verraten, dass …
Dies kenne ich schon aus der Beschäftigung mit …
Dies lässt sich vergleichen mit …
Durch die Beschäftigung mit der Münze …
Zu diesem Thema würde ich gern noch wissen …

Die Römer bei uns und anderswo

M1 **„Die goldene Sichel“**
Aus der Comicserie von René Goscinny (Text) und Albert Uderzo (Zeichnungen)
Die beiden gallischen Helden Asterix und Obelix besuchen in einem ihrer zahlreichen Abenteuer um 50 v. Chr. Lutetia, die Vorläuferin der heutigen Stadt Paris.

Römische Kultur breitet sich aus

Das Herrschaftsgebiet Roms umfasste zur Kaiserzeit nahezu die gesamte bekannte Welt. Es musste, einmal erobert, von Legionen gesichert und von Beamten verwaltet werden. Ob nach Nordafrika oder Germanien, immer brachten die Römer ihre Kultur mit. Bald wurde ihre Lebensweise zum Standard in den Provinzen. Deren Bewohner – von den Römern Provinzialen genannt – begannen, römische Essgewohnheiten und Anbaumethoden zu übernehmen, römische Bürger zu heiraten, römische Götter zu verehren und Latein zu sprechen. Gerade die zuletzt genannte Übernahme wirkt sich bis heute aus: In vielen modernen Sprachen verwenden wir Lehnwörter aus dem Lateinischen.

Die Römer: tolerante Herrscher

Oft machten es die neuen Herren ihren Untertanen leicht: Sie ließen **religiöse Vielfalt** zu und duldeten weiter die Anbetung einheimischer Gottheiten. Ebenso durften die Provinzialen – unter der Herrschaft eines vom Kaiser eingesetzten Statthalters und seiner Verwaltungsbeamten – ihre eigenen Sitten und Bräuche des Zusammenlebens beibehalten. Ein Germane beispielsweise ging zu seiner Stammeszusammenkunft, dem Thing, der Bewohner einer griechischen Polis nach wie vor zur Volksversammlung.

Bürgerrecht für alle

Örtliche Stammesführer oder Stadtobere verloren zwar ihre frühere Macht, konnten nun jedoch im Römischen Reich aufsteigen: Ihnen stand eine militärische Karriere bei den römischen Hilfstruppen (Auxilien) offen, oder sie konnten eine Beamtenlaufbahn in der Provinzverwaltung einschlagen. Verlockend für viele war die Aussicht, hierdurch das römische **Bürgerrecht** zu erlangen. Allein bei ihrer Entlassung aus dem 25-jährigen Militärdienst wurden jedes Jahr Tausende von Galliern, Griechen, Ägyptern und Syrern mitsamt ihren Familien zu vollgültigen römischen Bürgern.
Im Laufe der Zeit verwischten sich die Grenzen zwischen Unterworfenen und Eroberern so vollständig, dass der Kaiser im Jahr 212 n. Chr. ohne viel Aufhebens allen freien Provinzbewohnern des Reiches das römische Bürgerrecht verlieh. Den Prozess der Ausbreitung der römischen Kultur und der Angleichung der Lebensverhältnisse in allen Teilen des Imperiums nennen wir **Romanisierung**.

Typisch römisch: siedeln und bauen

Das sichtbarste Zeichen der Romanisierung war in vielen Provinzen die Übernahme der typisch römischen (und griechischen) Lebensform der Stadt. Die Römer gründeten zahlreiche Städte in den unterworfenen Gebieten. Hier lebten entlassene Soldaten, römische Siedler und Einheimische zusammen. Beim Bau der Städte folgte man meist römischen Vorbildern und stattete sie mit einem Forum, einem **Amphitheater** und **Thermen** aus. Die fortschrittliche Technik der Römer zeigte sich im Bau von **Aquädukten** zur Wasserversorgung und von Brücken und Fernstraßen, die die Städte miteinander verbanden, außerdem in der Errichtung großer Befestigungsanlagen entlang der Reichsgrenze, wie etwa dem **Limes**.

Internettipps:
Über den Limes findest du Informationen unter 31041-18

religiöse Vielfalt Bürgerrecht Romanisierung Amphitheater Therme Aquädukt Limes

M2 Die Romanisierung in Britannien

Der römische Senator und Historiker Tacitus (56 - 117 n. Chr.) verfasst eine Lebensbeschreibung seines Schwiegervaters Julius Agricola. Dieser ist Provinzstatthalter in Britannien gewesen. Über dessen dortige Tätigkeiten berichtet Tacitus:

Damit sich [...] die zerstreut wohnenden, groben und daher leicht zum Krieg bereiten Menschen durch Genüsse an Ruhe und Frieden gewöhnen, ermahnte er sie persönlich und unterstützte sie aus Staatsmitteln, damit sie Tempel, Marktplätze und Häuser bauten, wobei er die Willigen lobte und die Faulen tadelte. So trat der Wetteifer um Ehren an Stelle des Zwanges. Er ließ sogar die Söhne der Fürsten in Wissenschaften unterrichten, wobei er den Geist der Briten dem Fleiß der Gallier vorzog.

So kam es, dass die, die noch vor Kurzem die römische Sprache verschmähten, nun nach dem Erwerb der Redekunst verlangten. Von nun an wurde auch unsere Kleidung beliebt und die Toga gebräuchlich. Allmählich ließ man sich von den Lastern verlocken, den Säulenhallen, den Bädern und der Feinheit der Gastmähler. Und dies hieß bei den einfachen Leuten „Bildung", obwohl es doch ein Teil der Knechtschaft war.

Tacitus, Das Leben des Iulius Agricola 21, übers. von Rudolf Till, Berlin ⁴1984, S. 39

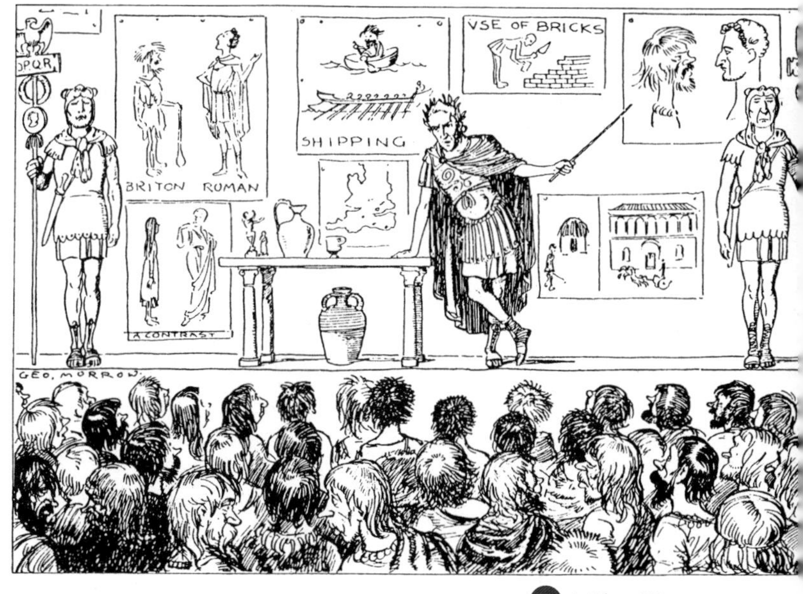

M4 Ohne Worte

Karikatur aus der englischen Zeitschrift „Punch", 1912

M3 Lob für die Römer

Der griechische Schriftsteller Aelius Aristides äußert sich in einer Rede vor römischem Publikum so:

Was Homer sagte, „aber die Erde ist allen Menschen gemeinsam", wurde von euch tatsächlich wahrgemacht. Ihr habt den ganzen Erdkreis vermessen, Flüsse überspannt mit Brücken verschiedener Art, Berge durchstochen, um Fahrwege anzulegen, in menschenleeren Gegenden Poststationen eingerichtet und überall eine kultivierte und geordnete Lebensweise eingeführt.

Aelius Aristides, Εἰς Ῥώμην 101. Die Romrede des Aelius Aristides, hrsg. und übers. von Richard Klein, Darmstadt 1983, S. 157

Internettipp:
Zu den Römern in Germanien siehe 31041-19

1. *a) Beschreibe, wie die Stadt Lutetia in M1 dargestellt ist.*
   b) Entwickle eine These, wie die Stadt und ihre Umgebung 200 Jahre später, also um 150 n. Chr., unter dem Einfluss der Romanisierung wohl ausgesehen hat.
2. *Arbeite aus den Quellen M2 und M3 heraus, wie die römische Herrschaft in den Provinzen beurteilt wird. Gestalte anschließend einen kleinen Vortrag zu der Frage, wie die Romanisierung deiner Meinung nach zu bewerten ist.*
3. *a) Beschreibe M4 und stelle dar, welche Haltung der Römer gegenüber den Provinzialen hier veranschaulicht wird.*
   b) Beurteile, welche der Quellen, M2 oder M3, in ihrer Gesamtaussage am besten zu M4 passt. Begründe deine Wahl.
4. *Erläutere die Funktion des Limes (s. Doppelseite 112 f., Karten M1 - 2).*
5. *Du besuchst als Germane eine der Römerstädte Arae Flaviae, Sumelocenna oder Lopodunum. Anschließend verfasst du einen Reisebericht darüber. Informiere dich im Internet über die Städte. Vielleicht kennst du sie ja schon oder wohnst sogar in ihrer Nähe?*

Zur gleichen Zeit, am anderen Ende der Welt

M1 „Erster erhabener Gottkaiser“
Tuschezeichnung, um 1850
Qin Shihuangdi (reg. 221 - 210 v. Chr.) vereinte die Königsherrschaften Chinas erstmals in einem großen Kaiserreich. Auf diesem Bild aus viel späterer Zeit trägt er als Herrschaftszeichen den „Mian Guan“: Die viereckige Platte symbolisiert die Erde, der runde Teil den Himmel. Die Schnüre vor ihm bedeuten die Zukunft, die Schnüre hinten die Vergangenheit.

Ein Kaiserreich im Osten

221 v. Chr.: Rom beherrscht ganz Italien und beginnt, das Mittelmeer zu kontrollieren. In China besiegt der König von Qin sechs benachbarte Königreiche. Jetzt nennt er sich „**Erster erhabener Gottkaiser**“. Untersuchen wir dieses andere Imperium, das **Chinesische Reich**:

Herrschaft

An der Spitze des Reiches steht der Kaiser als Alleinherrscher. Seine Macht leitet er von einem Auftrag des Himmels ab: Ein gerechter Herrscher wird von den Göttern beschützt, einen schlechten Herrscher straft der Himmel und gibt die Macht an einen anderen weiter. Bei der Regierung helfen ihm Beamte. Sie sind angesehen, weil sie die schwierige Schrift lesen und schreiben können. Sie schreiben auf Papier (in China erfunden 180 v. Chr.).

Wirtschaft

Die meisten Chinesen sind Bauern. Sie schaffen Nahrung, zahlen Steuern und ziehen in den Krieg. Die wenigsten besitzen eigenes Land, sondern bewirtschaften Boden der Großgrundbesitzer. Andere Gewerbe sind die Erzeugung von Eisen und Salz. Dies darf nur in kaiserlichen Betrieben geschehen. Münzen gibt es seit dem 4. Jh. v. Chr. Kaiser Qin Shihuangdi schafft um 220 v. Chr. einheitliche Werte, Maße und Gewichte für ganz China.

Gesellschaft

Der Kaiser macht männliche Verwandte zu Königen von Provinzen des Reiches. Die Beamten des kaiserlichen Hofes in Chang'an sind nach Einkommen in Klassen unterteilt. Eine ähnliche Hierarchie gibt es auch in den Provinzen. In der Han-Dynastie liegen die Wurzeln der scharfen Beamtenprüfung, die jedem Chinesen einen Aufstieg in hohe Ämter ermöglicht. Weniger angesehen als Beamte sind die Bauern, darunter kommen die Handwerker, unter ihnen die Händler. Chinesische Frauen betreuen den Haushalt, erziehen die Kinder und müssen ihren Ehemännern gehorchen. Sklaven ohne alle Rechte machen nur 1 % der Bevölkerung aus.

Kultur

Chinesen verehren ihre verstorbenen Ahnen. Sie glauben, dass sie als Geister Einfluss auf die Lebenden haben. Sehr wichtig ist die Verehrung der kaiserlichen Vorfahren. Naturerscheinungen sind für die Chinesen Gottheiten. Gelehrte wissen durch genaue Beobachtung sehr viel über Astronomie und Heilkunde. Ganz wichtig für die chinesische Kultur ist der Philosoph Konfuzius (551-479 v. Chr.). Er lehrt, dass die Beachtung der alten Sitten durch jeden Einzelnen die Harmonie der Gesellschaft erhält.

Vernetzung

Beide **Imperien**, China im Osten und Rom im Westen, wissen von der Existenz des anderen Staates. Selten kommen sogar Gesandtschaften der Kaiser an die Grenzen des jeweils anderen Reiches. Viel wichtiger ist der Austausch von Gütern, der über die „**Seidenstraße**“ mit vielen Zwischenstationen sehr langsam verläuft. Zwischen den Reichen werden überwiegend Luxusartikel ausgetauscht: Chinesen importieren römisches Glas, da sie nicht die Perfektion römischer Glashütten erreichen, sowie Teppiche und Kleider mit eingewebten Goldfäden. Römer importieren Seidenstoffe, da sie nur über die minderwertige Seide der griechischen Inseln verfügen. So verbreiten sich Gerüchte und grobes Wissen über die andere Kultur. Eine gegenseitige Beeinflussung findet jedoch kaum statt.

Internettipps:
Über das Kaiserreich China informiert
31041-20

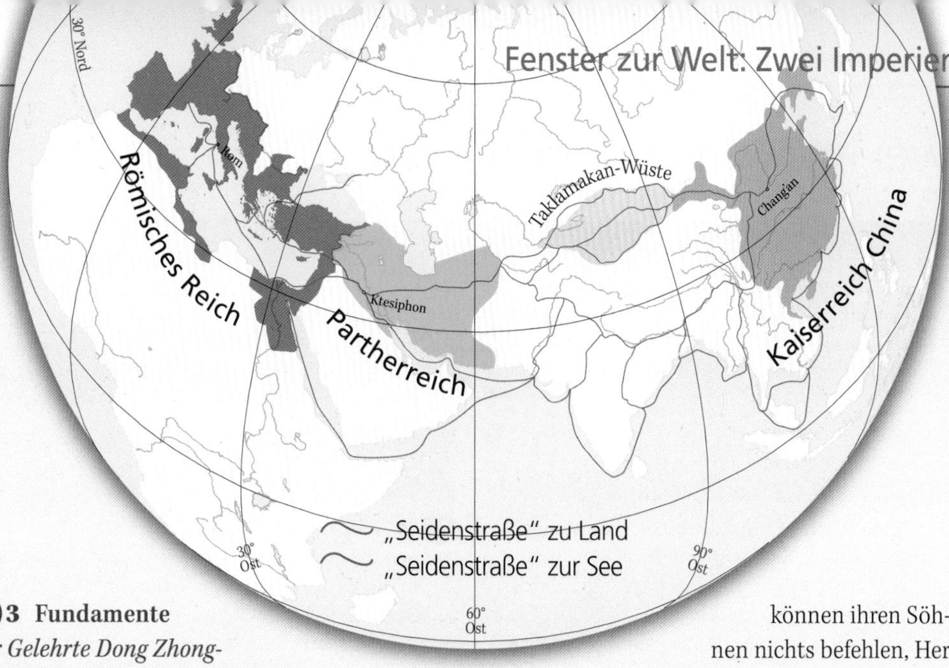

M2 Drei Reiche
Herrschaften in Asien und Europa, um Christi Geburt
Das Römische Reich und das Kaiserreich China liegen an den gegenüberliegenden Enden des eurasischen Kontinents.
Das Partherreich bestand von etwa 100 v. Chr. bis 200 n. Chr.

M3 Fundamente

Der Gelehrte Dong Zhongshu schreibt um 150 v. Chr. über die Verantwortung des Herrschers:

Wer über das Volk herrscht, ist das Fundament des Staates. Für das Volk ist nichts wichtiger als die Verehrung dieses Fundaments. Wo das Fundament verehrt wird, da leitet der Herrscher das Volk wie ein guter Geist. Wird das Fundament nicht verehrt, fehlen ihm die Mittel, das Volk zu vereinigen. Auch Strafen können dann nichts ausrichten. Dies heißt „den Staat wegwerfen". Gibt es größeres Unglück als das?
Was meine ich mit „Fundament"? Himmel, Erde und Menschheit sind die Fundamente aller lebenden Dinge: Der Himmel bringt sie mit kindlicher und brüderlicher Liebe hervor. Die Erde nährt sie mit Speisen und Kleidung. Die Menschheit vollendet sie mit Riten und Musik. Diese drei unterstützen einander, auf keine kann verzichtet werden: Ohne Liebe fehlt den Menschen der Grund des Lebens. Ohne Speise und Kleidung fehlt ihnen der Lebensunterhalt. Ohne Riten und Musik fehlen ihnen die Mittel, um vollständige Menschen zu werden. Fehlen alle, sind die Menschen wie Tiere: Jeder folgt seinen Bedürfnissen, jede Familie hat andere Gewohnheiten. Väter können ihren Söhnen nichts befehlen, Herrscher ihren Ministern nichts anordnen. […] Wer ein erleuchteter Meister und würdiger Herrscher ist, beachtet sorgfältig die drei Fundamente: Er bringt andächtig das Opfer dar, dient sorgsam seinen Vorfahren, drückt kindliche und brüderliche Liebe aus, ermutigt zu kindlicher Verehrung und dient so dem Fundament des Himmels. Er nimmt den Pflug, um den Boden zu bestellen, füttert die Seidenraupen mit Maulbeerblättern, rodet die Wildnis, sät Getreide, bebaut neues Land um genug Nahrung und Kleidung zu liefern und dient so dem Fundament der Erde.
Er gründet Schulen, um Respekt vor den Eltern, brüderliche Liebe, Verehrung und Bescheidenheit zu lehren, erleuchtet das Volk mit Bildung, bewegt die Herzen mit Riten und Musik und dient so dem Fundament der Menschlichkeit.
Wenn diese drei Fundamente verehrt werden, werden die Leute wie Söhne und Töchter sein, die es nicht wagen, sich Herrschaft anzumaßen. Der Herrscher wird Vätern und Müttern ähneln, keine Gefälligkeiten brauchen und keine harten Strafen, um es zum Handeln zu bewegen.

William Th. de Bary u. Irene Bloom, Sources of Chinese Tradition Bd. 1, New York [2]1999, S. 299 f. (frei übersetzt v. M. Sanke)

Info: „Seidenstraße"
Die Seidenstraße dürfen wir uns nicht als einzige, ausgebaute Straße zwischen China und dem östlichen Mittelmeer vorstellen. Es handelt sich vielmehr um ein Netz aus vielen, unterschiedlich guten Karawanenwegen in einem sehr großen Raum. Im weiteren Sinne zählen auch die Schiffahrtswege dazu. Handelsorte und Hafenstädte waren Umschlagplätze für die gehandelten Güter.

1. *Ein Römer aus der Zeit des Kaisers Augustus kommt nach China. Du bist Beamter am Kaiserhof. Erkläre dem Gast, was er über dein Land wissen sollte.*
2. *Arbeite aus M2 Unterschiede und Gemeinsamkeiten des römischen und chinesischen Reichs sowie Kontaktmöglichkeiten heraus.*
3. *Dong Zhongshu war Anhänger des Konfuzius. Arbeite aus M3 heraus, wie ein chinesischer Kaiser und ein Untertan sich verhalten sollen.*

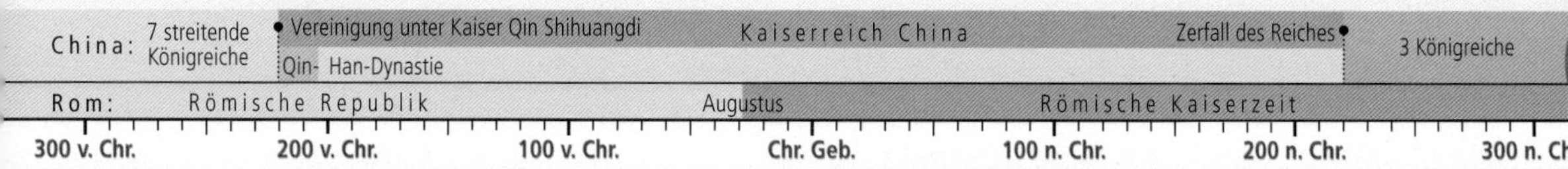

Zwei Imperien im Vergleich

M 1a Eine Grenze Chinas: „Chinesische Mauer"
Der erste Kaiser, Qin Shihuangdi, ließ seit 214 v. Chr. Schutzwälle errichten gegen Völker im Norden, die das Reich bedrohten. Dagegen ließ er ältere Wälle zwischen den früheren chinesischen Teilkönigreichen einreißen.

M 1b Eine Grenze Roms: „Hadrianswall"
Auf Anordnung des Kaisers Hadrian (76-138 n. Chr.) wurde im Norden des Römischen Reiches ein Wall erbaut. Er sollte Überfälle und Einwanderung schottischer und irischer Stämme in die Provinz Britannia verhindern.

M 2a Grab des ersten chinesischen Kaisers
1974 wurde bei Xi'an die Grabanlage von Kaiser Qin Shihuangdi entdeckt. Um den Grabhügel waren auf 2 x 2 km lebensechte Nachbildungen seines ganzen Hofstaates vergraben, darunter tausende Terrakotta-Krieger.

M 2b Grab des ersten römischen Kaisers
Augustus ließ sich 28 v. Chr. diesen Rundbau errichten. Der Zylinder hatte einen Durchmesser von 29 m und war von einem Erdhügel mit Zypressen bedeckt. Auf der Spitze soll eine Statue des Kaisers gestanden haben.

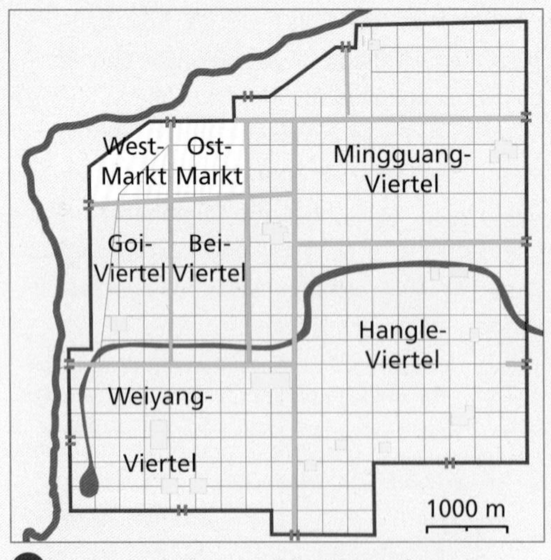

M 3a Hauptstadt des Reiches: Chang'an
Der erste Kaiser des vereinigten China wählte Chang'an am Ufer des Wei-Flusses als Hauptstadt und ließ sie vergrößern. Um Christi Geburt hatte sie 250 000 Einwohner.

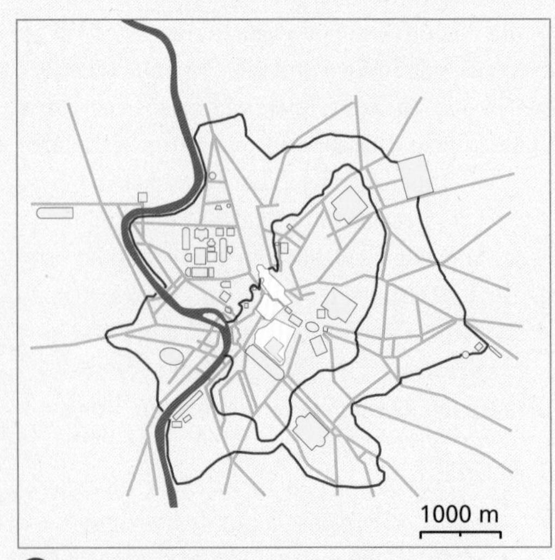

M 3b Hauptstadt des Reiches: Rom
Rom wuchs aus mehreren Dörfern auf Hügeln und Marktplätzen in der Tiber-Niederung zu einer Riesenstadt. Um Christi Geburt hatte Rom 1 Mio. Einwohner.

M4 Reiche und Herrschaften im Vergleich

Eine Wissenschaftlerin vergleicht das Imperium Romanum und das chinesische Reich zur Zeit der Han-Dynastie:

Beide Imperien waren gewaltsam geeint worden, beide wurden in der Folgezeit zentralistisch [= von einem Mittelpunkt aus] regiert. Chinesen und Römer waren bekannt für ihre militärische Prägung und Disziplin. Etwa zur Hälfte ihrer Epoche erfuhren beide Reiche jeweils einen tiefen politischen Einschnitt: In dem von Krisen geschüttelten republikanischen Rom konnte sich der Großneffe und Adoptivsohn des ermordeten Diktators Caesar ab 30 v. Chr. als Alleinherrscher dauerhaft behaupten. In China ließ sich Wang Mang [...] im Jahr 8 n. Chr. das Reichssiegel übergeben und bestieg mit dieser neuen Form der Legalisierung den Thron. Beide Machtergreifer, Augustus und Wang Mang, schufen einen neuen „Adel", der ihnen den gesellschaftlichen Aufstieg verdankte. Ebenso legten beide besonderen Wert auf eine günstige Volksmeinung und griffen gerne auf himmlische Vorzeichen zurück, um ihre Position zu legitimieren. Auch mit dem gezielten Rückgriff auf eine ideale Vergangenheit gingen beide einen ähnlichen Weg.

China bildet eine geschlossene Landmasse, Rom ein Reich, das sich um das Mittelmeer herum gebildet hatte [...]. Vor allem aber waren die Voraussetzungen hinsichtlich der Regierungsform und des politischen Bewusstseins in Rom und China unterschiedlich: Der Stadtstaat Rom war nach der Vertreibung der etruskischen Könige eine *Republik* geworden. Die Monarchie war in Verruf geraten, der letzte König Tarquinius Superbus als Tyrann gebrandmarkt. Das römische Staatswesen wurde als *res publica* (öffentliche Sache) verstanden, in der *libertas* (Freiheit) herrschte. Die politische Verantwortung lag nun in den Händen einiger Adelsfamilien, die die Magistrate stellten. Gewählt wurden sie von den Bürgern Roms in der Volksversammlung. Regierungszentrale war jedoch der Senat. Die Senatoren orientierten sich an den Sitten der Vorfahren (*mos maiorum*) und natürlich an den Gesetzen.

Dem gegenüber steht ein positives Verhältnis der Chinesen zur *monarchischen Regierungsform*. Die chinesische Monarchie wurde als Herrschaft *für das Volk* verstanden, niemals als Herrschaft durch das Volk. Die Reichsbildung war auf Grundlage der Philosophie des *Legalismus* erfolgt. Sie stattete einen Herrscher mit absoluter und unbeschränkter Macht aus. „Im Qin-Reich hieß Regieren, den Willen des Kaisers und seiner Regierungsorgane ohne Rücksicht auf andere Interessen ausführen." Nach der Einigung der Königreiche ersetzten strenge Strafgesetze die Sitten. Später wurde diese Weltanschauung wegen der Brutalität, mit der die Regeln durchgesetzt worden waren, wieder fallengelassen. An ihre Stelle trat im Han-Reich der Konfuzianismus, die Lehre von den menschlichen Tugenden.

Nach: Maria H. Dettenhofer, Das Römische Imperium und das China der Han-Zeit. Ansätze zu einer historischen Komparatistik, in: Latomus 65.2 (2006), S. 879-897

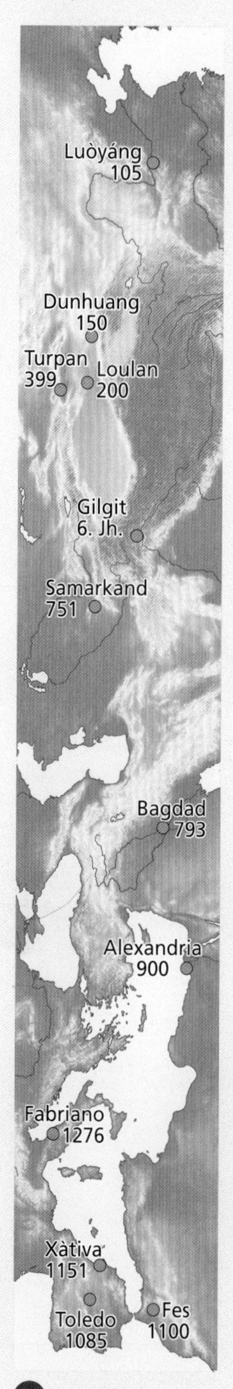

M5 Ausbreitung der Papierherstellung
Das Papier wurde im 1. Jh. v. Chr. in China erfunden. Die Zahlen geben an, wann die erste Herstellung von Papier an anderen Orten belegt ist.

1. *Wähle eines der Vergleichspaare M1-M3 aus. Beschreibe die Gemeinsamkeiten und Unterschiede vom chinesischen (a) und römischen (b) Beispiel. Beende den Vergleich mit der Formulierung: „Über das römische und das chinesische Reich erfahren wir dadurch, dass ..."*
2. *Maria Dettenhofer vergleicht das römische und das chinesische Reich. In ihrem Text sind Zwischenüberschriften für zwei Abschnitte (Z. 1-22, Z. 23-58) verloren gegangen – ergänze sie! Vergleiche dann das römische und das chinesische Kaiserreich mithilfe einer Tabelle.*
3. *Du bist ein Historiker im China der Han-Zeit und schreibst über die Geschichte der Herrschaft. Verfasse zu Fakten aus M4 einen Text nach dem Muster: „Bei uns in China ... Daraus ergibt sich für unser Reich ..."*
4. *„Die Karte sieht aber komisch aus!" – so hast du vielleicht bei M5 zunächst gedacht. Beschreibe, was die Karte darstellt, und erkläre, warum sie so ungewöhnlich angeordnet wurde. Beurteile anschließend mit M5 die Aussage: „Europa wurde durch den fernen Osten beeinflusst."*

China: 7 streitende Königreiche | Vereinigung unter Kaiser Qin Shihuangdi | Qin- | Han-Dynastie („östliche Han") | Wang Mang reißt die Macht an sich | Han-Dynastie („westliche Han") | Zerfall des Reiches | 3 Königreiche
Rom: Römische Republik | Augustus | Römische Kaiserzeit
300 v. Chr. | 200 v. Chr. | 100 v. Chr. | Chr. Geb. | 100 n. Chr. | 200 n. Chr. | 300 n. Chr.

Am Anfang dieses Kapitels steht die Leitfrage:
Vom Stadtstaat zum Weltreich – warum wurde Rom so mächtig und einflussreich?
Mit den Arbeitsfragen zu den fünf Kategorien auf S. 112 kannst du sie nun beantworten:

Wirtschaft

Von den Etruskern hatten die Römer die Metallverarbeitung übernommen. Durch die Expansion eroberten sie große fruchtbare Landschaften und reiche Bodenschätze. Die wachsende Bevölkerung des Imperium Romanum hing von der Landwirtschaft ab. Kleine Bauern zogen als Soldaten in den Krieg und verloren oft ihre Höfe. Sie verlangten vergeblich nach der Zuteilung von günstigem Ackerland in einer Landreform. Der Handel der Römer ging weit über die Grenze des Imperiums (Limes) hinaus.

Herrschaft

Nach Vertreibung der etruskischen Könige schufen die Römer eine Republik. Ihre Aufgaben verrichteten die Magistrate, ihr oberstes Gremium war der Senat. Anfangs durften nur Patrizier ein Amt übernehmen, bis zum 2. Jh. v. Chr. erkämpften sich auch die Plebejer viele Rechte. Im Bürgerkrieg hatten Feldherren wie Caesar oft riesige Macht. Augustus schaffte es, eine Monarchie zu errichten: Er begründete den Prinzipat, das römische Kaisertum.

Kultur

Römer waren stolz auf ihren Gründungsmythos, nach dem die Zwillinge Romulus und Remus ihre Stadt gegründet haben. Auch im täglichen Leben war ihnen die Tradition sehr wichtig: Was die Römer früherer Zeiten getan hatten, war für sie vorbildlich. Augustus und die nachfolgenden Kaiser schafften es, ihre Person zum Mittelpunkt einer Verehrung zu machen, dem Kaiserkult. Dafür gaben sie dem Volk Nahrung und sorgten für Unterhaltung: „Brot und Spiele".

Gesellschaft

Keimzelle der Gesellschaft war die Familie, zu der auch alle Sklaven gehörten. Oberhaupt war der Pater familias, der unbeschränkte Macht über seine Familie hatte. Römische Frauen waren nicht so sehr an das Haus gebunden wie griechische und manche übten auch Berufe aus. Einflussreiche Römer waren oft Patrone sehr vieler Klienten. Diese Abhängigkeit wurde problematisch, als die Soldaten der Heeresklientel mehr zu ihrem Patron, dem Feldherrn, als zur Republik standen.

Vernetzung

Von den Etruskern lernten die Römer ihre Schrift und übernahmen religiöse Vorstellungen. Deren Glaube an Vorzeichen und Wahrsagekunst prägte sie tief. Durch die Expansion des Imperiums kamen Römer in Kontakt mit fremden Kulturen. Manches übernahmen sie. Alle Gebiete, die sie länger besaßen, wurden romanisiert. Angehörige vieler Völker erhielten das römische Bürgerrecht. Gegen Völker, die sie für Barbaren hielten, bauten sie den Limes. Dieser war jedoch für Waren und Ideen in beide Richtungen durchlässig.

Kompetenz-Test
Einen Fragebogen, mit dem du überprüfen kannst, was du schon erklären kannst und was du noch üben solltest, findest du unter 31041-21

1. *Stellt euch Fragen zum Inhalt der Karten.*
2. *Veränderungen erkennen: Wähle eine Kategorie aus. Beschreibe, was sich in diesem Lebensbereich im Verlauf des Kapitels besonders geändert hat.*
3. *Besprecht, ob es in den fünf Kategorien heute Ähnlichkeiten zur römischen Zeit gibt oder ob alles ganz anders ist. Begründet eure Meinung!*

M1 SPQR

Euer eigenes Rom-Spiel

Spielregeln:

- Auf jedem Feld muss eine Schülerin oder ein Schüler (oder eine kleine Gruppe) eine Aufgabe zur römischen Geschichte erfüllen. Erst dann darf der Spielstein ein Feld weiterrücken.
- Einige Aufgaben müsst ihr zuvor selbst erstellen! Vorschläge in M2 helfen euch dabei.
- Die Farben der Felder stimmen mit den Farben der Karte auf S. 125 überein. Sie zeigen an, in welchem Zeitabschnitt der Geschichte Roms ihr euch bewegt.
- Auf den Spielfeldern mit Globus habt ihr immer die gleiche Aufgabe:
- *Beschreibt, welche Gebiete Rom beherrscht bzw. hinzu erobert hat. Nennt die heutigen Länder, die von römischer Herrschaft berührt waren.*

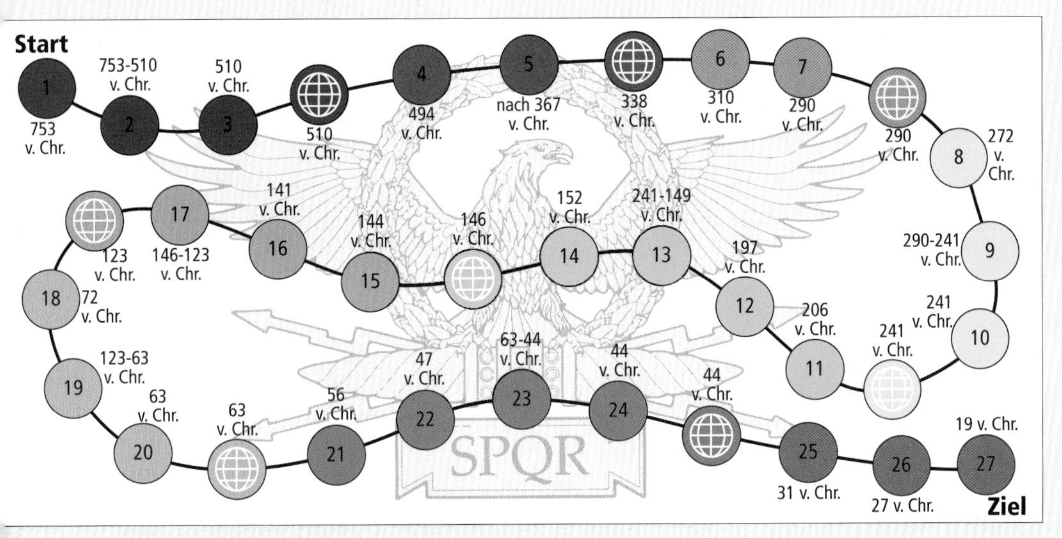

M2 Spielend von der Gründung Roms bis zur Kaiserherrschaft des Augustus

Zu sechs Feldern sollt ihr eigene Fragen entwickeln. Sie sollen sich auf die angegebene Zeitspanne beziehen.

1 Dein Bruder Remus will eure neue Stadt an einem ganz anderen Ort bauen als du – überzeuge ihn von deiner Wahl! (S. 114)

2 *Eure Aufgabe zu dieser Zeit*

3 Ein(e) Athener(in) kommt nach Rom. Die Römer haben gerade ihren König abgesetzt. Gib ihnen einen Rat, wie sie nun regieren sollten. (S. 88, Abs. 1)

4 Die streikenden Plebejer kannten noch keine Spruchbänder (Transparente). Wenn doch: Was hätten sie darauf schreiben können? (S. 119, M2)

5 Als Bauer hast du viel Geld von deinem Grundbesitzer geliehen. Die Ernte war schlecht, du kannst nichts zurückzahlen. Nun will er dich als Sklave verkaufen. Beweise ihm, dass er das nicht darf. (S. 118)

6 Dein Traum: Konsul sein! Aber der Weg dahin ist lang. Mach einen Plan, wie du es schaffen kannst. Deine Mitschüler sind deine Klienten – was können sie für dich tun, was tust du für sie? (S. 120)

7 Du bist die Frau eines angesehenen Beamten. Erzähle einer Freundin auf dem Land von eurem Leben in Rom. (S. 122)

8 Roms Armee bedroht eure bislang selbstständige Stadt in Italien. Ihr könntet kämpfen oder einen Bündnisvertrag abschließen. Diskutiert! (S. 124)

9 *Eure Aufgabe zu dieser Zeit*

10 Streit im Senat: „Wir müssen viel mehr Fußsoldaten einziehen!" – „Falsch, unsere Kriegsflotte sollten wir vergrößern!" Teilt die Klasse in diese Gruppen. Versucht, die andere Partei von eurer Meinung zu überzeugen. (S. 124 f.)

11 Rom erobert die Küste des heutigen Spanien, weit entfernt vom Mutterland Italien. Erkläre, welche Schwierigkeiten das mit sich bringt. (S. 124 f.)

12 Als Grieche kennst du die Geschichte der Poleis und von Alexander dem Großen. Jetzt hat Rom deine Heimat erobert. Schreibe darüber. (S. 125, M3)

13 *Eure Aufgabe zu dieser Zeit*

14 „Schon zweimal haben wir Krieg gegen Karthago geführt – jetzt reicht's! Wir müssen die Karthager endlich vernichten!" Führe die Rede fort. (S.130-133)

15 Du kommst von einem langen Feldzug zurück. Dein Bauernhof ist verwüstet, Korn ist so billig, dass du kaum Geld verdienst. Überlege mit deiner Familie, was ihr tun könnt. (S. 128)

16 Der Senat wählt dich zum Verwalter der Provinz Macedonia. Erkläre deiner Familie, was du dort tun wirst. (S. 124 f.)

17 *Eure Aufgabe zu dieser Zeit*

18 Ein Heer von Sklaven marschiert auf Rom zu! Deine Sklavin Prisca will wissen, was los ist. Erkläre ihr aus Sicht einer Patrizierfamilie. (S. 126 f.)

19 *Eure Aufgabe zu dieser Zeit*

20 Als Feldherr hast du großen Erfolg. Du lässt eine Münze in deinem Namen prägen – zeichne sie auf. (S. 136 f.)

21 Ein gallischer Kriegsgefangener und ein römischer Legionär streiten, warum sie gegeneinander kämpfen. Zwei von euch spielen den Streit nach. (S. 130)

22 „Caesar eroberte mehr Land für Rom als alle früheren Feldherren zusammen!" Prüfe diese Behauptung. (S. 125)

23 *Eure Aufgabe zu dieser Zeit*

24 „Stoppt Caesar! Er hat zu viele Gesetze unserer Republik gebrochen!" – Halte eine solche Rede im Senat. (S. 130)

25 „Ich halte zu ihm!" – Als Soldat aus der Armee des Octavianus begründest du, warum du auf seiner Seite stehst. (S. 132)

26 Viele bitten dich, Octavianus, die Herrschaft zu behalten! In einer Rede stimmst du zu, begründest dies und dankst den Senatoren. (S. 132 f.)

27 Ein Bildhauer: „Princeps, es gibt schon viele Statuen von dir! Aber meine bildet dich perfekt ab!" – Stelle das Bildnis als „lebende Statue" nach. (S. 132, M1)

6

Von der Spätantike ins Mittelalter

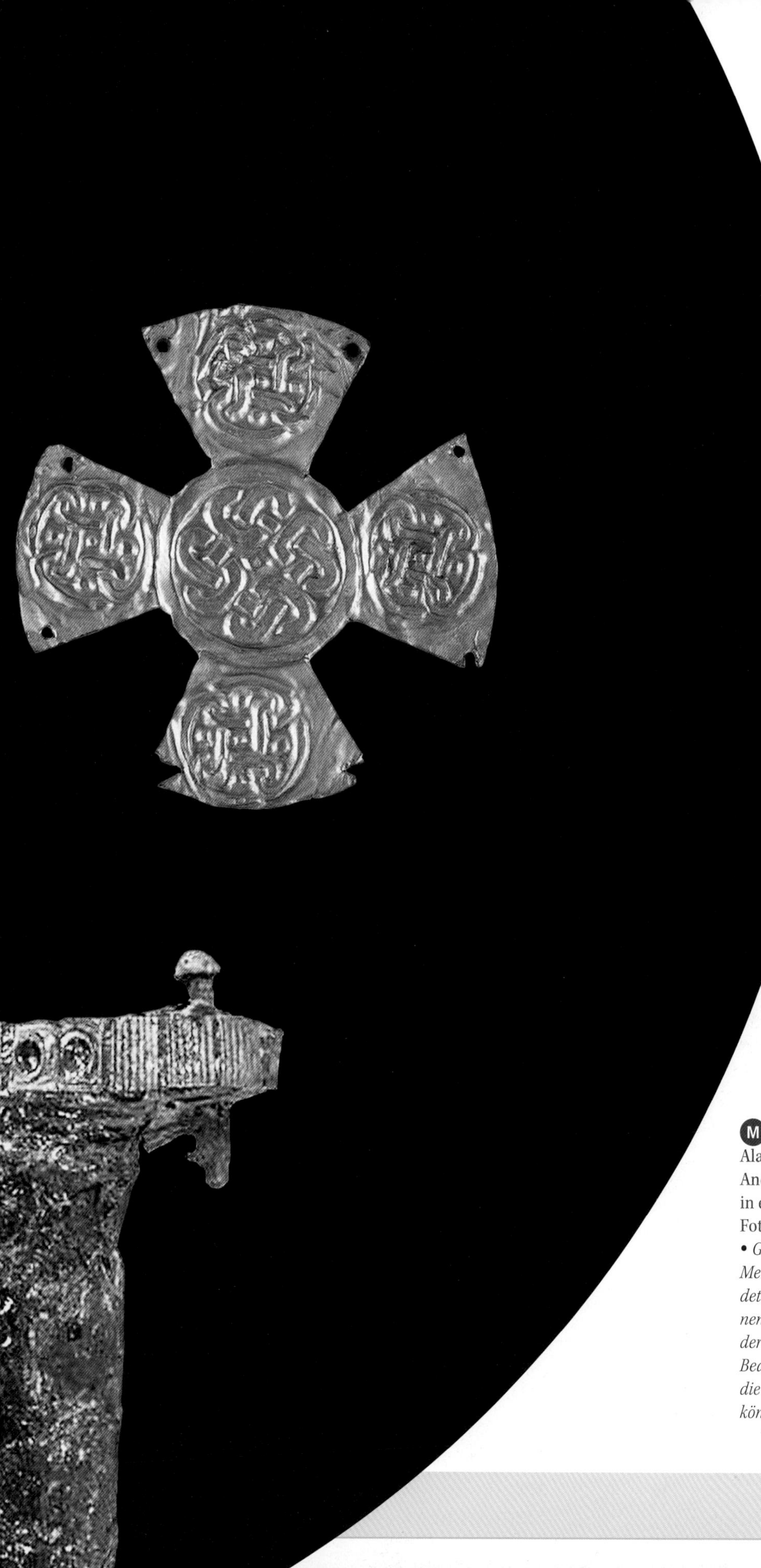

Viele Dinge, die Menschen vor 1 500 oder 2 000 Jahren verwendet haben, sind im Laufe der Zeit zerfallen. Objekte aus Metall erhielten sich manchmal besser. Wichtige Funde können Archäologen in Gräbern machen, denn die Angehörigen gaben ihren Verstorbenen oft Gegenstände mit ins Grab. Solche Beigaben verraten uns viel darüber, wie die Menschen lebten und was ihnen wichtig war.

M Schwert und Kreuz
Alamannische Grabfunde aus Andelfingen (Landkreis Biberach) in einer Ausstellung in Ellwangen, Foto von 2014

- *Gesucht wird... Wie stellst du dir den Menschen vor, in dessen Grab die abgebildeten Dinge gefunden wurden? Erstelle einen Steckbrief, mit dem nach dem Besitzer der Funde gesucht werden kann. Beachte dabei vor allem, wofür die Person die beiden Gegenstände verwendet haben könnte.*

Fragen an ... die Spätantike und das Frühmittelalter

Viele bedeutende Ideen, Begriffe oder Erfindungen verdanken wir den Römern. Einige mindestens ebenso wichtige Entwicklungen vollziehen sich in Mitteleuropa erst, nachdem die Herrschaft der Römer dort zu Ende ging oder schon zu Ende war.

Vermutlich sind viele eurer Mitschülerinnen und Mitschüler christlichen oder islamischen Glaubens. Warum sind diese ursprünglich kleinen Glaubensgemeinschaften zu Weltreligionen geworden? Wie breiteten sie sich aus und wie kamen sie nach Europa?

Gerade in der Schule sehr wichtig sind außerdem Zahlen und Buchstaben. Die Schrift, die ihr gelernt habt zu lesen und zu schreiben, heißt „Lateinisches Alphabet". Die Zahlen, die ihr im Mathematik-Unterricht verwendet, werden hingegen „Arabische Zahlen" genannt. Warum ist das so?

Und warum herrschen die Römer heute nicht mehr über Südwestdeutschland, so wie sie es über 200 Jahre getan haben? Die Antwort auf all diese Fragen sind in einem – geschichtlich gesehen – relativ kurzen Zeitraum zu finden: der späten Antike und dem frühen Mittelalter.

Leitfrage *Von der Spätantike ins Frühmittelalter – Anbruch einer „neuen Zeit"?*

Monat „August", aus einem Salzburger Kalender um 820. Ein Bauer erntet Getreide.

Reiterstatuette, Bronze, H. 24 cm. 9. Jh. Die Figur zeigt einen karolingischen Herrscher.

Wirtschaft

Wie ändert sich die Wirtschaftsweise nach dem Ende des Römischen Reiches? Wie sieht die Umwelt in Mitteleuropa vor etwa 1500 Jahren aus? ...

Herrschaft

Was geschieht, nachdem das Weströmische Reich zu bestehen aufhört? Wer herrscht in Rom, wenn es keinen Kaiser mehr gibt? ...

Spätantike

200 n. Chr. | 250 | 300 | 350 | 400 | 450 | 500

römische Kaiserzeit

M Europa und der Mittelmeerraum um 800
Das Römische Reich ging unter. Auf seinem Gebiet wurden viele neue Reiche gebildet.

Muslimischer Krieger und christlicher Ritter beim Schachspiel. Spanische Buchmalerei, 13. Jh.

Messkelch, Bronze vergoldet, H. 25 cm. Von Herzog Tassilo um 780 einem Kloster geschenkt.

Wandgemälde der Kirche St. Benedikt in Mals, 9. Jh. Dargestellt ist ein fränkischer Grundherr.

Vernetzung
Welche Kontakte bestehen zwischen christlicher und muslimischer Welt? Welche Ideen und Dinge werden ausgetauscht? ...

Kultur
Wie kommt das Christentum nach Mitteleuropa? Wie entsteht der Islam und wie breitet er sich aus? Wie drücken die Menschen ihren Glauben aus? ...

Gesellschaft
Welche Unterschiede gibt es zwischen reichen und armen Menschen? Was ändert sich durch das Aufkommen von Christentum und Schrift? ...

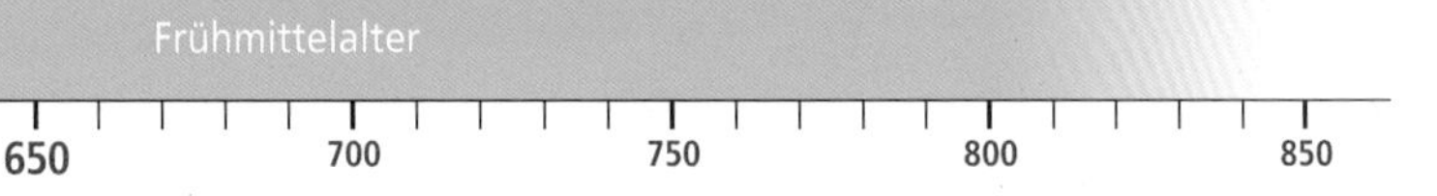

Das Christentum – ein neuer Glaube entsteht

M 1 Eine Schüler-Kritzelei, das sogenannte „Alexamenos-Graffito“
Rom, 2./frühes 3. Jh., links Foto, rechts Umzeichnung
Ein römischer Schüler hat hier seine Sicht auf das Christentum in die Wand geritzt.

Ein seltsamer Fund

Rom, 1857. Bei Grabungsarbeiten auf dem Palatin machen Forscher eine merkwürdige Entdeckung: Als sie den Schutt aus einem antiken Schulgebäude entfernt hatten, fanden sie an der Wand eine Kritzelei. Ein Junge erhebt seine Hand zu einem Kreuz. Dort hängt ein Mann, der mit einem Eselskopf dargestellt ist. Unter der Abbildung steht auf Griechisch: „Alexamenos betet (seinen) Gott an.“ Offenbar handelt es sich um eine Spott-Darstellung des gekreuzigten **Jesus Christus**. Sollte hier ein Schüler wegen seiner religiösen Orientierung „gemobbt“ werden?

Ein Gott, der sich ans Kreuz schlagen lässt? Aus Sicht der Römer passte diese Vorstellung nicht ins Schema: Ein solcher Gott muss ein Esel sein – und wer ihn anbetet, auch!

Mit dem **Christentum** trat jedoch eine neue Kraft in die Geschichte ein, die innerhalb weniger Jahrhunderte das Römische Reich grundlegend verändern sollte. Nach einer Zeit der Ausbreitung, aber auch der Verfolgung wurde das Christentum zur vorherrschenden Religion. Für Alexamenos wäre diese Entwicklung vermutlich völlig undenkbar gewesen.

Jesus Christus

Der neue Glaube wuchs schrittweise aus dem **Judentum** heraus. Jesus selbst wurde im jüdischen Glauben erzogen. Mit etwa 30 Jahren fing er an, mit seinen Jüngern durch Palästina zu ziehen und den Menschen die Botschaft des einen, liebenden Gottes zu verkünden. Nach etwa drei Jahren wurde Jesus von einigen Mitgliedern der jüdischen Gemeinde wegen Gotteslästerung angeklagt und von Pontius Pilatus, dem Vertreter der römischen Besatzungsmacht, zum Tode am Kreuz verurteilt. Doch dieses scheinbare Ende der Jesus-Bewegung wurde zugleich zu ihrem Anfang. „Jesus Christus, der Sohn Gottes und Erlöser, ist von den Toten auferstanden!“ – so bekannten es die Jünger und verbreiteten diese Botschaft als „Evangelium“ (griech. *eu-angelion*: gute Nachricht), im Römischen Reich.

Paulus: Jude – Römer – Apostel

Eine der wichtigsten Personen für die Ausbreitung des frühen Christentums ist Paulus. Er wuchs als Jude in Tarsus, der heutigen Türkei, auf und besaß das römische Bürgerrecht. Den ersten Christen stand er zunächst feindlich gegenüber. In einer dramatischen Lebenswende kam Paulus jedoch zu dem Ergebnis: Nicht das Gesetz des Moses und seine Befolgung macht den Menschen frei, sondern allein das Vertrauen auf Jesus Christus. Der Apostel Paulus (griech. *apostolos*: Gesandter) gilt als der wichtigste Theologe des frühen Christentums. Seine Briefe, die er den christlichen Gemeinden schickte, zählen zu den ältesten Schriften im **Neuen Testament** der Bibel.

M 2 Geheimzeichen der Christen
Grabinschrift aus einer Katakombe
Der Fisch war das Zeichen für die Zugehörigkeit zur christlichen Glaubensgemeinschaft. Das griechische Wort für Fisch heißt ICHTHYS. Hinter diesem Wort verbergen sich die Anfangsbuchstaben der Formel: Iesous Christos Theou (Gottes) Yios (Sohn) Soter (Retter).

M 3 Paulus an die Gemeinde von Korinth

Im Frühjahr des Jahres 54 n Chr. schreibt Paulus der christlichen Gemeinde in Korinth einen Brief:

Dass Jesus Christus am Kreuz für uns starb, muss freilich [...] unsinnig erscheinen. Wir aber, die gerettet werden, erfahren gerade durch diese Botschaft vom Kreuz die ganze Macht Gottes. [...] 5 Und so erfahren alle, die von Gott berufen sind [...], dass sich gerade in diesem gekreuzigten Christus Gottes Kraft und Gottes Weisheit zeigen. Was Gott getan hat, übersteigt alle menschliche Weisheit, auch wenn es unsinnig erscheint; und 10 was bei ihm wie Schwäche aussieht, übertrifft alle menschliche Stärke.

Die Bibel, 1. Korinther 1, 18 ff. (Einheitsübersetzung)

M 4 Der Apostel Paulus
Aus einer Handschrift der Paulusbriefe, Bodenseegebiet, frühes 9. Jh.
Die Inschrift lautet: „S(AN)C(TU)S PAULUS“ und „sedet hic scripsit“ („Er sitzt hier und schreibt“).

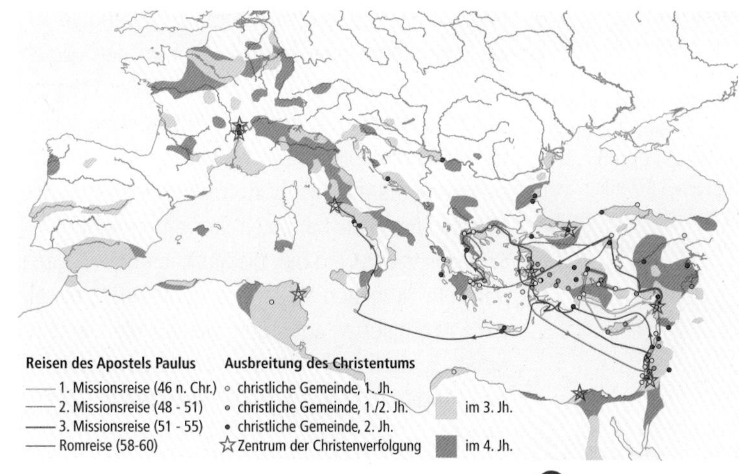

M 5 Das frühe Christentum und die Mittelmeerwelt

1. *Beschreibe und erkläre anhand der Karte M5 die Ausbreitung des Christentums.*
2. *In dem Auszug M3 aus einem Brief des Apostels Paulus zeigt sich das „Neue“, zugleich aber auch das „Problem“ des frühen Christentums. Erkläre dies.*
3. *Alexamenos ärgert sich über die Kritzelei seines Mitschülers. „Warum hat er das getan?“ Da kommt ihm die Bibelstelle M3 in den Sinn. Er beginnt zu verstehen. Stelle den Gedankengang von Alexamenos dar.*
4. *Stelle dar, welche Bedeutung Paulus für das Christentum hat.*

Augustus | Tiberius | Claudius | Nero
zwischen 7 und 4 v. Chr.: Geburt Jesu
Jesus von Nazareth
ca. 30 n. Chr.: Kreuzigung Jesu
Reisen und Briefe des Apostels Paulus
um 64 n. Chr.: vermutliche Hinrichtung des Paulus in Rom
20 v. Chr. | 10 v. Chr. | Chr. Geburt | 10 | 20 | 30 | 40 | 50 | 60 | 70 | 80

Christenverfolgungen

„Aber du bist doch ..." Sie konnte den Satz nicht zu Ende sprechen, denn er riss seine Hand hoch und hielt sie ihr vor den Mund. „Bitte!" Er blickte sich um. „Sprich das Wort hier nicht aus! Sie machen Jagd auf uns!" „Ich weiß. Ich sah, wie man gefangene Chr... – wie man sie abführt. Was hat man vor mit ihnen?" Er antwortete nicht gleich, sondern ließ den Blick über die Zelte, die Baracken und die vielen Menschen wandern, die mit den verschiedensten alltäglichen Dingen beschäftigt waren [...]. „Nun ... Niemand weiß Genaues ... Nicht einmal die Soldaten hier im Lager. Aber ich rechne mit dem Schlimmsten."

M1 „Als Rom brannte"
Jugendbuch von 2005
Rom steht in Flammen! Der Brand fordert Zigtausende Opfer, unzählige Menschen werden obdachlos.
Der Autor Hans Dieter Stöver hat sich die Geschichte der Handwerkertochter Fabia ausgedacht, die mithilfe des Griechen Seleukos den Brand Roms im Jahr 64 und die darauf folgende Christenverfolgung überlebt.

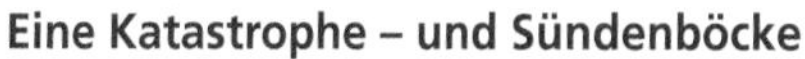

Eine Katastrophe – und Sündenböcke

Der Dialog aus einem Jugendbuch spielt im Sommer des Jahres 64 n. Chr. Ein verheerendes Feuer hatte große Teile Roms vernichtet. Diese Katastrophe regte die Fantasie der Römer an: Hartnäckig hielt sich das Gerücht, Kaiser Nero selbst hätte befohlen, den Brand zu legen.
Um dieses Gerede aus der Welt zu schaffen, so schreibt der Geschichtsschreiber Tacitus gut 50 Jahre nach den Ereignissen, habe Nero den Verdacht auf eine kleine Gruppe in Rom gelenkt, die sich ohnehin verdächtig gemacht hätte: die Christen. Auf Neros Befehl hin wurden sie – in Tierfelle genäht – von Hunden zerfleischt, als lebendige Fackeln verbrannt oder bei Zirkusspielen den wilden Tieren vorgeworfen. Für Tacitus war dieser Vorgang durchaus nachvollziehbar. Das Christentum sah er als verhängnisvollen Aberglauben an. Auch wenn sie mit dem Brand nichts zu tun hätten, hätten die Christen Roms die härtesten Strafen verdient.
Schlaglichtartig wird hier die Situation der Christen deutlich: Sie galten als „Menschenfeinde", die einem Aberglauben anhingen, der für die Gemeinschaft gefährlich ist. Warum konnte es zu derartigen Anschuldigungen und Verfolgungen kommen?

Christen waren anders

Die Christen lehnten den traditionellen Glauben und den Götterkult der Römer ab. Besonders sichtbar wurde diese Außenseiterposition angesichts des Kaiserkultes: Der römische Herrscher ließ sich als göttlich verehren, der Kult um seine Person bildete eine Klammer für die Einheit des Römischen Reiches. Den Christen war die Teilnahme an Opfern für den Kaisern unmöglich: Sie verehrten nur einen einzigen Gott, der in Jesus auf die Erde gekommen war.

Ausmaße der Verfolgungen

Zunächst waren die **Christenverfolgungen** im Römischen Reich – wie jene im Jahre 64 n. Chr. in der Hauptstadt Rom – auf einzelne Orte oder Regionen begrenzt. Sie ereigneten sich meist recht spontan. Später erstreckten sich die Maßnahmen, die gegen die Christen ergriffen wurden, auf das gesamte Imperium und wurden konsequenter umgesetzt.
Nach verschiedenen Verfolgungswellen im 2. Jh. erlebten die Christen in der ersten Hälfte des 3. Jh. zunächst ruhigere Zeiten. Doch dann wurde der Druck auf sie erhöht. Der schwelende Konflikt zwischen dem römischen Staat und dem christlichen Glauben wurde wieder lebensgefährlich. Besonders hart durchgegriffen wurde in den Christenverfolgungen zur Zeit der römischen Kaiser Decius (249-251), Valerian (253-260) und Diokletian (284-305). Angesichts der Bedrohung durch äußere Feinde erließ Kaiser Decius ein allgemeines Opferedikt: Wer die Götter Roms nicht verehrte und dem Kaiser das Opfer verweigerte, machte sich des Religionsfrevels und des Majestätsverbrechens schuldig. Als einige Christen durch die Verweigerung des Opfers auffielen, gerieten sie ins Zentrum der staatlichen Aufmerksamkeit.
Christen, die wegen ihres Glaubens getötet wurden, wurden **Märtyrer** („Blutzeugen") genannt. Viele noch heute gebräuchliche Namen – etwa Barbara, Katharina, Stefan oder Florian – gehen auf diese Märtyrer des frühen Christentums zurück. Vielleicht finden sich solche Namen auch in deiner Klasse.

M 2 Die Christenprobe des Plinius

In einem Brief aus dem Jahr 111 oder 112 n. Chr. an Kaiser Trajan berichtet Plinius, der Statthalter der Provinz Bithynien und Pontus, von seinem Vorgehen gegen die Christen:

Ich habe sie selbst gefragt, ob sie Christen seien. Wenn sie es zugaben, fragte ich ein zweites und ein drittes Mal, wobei ich mit der Todesstrafe drohte. Blieben sie bei ihrer Aussage, ließ ich sie 5 zur Hinrichtung abführen [...].

Die aber leugneten, Christen zu sein oder es gewesen zu sein, denen sprach ich vor, wie sie die Götter anrufen sollten, und zeigte ihnen, wie sie vor deinem Standbild, das ich mit den Götterbil- 10 dern hatte herbeischaffen lassen, mit Weihrauch und Wein zu opfern hatten, außerdem, wie sie Christus verfluchen sollten. Zu keiner dieser Handlungen lassen sich – so sagt man – die wahren Christen zwingen. Wer dies aber tat, den 15 glaubte ich freilassen zu müssen. [...]

Nicht nur über die Städte, sondern auch über die Dörfer und das flache Land hat sich die Seuche dieses Aberglaubens verbreitet. Es scheint aber, dass man sie noch aufhalten und lenken kann. Es 20 steht fest, dass die fast schon verödeten Tempel wieder besucht und die lange eingestellten feierlichen Opfer wieder aufgenommen werden. Das Opferfleisch, für das kaum noch ein Käufer gefunden wurde, wird überall wieder zum Verkauf an- 25 geboten. Daraus kann man leicht erkennen, welche Menge Menschen gebessert werden kann, wenn man die Gelegenheit zur Reue gibt.

Plinius, Briefe 10.96, ausgew. u. übers. von Klaus Gast

M 3 „Die vierzig Märtyrer von Sebaste“
Geschnitzte Elfenbeintafel (Relief), Byzanz, 10. Jh., 17,6 x 12,8 cm
Das Relief erzählt die Geschichte der „Vierzig Märtyrer von Sebaste“, die um 320 einer Christenverfolgung zum Opfer fielen. Diese Art der Geschichtserzählung nennt man „Märtyrerlegende“.

1. *Um herauszufinden, ob jemand ein Christ ist oder nicht, hat Plinius einen „Test“ entwickelt (M2). Erkläre ihn.*
2. *Recherchiere die Geschichte der „Vierzig Märtyrer von Sebaste“ (M3). Suche hierzu zunächst das Objekt in der Online-Datenbank der Staatlichen Museen zu Berlin: www.smb-digital.de. Von Märtyrerlegenden wird gesagt, dass sie einerseits einen „wahren Kern“ enthalten. Andererseits schmücken sie aber bewusst aus, um Vorbilder darzustellen. Erläutere dies.*
3. *Die antiken Quellen zur Christenverfolgung der Zeit Neros füllen bestenfalls einige Seiten. Das Buch „Als Rom brannte“ (M1) behandelt die Ereignisse aber auf über 200 Seiten. Erkläre, wie dies möglich ist. Vergleiche anschließend, wie ein Schriftsteller in einem historischen Jugendbuch und wie ein Historiker erzählt.*
4. *Auch heute noch werden Christen verfolgt. Recherchiere im Internet, welche Länder besonders betroffen sind. Erläutere die Gründe für Verfolgungen im 21. Jh.*

1. und 2. Jh.: meist örtlich begrenzte, unterschiedlich heftige Christenverfolgungen
64: Brand Roms
Nero beschuldigt Christen
250 bis 311: reichsweite Christenverfolgungen
Chr. Geb. 50 100 150 200 250 300 350

Von der verfolgten Sekte zur Staatsreligion

M1 „Erscheinung des Kreuzes“
Wandgemälde von 1524, entworfen von Raffael (1483-1520), gemalt von seinen Schülern
Papstpalast in Rom, Sala di Costantino
Kaiser Konstantin sieht eine Kreuzeserscheinung am Himmel.

[1] Siehe S. 150, M1.

Das Kreuz als Siegeszeichen

Mindestens hundert Jahre liegen zwischen der oben dargestellten Szene und dem Spott-Kruzifix, das sich gegen Alexamenos richtete.[1] Das Bild aus dem 16. Jh. versucht, eine spektakuläre Geschichte zu erzählen, die auf einem Ereignis im Jahre 312 beruht. In dessen Zentrum steht ein Kreuz – hier aber nicht als Zielscheibe für Hohn und Spott, sondern als Siegeszeichen. Wie war ein so grundlegender Wandel möglich?

Die Zeiten für Christen werden besser

Nach der letzten Verfolgung der Christen unter Kaiser Diokletian erließ sein Nachfolger Galerius im Jahr 311 ein Edikt, welches das Ende der Verfolgungen markiert. Es wird als „Toleranzedikt“ bezeichnet, weil es die Freiheit der Glaubensentscheidung für alle Religionen zum Ausdruck bringt. Zwei Jahre später, in der **Mailänder Vereinbarung** von 313, bestätigte Kaiser Konstantin I. diese Regelung. Konstantin steht in der Geschichtsschreibung für eine neue Zeit, die als **konstantinische Wende** bezeichnet wird. Denn in der Hinwendung Konstantins zum Christentum sind die Wurzeln der Verbindung von Staatsmacht und Kirche zu sehen, die dann für das gesamte Mittelalter bestimmend war.

Kaiser Konstantin – ein Christ?

Wann, wie und warum vollzog Konstantin seine Hinwendung zum Christentum? Diese Fragen sind schwieriger zu beantworten, als man meinen sollte. Immer wieder wird in diesem Zusammenhang folgende Geschichte erzählt: Konstantin soll am Himmel ein Kreuzzeichen erschienen sein, worauf zu lesen war: „Durch dieses siege!“

Eine andere Quelle berichtet: Kurz vor einer Schlacht gegen seinen Gegner Maxentius hatte Konstantin im Jahr 312 einen Traum. Darin wurde er aufgefordert, ein Christusmonogramm (die übereinandergeschriebenen griechischen Anfangsbuchstaben des Wortes „Christus“, X und P) an den Schilden seiner Soldaten anbringen zu lassen. Konstantin siegte daraufhin in der Schlacht an der Milvischen Brücke.

Das Bild M1 wurde über 1200 Jahre nach dem Ereignis gemalt. Was Konstantin tatsächlich sah, wissen wir natürlich nicht. Wichtiger ist auch, was er gesehen zu haben glaubte bzw. behauptete. Jedenfalls verbindet sich mit dieser Geschichte die Hinwendung Konstantins zum christlichen Glauben. In der geschichtswissenschaftlichen Forschung wird heute kaum von einer „Bekehrung“ ausgegangen, sondern vielmehr von einem längeren Prozess. Konstantin fand wohl erst über den Gott Apollo und den Sonnengott Sol Invictus zum christlichen Glauben. Erst am Ende seines Lebens ließ er sich taufen.

Kaiser Theodosius I.

Zur einzig erlaubten Religion im Römischen Reich wurde der christliche Glaube erst zur Zeit von Kaiser Theodosius I. Im Jahr 380 erließ Theodosius zusammen mit seinen Mitkaisern das Edikt „Cunctos populos“, das für alle Bewohner des Römischen Reiches den christlichen Glauben vorschreibt. In der Folgezeit wurde nun auch gegen die nichtchristlichen Religionen und ihre Anhänger vorgegangen. Die Religionsfreiheit im Römischen Reich war damit aufgehoben und das Christentum zur **Staatsreligion** geworden.

M2 Was sah Konstantin?

Der Bischof von Caesarea, Eusebios, (260/64-339) schreibt in seiner Biografie Konstantins über die Kreuzeserscheinung des Kaisers:

Und während er so flehentlich betete, erschien dem Kaiser ein überaus wunderbares Zeichen von Gott, das, wäre es ein anderer, der davon berichtete, kaum Aussicht hätte, auf Glauben zu 5 stoßen; weil aber der siegreiche Kaiser selbst, lange Zeit später, dem Verfasser dieser Lebensbeschreibung gegenüber, als dieser der persönlichen Bekanntschaft und des Umgangs mit ihm gewürdigt wurde, davon Mitteilung machte und seine 10 Darstellung eidlich bekräftigte, wer könnte zaudern, den Bericht für glaubwürdig zu halten, zumal, was nachher geschah, dessen Wahrheit bestätigte! Er erzählte, dass er um die Mittagszeit, als sich der Tag eben zu neigen begonnen, mit ei-15 genen Augen am Himmel, oberhalb der Sonne, das Siegeszeichen eines aus Licht gebildeten Kreuzes und darauf die Inschrift gesehen: „In diesem Zeichen siege!" [...] Weiterhin berichtete er, dass er darüber gegrübelt habe, was die Bedeu-20 tung dieses Zeichens sein möchte. Und während er fortfuhr, zu grübeln und nachzusinnen, sei die Nacht hereingebrochen; im Schlaf sei ihm dann der Christus Gottes erschienen mit dem Zeichen, das er am Himmel gesehen, und habe ihm befoh-25 len, ein Abbild des Zeichens [...] herzustellen und als Schutz zu gebrauchen, wann immer er mit den Feinden zusammentreffe.

Adolf Martin Ritter, Alte Kirche. Kirchen- und Theologiegeschichte in Quellen, Bd. I, Neukirchen-Vluyn 1977, S. 121 f.

M3 Religionsfreiheit

Bischof Eusebius (gest. 339) hat die „Mailänder Vereinbarung" Konstantins I. und seines Mitkaisers Licinius aus dem Jahre 313 überliefert:

Nach langer Überlegung haben wir entschieden, dass jeder Mensch die Freiheit haben soll, Christ zu sein und zu leben wie ein Christ. Darüber hinaus soll jeder Mensch die Freiheit haben, die Reli-5 gion anzunehmen, die er für richtig hält [...].

Zit nach: Hans-Georg Beck (Hrsg.), Leben in Byzanz. Ein Lesebuch, München 1991, S. 216 (vereinfacht)

M4 Das christliche Bekenntnis wird Gesetz

Theodosius (Kaiser 379-395) regelt im Jahr 380 das christliche Bekenntnis durch folgendes Gesetz:

Alle unter Unserer milden Herrschaft stehenden Völker sollen nach Unserem Willen demjenigen Glauben angehören, den der heilige Apostel Petrus den Römern mitgeteilt hat. Wir glauben 5 nämlich nach der Vorschrift der Apostel an die Göttlichkeit des Vaters, des Sohnes und des Heiligen Geistes in gleicher Erhabenheit und in göttlicher Dreieinigkeit. Diejenigen, die diesem Gesetze folgen, sollen den Namen katholische[1] Chris-10 ten führen, die übrigen aber, die Wir als töricht und wahnwitzig erklären, sollen als Abtrünnige vom Glauben mit Ehrlosigkeit bestraft und mit dem Zorne Gottes und dann nach Unserer Entscheidung mit einer Strafe belegt werden.

Zit. nach: Gottfried Härtel und Frank-Michael Kaufmann (Hrsg.), Codex Justinianus, Leipzig 1991, S. 29 (gekürzt und vereinfacht)

M5 Zweimal Kaiser Konstantin

① Goldmünze, geprägt 313. Vorne Konstantin, dahinter der Sonnengott Sol invictus. Die Legende lautet: INVICTVS CONSTANTINVS MA(ximus) AVG(ustus).
② Silbermünze, geprägt 315. Konstantin mit Siegerkranz um die Stirn. Dieser trägt das Christusmonogramm ☧. Legende Rückseite: SALVS REI PVBLICAE (Heil des Staates)

[1] **katholisch** (griech. katholikos): allgemein, für alle

1. *Stelle dir vor, ein Christ und ein Nichtchrist streiten im 4. Jh. über die Glaubwürdigkeit von M2. Wie sähe ihre Position aus?*
2. *Münzexperten sehen im Unterschied der beiden Münzen M5 einen Hinweis auf die konstantinische Wende. Erkläre, warum.*
3. *Das Wandbild M1 befindet sich im Papstpalast in Rom in einem Saal für offizielle Empfänge. Stell dir vor, der Auftrag an Raffael, das Bild zu malen, ist verlorengegangen. Darin werden das Motiv und der Ort des Bildes begründet. Verfasse diesen Auftrag.*
4. *„Niemand darf wegen seines Glaubens benachteiligt werden." Dieser Grundsatz steht im Grundgesetz der Bundesrepublik Deutschland. Vergleiche M3 und M4 und beurteile, welche Anordnung dem heute geltenden Recht näher steht.*
5. *Die Nachfolger von Theodosius I. bestraften die Anhänger nichtchristlicher Religionen. Aus dem Glauben der verfolgten Christen war dagegen eine Staatsreligion geworden. Sie beanspruchte alleinige Gültigkeit und setzte diese auch gewaltsam durch. Erkläre und bewerte diesen Vorgang.*

313: Mailänder Vereinbarung
312: Schlacht an der Milvischen Brücke
311: Toleranzedikt des Galerius
Kaiser Konstantin I. (270/288-337)
380: Edikt „Cunctos populos"
Kaiser Theodosius I. (347-395)
250 300 350 400

Spätantike: Vielfalt und Glaube an einen Gott

M 1 Götterbilder
① Kultrelief des Mithras. Osterburken, 3. Jh. n. Chr.
② Die „Kapitolinische Trias", die drei Götter Jupiter, Juno und Minerva. Sie werden im höchsten Heiligtum des Reiches, dem Tempel auf dem Kapitol in Rom, verehrt.
③ Gemme (geschnittener Halbedelstein) mit Abbildung von Kaiser Augustus, dem eine Göttin den Siegeskranz aufsetzt (Ausschnitt).

Ein „Marktplatz der Religionen"

Im römischen Weltreich trafen viele verschiedene Kulturen aufeinander. Daraus entwickelte sich eine fast unerschöpfliche Vielfalt religiöser Verhältnisse – ein Neben-, Mit- und Gegeneinander von Göttern und Kulten. Manchmal wird in diesem Zusammenhang der bildhafte Vergleich eines „Marktplatzes der Religionen" verwendet, auf dem „alt" und „neu" zusammentrafen.

Neben die traditionelle Götterwelt des römischen **Polytheismus** (griech. *polys*: viel; *theoi*: Götter) um Jupiter, Juno und Minerva traten im Laufe der Spätantike auch neue orientalische Mysterienkulte (griech. *mysterion*: Geheimnis) und ihre Götter, etwa der als „unbesiegbare Sonne" verehrte Gott Mithras. Der Mithraskult war insofern mysteriös, als jedes Mitglied zu strengster Geheimhaltung verpflichtet wurde. Dieses Nebeneinander verschiedenster religiöser Bräuche konnten die Römer durchaus so stehen lassen. Außer der Verehrung der Kapitolinischen Trias und des Kaisers gab es kaum allgemeinverbindliche religiöse Vorschriften. Solange die gesellschaftliche Ruhe nicht gefährdet war, bestimmten Duldung und eine gewisse Rücksichtnahme die Einstellung gegenüber den jeweiligen religiösen Überzeugungen und Gepflogenheiten der Reichsbewohner.

Gottes Wort:
Ich bin Jahwe, dein Gott, der dich aus Ägypten geführt hat, aus dem Sklavenhaus. Du sollst neben mir keine anderen Götter haben.
Altes Testament: 2. Buch Moses, Kap. 20, Vers 2f.

Monotheismus der Antike: Juden und Christen

Misstrauen und Vorurteile stellten sich auf römischer Seite allerdings dann ein, wenn eine Gottesvorstellung grundsätzlich von den römischen Vorstellungen abwich. Dies galt zunächst für das Judentum mit seinem Glauben an einen einzigen, allmächtigen Gott, der nicht dargestellt werden durfte. Juden und später auch die Christen standen somit der **religiösen Vielfalt** kritisch gegenüber. Sie widersprach den Grundlagen ihres Glaubens an den einen Gott, dem **Monotheismus**.

Das Christentum, welches aus dem Judentum hervorgegangen war, stellte bis in das 4. Jh. zunächst nur ein „Angebot" unter vielen auf dem religiösen Marktplatz der Spätantike dar. Besonders und provokativ am Christentum war: Es verehrte einen Menschen, den die römische Obrigkeit als Verbrecher hatte hinrichten lassen, nach dessen Tod und Auferstehung als Gott. Es bekannte ihn sogar als einzigen Weg zu Gott. Dieses Bekenntnis richtete sich an alle Bevölkerungsschichten im Imperium Romanum und verband diese zu einer Einheit. Die Botschaft bot den Gläubigen Halt und Hoffnung über den Tod hinaus. Freilich zogen diese Merkmale des Christentums immer wieder scharfe Kritik auf sich.

Polytheismus religiöse Vielfalt Monotheismus

Athenagoras (um 133 - 190), in seinem Buch „Bittschrift für die Christen“

Eure Götterbilder aus Holz und Stein beten wir nicht an. Sie sind nur taube und stumme Bilder.

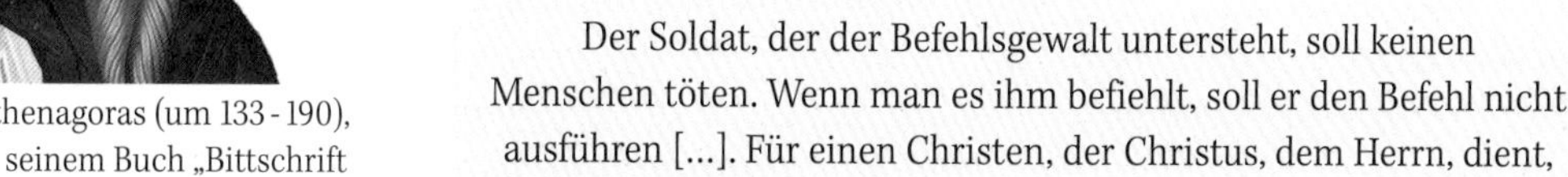

Der Soldat, der der Befehlsgewalt untersteht, soll keinen Menschen töten. Wenn man es ihm befiehlt, soll er den Befehl nicht ausführen [...]. Für einen Christen, der Christus, dem Herrn, dient, gehört es sich nicht, in weltlichen Heeren Militärdienst zu leisten.

Hippolyt von Rom (um 170-235), schrieb ein Buch über die Bräuche der frühen Gemeinden

Jesus, Gebet „Vaterunser“

Darum sollt ihr so beten: Unser Vater im Himmel! Dein Name werde geheiligt. [...] Dein Reich komme. Dein Wille geschehe wie im Himmel so auf Erden. Denn dein ist das Reich und die Kraft und die Herrlichkeit in Ewigkeit.

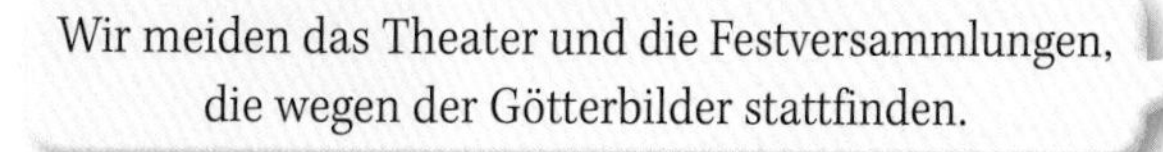

Wir meiden das Theater und die Festversammlungen, die wegen der Götterbilder stattfinden.

Lactanz (um 250 - 320), Verteidiger des Christentums gegen heidnische Gegner

Tatian (um 120 - 180) in „Rede an die Griechen“

Arme Menschen bekommen bei uns Unterricht, ohne etwas dafür bezahlen zu müssen. Denn wir dienen einem Gott, der uns umsonst mit allem, wozu wir fähig sind, beschenkt hat. [...] Wir kaufen auch kein Götzenopferfleisch, weil unser Gott kein Blut und keinen Rauch von verbranntem Opferfleisch benötigt.

Christen in der römischen Armee sind unzuverlässig!

Die Christen wollen, dass das Römische Reich untergeht. Sie sind Staatsfeinde.

Die Christen machen sich über unsere altehrwürdige römische Religion lustig und erkennen den Kaiser nicht an.

Die Christen bringen ganze Erwerbszweige um ihre Existenz!

Christen beteiligen sich nicht an den Festen und Feiern – sie sind eine lichtscheue, versteckte Brut!

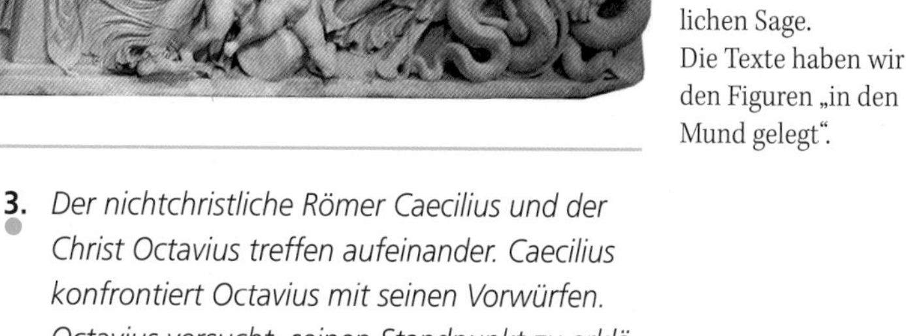

M 2 Römischer Steinsarg (Medea-Sarkophag)
Marmor, 2. Jh. n. Chr., gefunden in Rom
Der Sarkophag zeigt Szenen einer vorchristlichen Sage.
Die Texte haben wir den Figuren „in den Mund gelegt“.

1. *Ordne den frühchristlichen Standpunkten die möglichen Vorwürfe von nichtchristlicher Seite zu.*
2. *Erkläre, wie es zu den Vorwürfen kommen konnte, und beurteile, ob diese berechtigt sind.*
3. *Der nichtchristliche Römer Caecilius und der Christ Octavius treffen aufeinander. Caecilius konfrontiert Octavius mit seinen Vorwürfen. Octavius versucht, seinen Standpunkt zu erklären. Gestaltet eine Gespräch der beiden und tragt es vor der Klasse vor.*

Menschen erzählen Geschichte(n)

Ein neuer Schüler kommt in eure Klasse und wird gebeten, sich vorzustellen. Er nennt seinen Namen und beginnt zu erzählen, wie es dazu kam, dass er nun bei euch ist. Die Frage „Wer bist du?" wird mit einer Erzählung beantwortet, die zur Sprache bringt, was uns wichtig ist. Das verbindet die Menschen aller Zeiten und Kulturen. Erzählungen, in denen Menschen im Rückblick ihr Leben deuten, sind daher auch für Historiker interessant.

Als viele Menschen nicht lesen und schreiben konnten, nutzten sie zum Erzählen oft Bilder. Sie können erzählen, welchen Sinn Menschen ihrem Leben gegeben haben. Diesen Sinn kann man entschlüsseln. Dafür muss man die Erzählung in ihrem Zusammenhang (Kontext) verstehen. Dies kann in drei Schritten gelingen.

1. Schritt: Wie wird die Erzählung „aufbewahrt"?

- Um welche Quellengattung handelt es sich?
- Warum wurde gerade diese Quellengattung gewählt?
- Tipp: Auf den Methodenseiten in diesem Buch findest du Hinweise, wie verschiedene Quellen nach ihren Eigenarten genauer untersucht werden können.

2. Schritt: Von wem und wovon wird erzählt?

- Von welchen Personen wird erzählt?
- Welche Ereignisse werden in den Mittelpunkt der Erzählung gestellt?
- Tipp: Kontext beachten; Zusatzinformationen nutzen

3. Schritt: Warum wird erzählt?

- Warum erinnern sich die Menschen an diese eigentlich längst vergangene Geschichte?
- Wie deuten sie dadurch die Zeit, in der sie leben?
- Wie versuchen sie, ihrem Leben damit Sinn zu geben?
- Tipp: Kontext beachten; Zusatzinformationen nutzen

Wenn du eine Geschichtserzählung deuten sollst, kannst du diese Ausdrücke verwenden:

Das Bild erzählt die Geschichte von ... – Die Menschen kannten diese Erzählung, weil ... – Die Geschichte war den Menschen wichtig, denn ... – Aus der Erzählung lernen wir, dass ...

Geschichtserzählungen spielen auch für das Verständnis des frühen Christentums eine wichtige Rolle. Sehr eindrucksvolle Beispiele finden sich in der Katakombenmalerei. Katakomben waren unterirdische Friedhöfe, die auch von Christen genutzt wurden. Katakomben wirken auf heutige Benutzer spannend und geheimnisvoll. In der Antike waren sie aber keine geheimnisvollen Versammlungsorte oder gar Verstecke während der Christenverfolgungen. Denn geheim waren die Katakomben nicht, als Versteck also denkbar ungeeignet.

Ein Beispiel für eine ins Bild gesetzte Geschichtserzählung findet sich in der Katakombe in der Via Anapo in Rom.

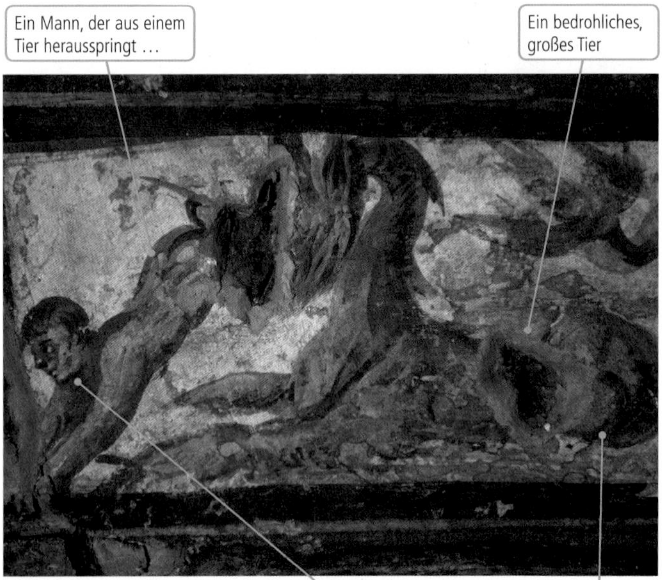

M1 Malerei in der Katakombe in der Via Anapo, Rom, 3. Jh. n. Chr.

Zusammengefasst kann man das Bild so deuten, dass in dieser Katakombenmalerei ein Mann dargestellt wird, der aus einer lebensbedrohlichen Situation entkommt, die auf dem Wasser spielt.

Aber wird hier von einem bestimmten Ereignis erzählt, oder ist nur allgemein von Rettung aus Not die Rede? Noch bleibt das Bild also rätselhaft. „Ein Bild sagt mehr als tausend Worte" – was aber ist das „Mehr" in diesem Bild? Welche Geschichte erzählt es?

Das „Mehr" des Bildes können wir erst verstehen, wenn wir es mit den Augen der Betrachter von damals zu sehen versuchen. Für einen Christen im 3. Jh. war auf den ersten Blick klar: Hier ist eine Szene aus der Geschichte von Jona aus dem Alten Testament der Bibel dargestellt. Und wenn er sich gut auskannte, wusste er, dass die Jona-Geschichte auch von Jesus erwähnt wurde. Dieses Zusatzwissen brauchen wir, um das Bild richtig zu deuten – wir nennen es Kontext.

M 2 Die Bibel als Kontext: zweimal Jona

a) Altes Testament: Jona gerät auf See in einen Sturm. Die Seeleute bekommen Angst und überlegen, was sie tun können:
Da nahmen sie Jona und warfen ihn ins Meer, und das Meer hörte auf zu toben. [...] Der Herr aber schickte einen großen Fisch, der Jona verschlang. Jona war drei Tage und drei Nächte im Bauch des Fisches, und er betete im Bauch des Fisches zum Herrn, seinem Gott. [...] Da befahl der Herr dem Fisch, Jona ans Land zu speien.

b) Neues Testament: Einige jüdische Gelehrte bitten Jesus, Ihnen ein Zeichen zu geben, dass er wirklich der Sohn Gottes ist. Jesus antwortet ihnen:
Diese böse und treulose Generation fordert ein Zeichen, aber es wird ihr kein anderes gegeben werden als das Zeichen des Propheten Jona. Denn wie Jona drei Tage und drei Nächte im Bauch des Fisches war, so wird auch der Menschensohn [= Jesus] drei Tage und drei Nächte im Innern der Erde sein.

a) Jon 1:12 - 2:11 – b) Mt 12:39 f. (Einheitsübersetzung)

So könnte deine Interpretation aussehen:

Die Katakombenmalerei M1 stellt einen wichtigen Teil der Geschichte von Jona dar: Nach dem Alten Testament (M2 a) wurde Jona von einem großen Fisch verschlungen. Im Gemälde wird er als Meeresungeheuer abgebildet. Jona verbrachte in seinem Bauch drei Tage und drei Nächte, bis er endlich an das rettende Ufer gespuckt wurde. Dieser Moment wird in M1 gezeigt. Im Neuen Testament (M2 b) bezieht Jesus diesen Teil der Jona-Geschichte auf sich selbst, nämlich auf seine Auferstehung vom Tod nach drei Tagen im Grab. Christen verstehen dies als Zuspruch, keine Angst vor dem Tod haben zu müssen.
In den Katakomben bestatteten römische Christen ihre Toten. Die Geschichte von Jona konnte ihre Trauer lindern: Sie erzählt von der Hoffnung auf Überwindung des Todes („Bauch") und ein Leben nach dem Tod („Ufer").

Jetzt bist du dran: Eine Bilderzählung im Kontext deuten

M 3 Malerei in der Giordani-Katakombe in Rom, 4. Jh. n. Chr.

M 4 Die Bibel als Kontext: die Geschichte von Daniel

Der Jude Daniel ist an den babylonischen Königshof entführt worden. Dort hält er an seinem Glauben fest. König Darius befiehlt: Jeder wird in eine Löwengrube geworfen, der zu einem anderen als dem König betet. Aber Daniel betet weiter zu Gott. Als seine Gegner ihn beim König verraten, muss dieser sein Gesetz umsetzen. Dabei hätte er Daniel gerne verschont.
Früh am [nächsten] Morgen, als es gerade hell wurde, stand der König auf und ging in Eile zur Löwengrube. Als er sich der Grube näherte, rief er mit schmerzlicher Stimme nach Daniel und fragte: Daniel, du Diener des lebendigen Gottes! Hat dein Gott, dem du so unablässig dienst, dich vor den Löwen erretten können? Daniel antwortete ihm: O König, mögest du ewig leben. Mein Gott hat seinen Engel gesandt und den Rachen der Löwen verschlossen. Sie taten mir nichts zuleide; denn in seinen Augen war ich schuldlos, und auch dir gegenüber, König, bin ich ohne Schuld. Darüber war der König hoch erfreut und befahl, Daniel aus der Grube herauszuholen. So wurde Daniel aus der Grube herausgeholt; man fand an ihm nicht die geringste Verletzung, denn er hatte seinem Gott vertraut.

Dan 6:20-24 (Einheitsübersetzung)

Auch M3 erzählt eine (Hoffnungs-)Geschichte. Deute sie mithilfe der genannten Arbeitsschritte.

Warum zerfällt das Römische Reich?

M 1 **Standbild der „Tetrarchen“**
Statuengruppe aus rotem Marmor am Dom zu Venedig, Höhe 1,30 m, 300 n. Chr. Tetrarchen heißt „Zu-Viert-Herrscher“.

Das überforderte Imperium

Im Jahr 476 n. Chr. wurde der letzte Kaiser in Rom abgesetzt. Sein Name war Romulus Augustulus: Er hieß also wie der Gründer Roms (Romulus) und fast so, wie der erste Kaiser (Augustulus bedeutet „kleiner Augustus"). Aber wie konnte es so weit kommen, dass Rom, einstmals Hauptstadt eines Weltreiches, nun nicht einmal mehr Sitz eines Kaisers war?

Ein Grund dafür ist gerade die Größe des Römischen Reiches, des Imperium Romanum. Solange die Zeiten friedlich waren, konnte die rund 15 000 km lange Grenze des Imperium verteidigt werden. In unruhigen Zeiten ging das nicht mehr. Den Römern blieb nichts anderes übrig, als immer mehr Nichtrömer in die Armee aufzunehmen, auch als Offiziere. Diese „Barbaren" in römischen Diensten wurden bald unverzichtbar und konnten entscheidend in Auseinandersetzungen eingreifen.

Vier Kaiser und zwei Reichsteile

Im Verlauf des 3. Jh. kamen immer häufiger militärische Befehlshaber an die Macht. Zumeist regierten diese „Soldatenkaiser" aber nicht lange. Häufig bekämpften sie sich mithilfe nichtrömischer Offiziere und Truppen gegenseitig. Dadurch wurde die Verteidigung des Limes vernachlässigt und germanische Stämme konnten die Grenze überschreiten.

Die Idee des Diokletian, selbst ein „Soldatenkaiser", vier Kaiser miteinander herrschen zu lassen (Tetrarchie), konnte sich nur kurz durchsetzen. Konstantin[1] ließ nicht nur die unter Diokletian verbreitete Christenverfolgung beenden, sondern auch die Tetrarchie. Unter Theodosius wurde das Christentum 391 Staatsreligion. Derselbe Theodosius ließ auch das Reich unter seinen beiden Söhnen aufteilen. Ab 395 gab es ein **Westrom** und ein **Ostrom**.

Ein erobertes Rom und ein „neues Rom"

Als im Jahr 375 die Hunnen in Europa einfielen, verschärfte sich eine seit Jahrzehnten bestehende Wanderungsbewegung einiger germanischer Stämme: die sogenannte **Völkerwanderung**. Das geschwächte Weströmische Reich konnte sich immer weniger gegen die Ausdehnung dieser Germanenstämme wehren. Im Jahr 410 eroberten die Westgoten Rom. 476 schließlich endete das Reich im Westen. Im Osten entstand ein eigenes Reich, das **Byzantinische Reich**. Hier gab es weiterhin einen römischen Kaiser und auch sonst versuchte man, das frühere Reich weiterzuführen: Die von Konstantin gegründete Hauptstadt Konstantinopel hieß nun Byzanz und wurde als „neues Rom" verstanden. Das Byzantinische Reich konnte viel länger als das Weströmische Reich bestehen – bis 1453.

M 2 **Waffenfunde aus Weingarten**
In vielen Gräbern germanischer Stämme wurden Waffen als Beigaben gefunden.

[1] Siehe S. 154.

Exkursionstipp:
Alamannen-Museum Weingarten
31041-22

Ostrom/Westrom   Völkerwanderung   **Byzantinisches Reich**

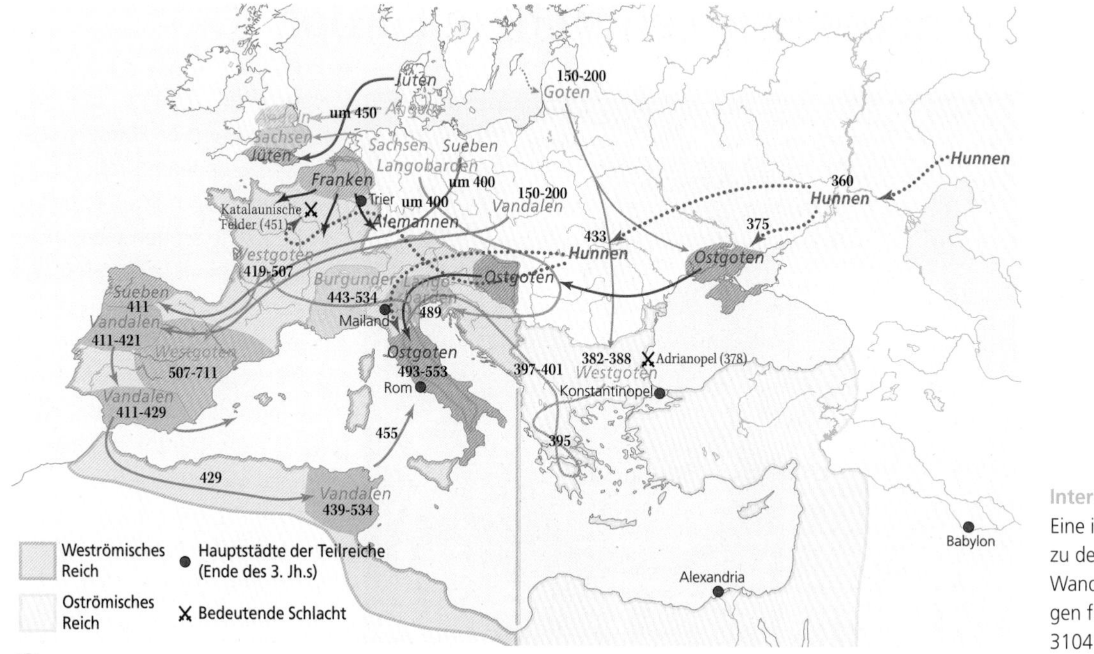

M 3 „Völkerwanderung" und germanische Reichsgründungen, 4. bis 6. Jh.

Internettipp:
Eine interaktive Karte zu den germanischen Wanderungsbewegungen findest du unter 31041-23

M 4 Die Goten nehmen Rom ein (410 n. Chr.)

Der Geschichtsschreiber Jordanes ist Römer gotischer Abstammung und lebt um 550 n. Chr.:

Nachdem die Goten viel Beute gemacht hatten, verwüsteten sie die Region Aemilia und eilten auf der Via Flaminia bis nach Rom. Dabei plünderten sie alles, was sich zu beiden Seiten der Straße befand. Schließlich marschierten sie in Rom ein und raubten auf Befehl ihres Anführers Alarich die Stadt aus. Sie legten aber kein Feuer, wie es die Barbarenvölker ansonsten tun, und sie ließen es auch nicht zu, dass den Stätten der Heiligen in irgendeiner Weise Unrecht widerfahre. Von Rom zogen sie dann nach Kampanien ab und fügten der Region Lucanien ähnlichen Schaden zu.

Jordanes, Gotengeschichte, 30.155-156, zit. nach: Hans-Joachim Gehrke und Helmuth Schneider (Hrsg.), Geschichte der Antike. Quellenband, Stuttgart 2007, S. 363 (gekürzt und vereinfacht)

M 5 Zusammenbruch oder Umwandlung?

Der Historiker Rene Pfeilschifter über das Ende des Weströmischen Reiches:

Die Unruhe ging aber nicht so weit, dass das Funktionieren der römischen Städte grundsätzlich beeinträchtigt wurde. [...] Auch die Stadt des sechsten Jahrhunderts war noch eine antike Stadt. Die Frage nach Transformation oder Niedergang ist also nicht einfach zu beantworten. Es gab Städte, die recht stabil in die nachrömische Zeit kamen, während Nachbarorte verlassen wurden. Es ist dann doch festzustellen, dass die antike Stadt am Schluss überall unterging, so wie auch die Antike unterging – nicht in friedlicher Transformation, sondern in oft gewaltsamem Zivilisationsbruch. [...] Nur Britannien war der römischen Welt vollkommen entrückt. Überall sonst dominierte um das Jahr 500 noch das Lateinische. Römische Kultur, Lebensart und selbst der Glaube an Rom verschwanden nicht von heute auf morgen. Die Eroberer vermischten sich zwar nicht mit der römischen Provinzbevölkerung, aber sie öffneten sich der römischen Zivilisation.

Rene Pfeilschifter, Die Spätantike. Der eine Gott und die vielen Herrscher, München 2014, S. 154 und 191

1. *Nenne Gründe, warum das Weströmische Reich aufhörte zu bestehen (Darstellung, M2-M4).*
2. *Erkläre mithilfe der Karte M3, warum sich das Byzantinische (= Oströmische) Reich deutlich länger halten konnte.*
3. *Erörtere, welchen Begriff für das Ende des Weströmischen Reiches du passender findest – Zusammenbruch oder Umwandlung (M4-M5).*
4. *Zwei Goten stehen vor dem Tetrarchen-Standbild (M1) und unterhalten sich darüber, wie die dargestellten Herrscher auf sie wirken. Schreibe ein solches kurzes Gespräch.*

311/13: Christen dürfen ihren Glauben offen ausüben
391: Das Christentum wird alleinige Staatsreligion
395: Teilung des Römischen Reiches
410: Die Westgoten plündern Rom
476: Der letzte weströmische Kaiser wird abgesetzt

300 350 400 450 500

Ein neues Reich entsteht in Europa

M1 Bischof Remigius von Reims tauft Chlodwig
Buchmalerei aus einer französischen Chronik, 14. Jh.

Das Reich der „langhaarigen Könige"

Was kam, nachdem das Römische Reich im Westen auf dem Rückzug war? Auf dem Gebiet der heutigen Staaten Frankreich, Niederlande und Belgien entstanden viele kleinere Königreiche von Germanenstämmen. Eines davon konnte sich dauerhaft halten: das **Frankenreich**. Aber wer waren die Franken und warum hatten gerade sie Erfolg?
Die Franken waren keine einheitliche Gruppe, sondern eine bunte Mischung aus Menschen verschiedener Herkunft. Der Name bedeutet „die Mutigen" oder „die Frechen". Ab etwa 250 n. Chr. waren sie den Römern unter diesem Namen bekannt. Die Franken galten als tapfere Krieger und waren lange Zeit gefragte Verbündete für die Römer, ab dem 5. Jh. wurden sie scharfe Konkurrenten.
Während in Rom die Tetrarchen um ihre Macht bangten, entstand am Niederrhein ein neues Reich. Eine wichtige Rolle spielten hierbei die fränkischen Könige. Sie waren erfahren im Krieg und schreckten auch nicht vor brutalem Verhalten zurück. Der bedeutendste unter ihnen war Chlodwig (König 482-511). Seine Macht und sein Recht, König zu sein, kamen daher, dass er über das **Königsheil** verfügte: Die Franken glaubten, er könne wegen seiner besonderen Kräfte Kriege gewinnen und Kranke heilen. Diese Kräfte schrieb man seinen langen Haaren zu und seinen Ahnen: Chlodwig und seine Verwandten stammten, wie sie selbst behaupteten, von einem Seeungeheuer ab, das Merowech hieß. Darum nannten sie sich die **Merowinger**.

Der getaufte Frankenherrscher

Eine ebenso große Rolle für den Erfolg des Frankenkönigs spielte das Christentum. Bis ins 5. Jh. gab es vor allem katholische Römer und arianische Germanen (sie waren auch Christen, glaubten aber, dass Jesus Christus nur ein Mensch war), sowie heidnische Germanen. Chlodwig trat nach einer überraschend gewonnenen Schlacht dem katholischen Christentum bei und ließ sich vom Bischof von Reims 498 taufen.

Fränkisch und römisch

Chlodwig hat ein Reich geschaffen, das sich bei seinem Tod nahezu über die gesamte ehemalige Provinz Gallien erstreckte. Dieses Reich wurde dem Römischen Reich immer ähnlicher: Als katholischer Herrscher ahmte Chlodwig die Römer nach. Ebenso ließ er das Gesetz der Franken, die Lex Salica, nach römischem Vorbild aufschreiben. Der Kaiser des Oströmischen Reiches ließ Chlodwig eine Purpur-Tunika überreichen und ernannte ihn zum Ehren-Konsul. Als „Hauptstadt" wählte Chlodwig die römisch geprägte Stadt Soissons. Die Historiker sagen, Chlodwig hat die **Reichsidee** kopiert: Das Frankenreich wurde eine Art „Römisches Reich ohne Rom". Diesen Vorgang nennt man „Translatio Imperii" – „Übertragung der Reichsidee".

Frankenreich Königsheil Merowinger Reichsidee

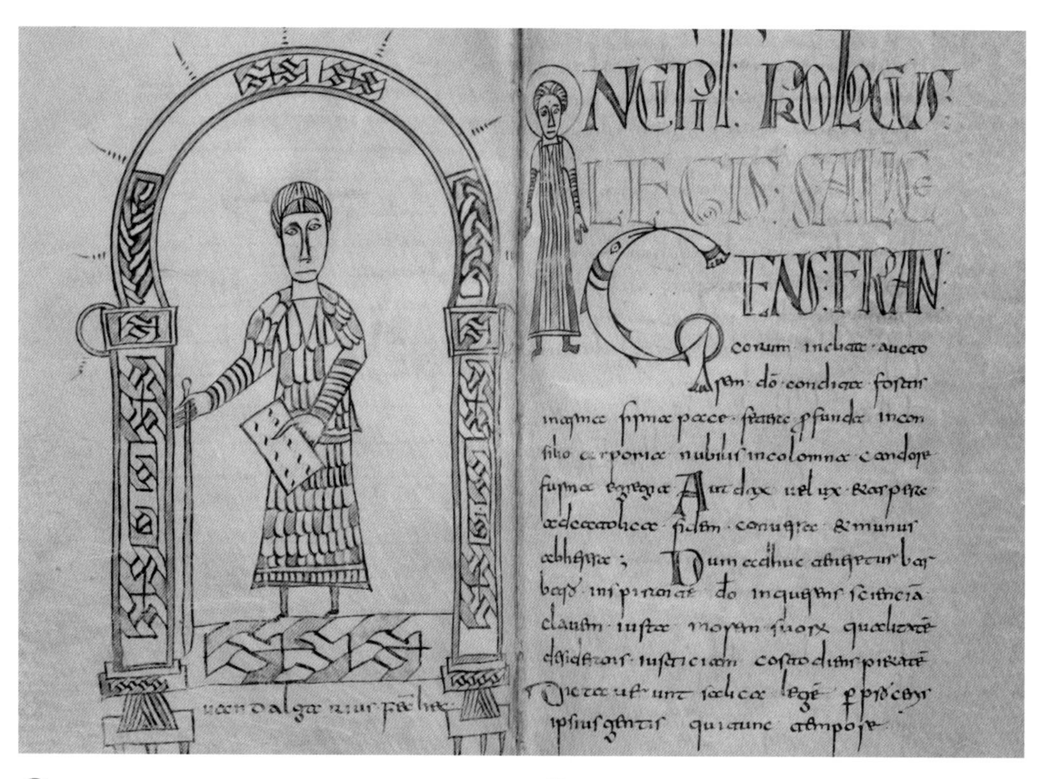

M2 Der Herrscher als Gesetzgeber
Handschrift des fränkischen Gesetzbuches „Lex Salica", entstanden um 793 im Kloster St. Gallen
Nachdem zuvor ein mündlich weitergegebenes „Gewohnheitsrecht" galt, ließen die fränkischen Könige das Gesetz aufschreiben. Das Bild zeigt den Herrscher mit einem Gesetzbuch in der Hand.

M3 Chlodwig wird geehrt

Gregor von Tours (538-594) ist Bischof und Geschichtsschreiber:

Nach seinem Sieg über die Westgoten erhielt Chlodwig vom [oströmischen] Kaiser Anastasius eine Ernennung zum Konsul. In der Kirche des heiligen Martinus legte er Purpurrock und Mantel an und schmückte sein Haupt mit einem Diadem. Dann bestieg er ein Pferd und streute unter das anwesende Volk Gold- und Silbermünzen auf dem ganzen Weg von der Martinuskirche bis zur Bischofskirche der Stadt. Von diesem Tag an wurde er Konsul oder Augustus genannt.

Gregor von Tours, Historiae II.38, zit. nach: Matthias Becher, Merowinger und Karolinger, Darmstadt 2009, S. 8 (gekürzt und vereinfacht)

M4 Wie groß war das Reich der Merowinger?

Theudebert I. (gest. um 548), ein Enkel Chlodwigs, informiert den byzantinischen Kaiser Justinian über seine neuesten Eroberungen:

Durch Gottes Gnade sind die Thüringer unterworfen und ihre Provinzen erobert, ihre früheren Könige ausgerottet. Infolgedessen hat auch das Volk der Nordschwaben sich vor uns verneigt, und ebenso sind durch Gottes Gnade die Westgoten besiegt. Einschließlich der Sachsen und Jüten, die sich uns freiwillig ergeben haben, erstreckt sich unsere Herrschaft von der Donau, der Grenze Pannoniens [heutiges Ungarn] bis zu den Küsten des Ozeans.

H. Stöbe, Die Unterwerfung Nordwestdeutschlands durch die Merowinger und die Lehre von der sächsischen Eroberung. Wiss. ZS d. Friedrich-Schiller-Univ. Jena. GSR 6, 1956/57, S. 160 f.

1. *Untersuche M3 darauf, welche römische Ideen und Begriffe bei der Ehrung Chlodwigs eine Rolle spielten.*
2. *Warum ist Chlodwig Herrscher der Franken? Begründe mithilfe von Darstellungstext, M1 und M2.*
3. *Erkläre mithilfe von Darstellungstext und M3, was „Translatio Imperii" bedeutet.*
4. *Arbeite aus den Quellen M2-M4 heraus, welche Taten für einen fränkischen König wichtig waren. Beurteile die Glaubwürdigkeit der einzelnen Quellen.*

496: Taufe Chlodwigs
Franken heidnisch ... ... Franken christlich
450 500 550 600 650 700 750 800

Neue Herrscher in Rom und im Frankenreich

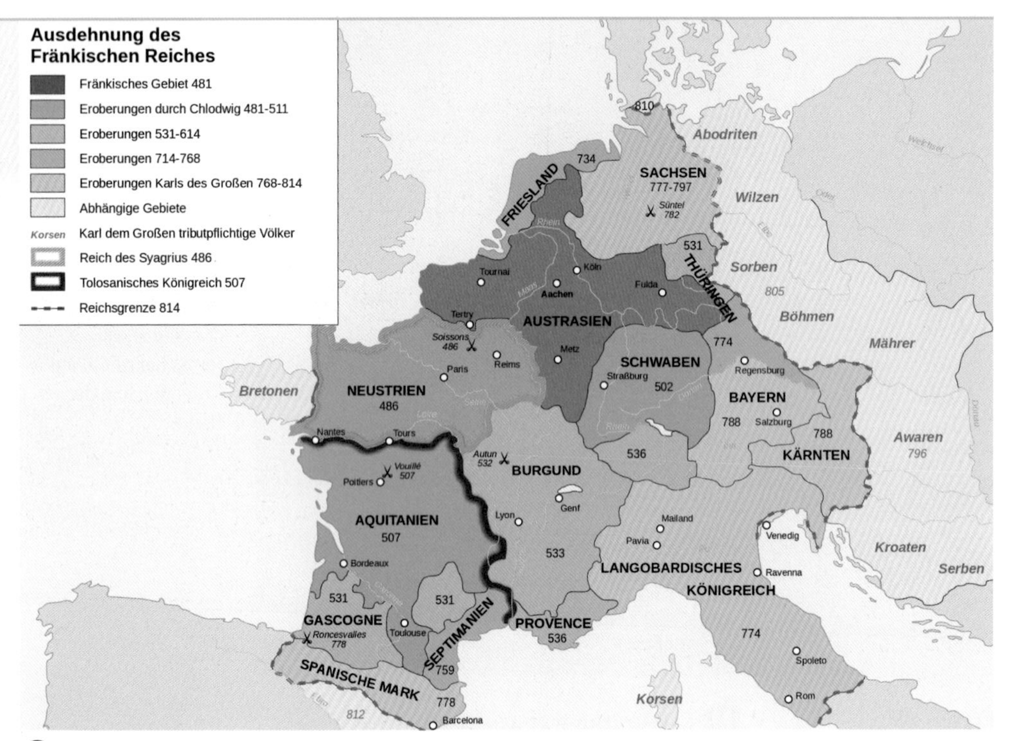

M 1 Das Frankenreich vom 5. Jh. bis zum Tod Karls des Großen 814
Karte von 2015
Die unterschiedlichen Grüntöne zeigen die Stufen, in denen sich das Reich ausgedehnt hat.

Mächtiger als der König

Wer soll herrschen? Derjenige, der das Recht dazu hat, oder der, der wirklich am mächtigsten ist? Diese Frage stellte sich vermutlich in den meisten Königreichen schon einmal. Für das Frankenreich wurde sie entscheidend, denn durch sie kamen neue Herrscher ans Ruder.

Auch wenn im 8. Jh. die Merowinger das Frankenreich regierten, waren es die Hausmeier („Verwalter"), die die Macht in Franken besaßen. Bereits Karl Martell[1] war einflussreicher als alle anderen Adligen im Land: Seine Konkurrenten bekämpfte er mit militärischer Gewalt und er ließ sich als Princeps Francorum („Erster/Vornehmster der Franken") anreden – und das, obwohl es zugleich einen fränkischen König gab!

Sein Sohn Pippin wollte eine Entscheidung herbeiführen. So ließ er im Jahr 751 beim Papst anfragen, ob ein machtloser König – gemeint war der Merowinger Childerich III. – überhaupt König sein darf. Der damalige Papst Zacharias war gerade in Schwierigkeiten und brauchte militärische Unterstützung. Deswegen entschied er zugunsten Pippins. Der ließ sich sofort in Franken zum König ausrufen. Danach wurde der neue Frankenkönig mit heiligem Öl gesalbt, wie es schon bei den Königen im Alten Testament geschehen ist. Das sollte zeigen, dass Pippin nicht nur wegen seiner vornehmen Abstammung oder seiner Tüchtigkeit Herrscher ist, sondern weil Gott es so will. Diese Idee nennt man **Gottesgnadentum**. Der bislang amtierende Merowinger-König Childerich wurde abgesetzt und in ein Kloster gebracht. Zuvor wurden ihm seine langen Haare abgeschnitten. Von nun an regierten Pippin und seine Nachkommen, sie wurden **Karolinger** genannt.

Pippin und der Papst

Lediglich zwei Jahre nach Pippins Salbung brauchte der Papst, jetzt Stephan II., wieder die Hilfe der Franken. In zwei Kriegszügen schaffte es Pippin, den germanischen Stamm der Langobarden aus der Gegend um die Stadt Ravenna zu vertreiben. Das so eroberte Land schenkte er, zusammen mit Gebieten um Rom, dem Papst. Um zu beweisen, dass es eine solche „Pippin'sche Schenkung" wirklich gab, wurde eigens eine Urkunde angefertigt. Der Papst wurde jedenfalls dadurch deutlich einflussreicher.

Schon in den Jahrhunderten vorher war der „Nachfolger des Petrus" mehr geworden als nur Bischof von Rom. Jetzt aber war er oberster Entscheidungsträger in kirchlichen Fragen und ein Herrscher mit eigenem Land, dem Kirchenstaat. Das **Papsttum** wurde zur neuen Macht und Rom auf neue Art wieder bedeutsam.

[1] Siehe S. 172.

M 2 Wer soll im Frankenreich herrschen?

Die Annalen (= jährliche Aufzeichnungen) des Frankenreiches verzeichnen für das Jahr 749:

Bischof Burchard von Würzburg und der Kaplan Fulrad wurden zu Papst Zacharias gesandt, um wegen der Könige im Frankenreich zu fragen, die damals keine Macht mehr hatten: ob das gut sei oder nicht. Und Papst Zacharias ließ Pippin ausrichten, es sei besser, denjenigen als König zu bezeichnen, der die Macht habe, statt den, der ohne Macht blieb, damit die Ordnung nicht durcheinander gerate. Mit seiner Autorität als Papst befahl er, Pippin zum König zu erheben.

Zit. nach: Reinhold Rau, Quellen zur karolingischen Reichsgeschichte, Bd. 1, Darmstadt 2008, S. 15 (leicht vereinfacht)

M 3 Childerich III., der letzte Merowinger

Der fränkische Gelehrte Einhard schreibt über das Ende der Merowinger-Herrschaft:

Das Geschlecht der Merowinger, aus dem die Franken ihre Könige wählten, endete mit König [C]Hilderich, der auf Befehl des Papstes Zacharias abgesetzt, danach geschoren und ins Kloster geschickt wurde. Aber die Herrschaft der Merowinger war schon längst ohne Lebenskraft und hatte außer dem Königstitel nichts Ruhmvolles mehr an sich. Denn die Regierungsgewalt war in den Händen der Pfalzvorsteher, die Hausmeier genannt wurden. Dem König blieb nichts übrig, als mit dem bloßen Titel eines Königs, mit langen Haaren und ungeschorenem Bart auf dem Thron zu sitzen und den Herrscher zu spielen. Außer dem nutzlosen Titel und einem unsicheren Lebensunterhalt, den er vom Hausmeier zugeteilt bekam, besaß er noch ein einziges wenig einträgliches Hofgut, auf dem er ein Wohnhaus und wenige Knechte hatte.

Zit. nach: Heinz Dieter Schmid (Hrsg.), Fragen an die Geschichte, Bd. 1, Frankfurt am Main 1979, S. 190 (gekürzt und vereinfacht)

M 4 Childerich III. wird geschoren
Holzschnitt, 19. Jh.

M 5 Fränkischer Lanzenreiter
Buchmalerei, 9. Jh.
Ihre Macht verdankten die Karolinger ihrer Armee, vor allem den gepanzerten Reitern. Aus ihnen gehen die späteren Ritter hervor.

1. *Erkläre, warum Pippin dem unterlegenen König Childerich III. die Haare scheren ließ (Darstellung, M3, M4).*
2. *Ein Blick auf die Karte M1 zeigt, dass das Frankenreich sich stetig ausgedehnt hat. Stelle in eigenen Worten dar, wodurch die Karolinger ihre Macht vergrößert haben (M1, M3, M5).*
3. *Vergleiche die Idee des Königsheils mit derjenigen des Gottesgnadentums. Worin liegen die jeweiligen Vorteile und Nachteile?*

Der neue Glaube kommt nach Mitteleuropa

M 1 Der Hl. Bonifatius missioniert und stirbt als Märtyrer
Buchmalerei (15,8 x 7,2 cm) aus Fulda, um 975
Das Bild zeigt zwei Szenen aus dem Leben des Hl. Bonifatius.

Info: Vaterunser
So schrieb es vor 1200 Jahren ein Mönch am Bodensee in der damaligen deutschen Sprache („uu" ist „w"):
Fater unsar, thû pist
in himile,
uuihi namun dînan.
qhueme rîhhi dîn.
uuerde uuillo diin,
sô in himile sôsa in
erdu.
prooth unsar emezîch
kip uns hiutû.
oblâz uns sculdî unsarô,
so uuir oblâzem uns
sculdîkêm.
enti ni unsih firleiti in
khorunka.
ûzzer lôsi unsih fona
ubile. – Amen.

Der heilige Gallus und der Bär

Als Gallus sich nach dem Essen ans Lagerfeuer zum Schlafen legte, kam ein Bär und fraß die Reste seiner Mahlzeit. Gallus erwachte und befahl dem Bären, damit aufzuhören und stattdessen Holz zu sammeln und beim Feuer nachzulegen. Der Bär gehorchte.

Diese Legende (Heiligenerzählung) entstand um das Jahr 610. An der Stelle, wo dies angeblich geschah, steht heute die Schweizer Stadt St. Gallen. Deren Stadtwappen zeigt einen Bären, der Holz sammelt. Aber wer war dieser Gallus? Wo kam er her und was tat er in der Nähe des Bodensees? Gallus war ein Schüler des irischen Mönches Kolumban. Beide kamen in das heutige Süddeutschland und die Nordschweiz, um ihren Glauben, das Christentum, dort zu verbreiten.

Mitteleuropa wird christlich

Diesen Vorgang nennt man **Missionierung**. Vom späten 6. Jh. an kamen weitere Mönche aus Irland oder Schottland und gründeten Klöster (Pirmin auf der Reichenau, Emmeram in Regensburg). Die einzelnen Kirchen wurden zu Bistümern („Gemeinschaften") zusammengefasst, auch hier wirkten die Missionare mit. Aus vielen Kirchen wurde die **Kirche**. Im 8. Jh. waren es dann vor allem englische Mönche wie Bonifatius, der ursprünglich Winfried hieß, die in der Mitte und im Nordosten des heutigen Deutschland wirkten. Bonifatius wurde von den fränkischen Hausmeiern[1] unterstützt, die ein Interesse daran hatten, heidnische Germanen zu Christen zu machen. So hatten die Herrscher und ihre Untertanen die gleiche Religion. Im Fall des Bonifatius nahm dieser Versuch zuletzt einen tödlichen Ausgang: Als er den Friesen das Christentum bringen wollte, wurde er erschlagen.

Das Christentum, die Klöster und das Alphabet

Dass Gallus, wie auch andere Missionare, es mit wilden Tieren zu tun bekam, war kein Zufall. Die Landschaft Mitteleuropas war noch kaum von Menschen bewohnt. Es gab große Wald- und Sumpfgebiete und alle Arten wilder Tiere, darunter Wölfe und Bären. Viele der neu gegründeten Klöster veränderten das Land in ihrer Umgebung. Die Mönche legten Felder, Gärten und Fischteiche an, ließen Straßen und Wege bauen und schufen so oft den Anfang einer Zivilisation.

Wir wissen heute über all dies so gut Bescheid, weil die Missionare etwas ungeheuer Wichtiges mitgebracht haben: das lateinische **Alphabet**. Zuvor konnte kaum ein Germane oder Franke lesen. Es gab zwar eine Schrift (Runen), aber es war mühsam und zeitraubend, diese zu schreiben. Durch das Christentum, das eine „Buchreligion" ist, kam die lateinische Sprache und das Alphabet, wie wir es heute noch verwenden, in unsere Gegend. Um 750 entstanden dann die ersten Texte auf Deutsch – als einer der ältesten das Vaterunser.

[1] Siehe S. 164.

Missionierung Kirche Alphabet

M2 Handschrift einer Klosterregel
Aus der Bibliothek des Klosters St. Gallen
Dieses Buch ist um 790 in lateinischer Sprache abgeschrieben worden. Damit auch Mönche, die kein Latein konnten, etwas verstehen, sind zwischen den Zeilen Worterklärungen und Übersetzungen in früher deutscher Sprache (Althochdeutsch) eingetragen.

M4 Reliquiar von Ennabeuren
Höhe 8,9 cm, Breite 8,6 cm, um 650
In solchen kleinen Behältern wurden kostbare Reliquien – also Überreste von Heiligen wie z. B. Knochensplitter oder Teile der von ihnen getragenen Kleidung – aufbewahrt und transportiert. Die Umhüllung mit vergoldetem Kupferblech zeigt, wie wichtig den Menschen diese Reliquien waren.

M3 Eine päpstliche Empfehlung

Den Missionaren, die zur Bekehrung der germanischen Völker in England aufgebrochen sind, sendet Papst Gregor I. diesen Rat:

Man soll die heidnischen Tempel des Volkes nicht zerstören, sondern nur die Götzenbilder darin. Dann soll man die Tempel mit Weihwasser besprengen, Altäre errichten und Reliquien niederlegen. Denn wenn diese Tempel gut gebaut sind, ist es gut, sie von Orten des Dämonenkults zu Orten der Verehrung des wahren Gottes umzuwandeln. Wenn das Volk sieht, dass seine Tempel nicht zerstört sind, wird es umso eher den Irrtum aus seinem Herzen verbannen und den wahren Gott anbeten. Auf keinen Fall darf man den heidnischen Menschen nämlich alles auf einmal nehmen, da sie sonst zu Trotz und Widerwillen neigen.

Beda Venerabilis, Kirchengeschichte Englands I.30 (übers. von Markus Benzinger, vereinfacht)

M5 Wie christlich waren die Menschen nach der Missionierung?

Zu den wenigen erhaltenen Texten in deutscher Sprache aus dem frühen Mittelalter gehören Zaubersprüche und Segen:

Zweiter Merseburger Zauberspruch:

Phol und Wotan [Namen germanischer Götter] ritten in den Wald. Da verrenkte sich Baldurs Pferd den Fuß. Da beschwor es Sinthgund, die Schwester der Sonne, da beschwor es Freia, die Schwester der Volla, da beschwor es Wotan, so gut er konnte: Knochenverrenkung ist Blutverrenkung, ist Gliederverrenkung. Knochen zu Knochen, Blut zum Blut, Glied zum Glied. So sollen sie fest zusammengefügt sein.

Beschwörungsformel gegen eine Krankheit, die man „Lahmen" nennt:

Christus und der heilige Stephan kamen zur Stadt Salonium [Jerusalem?]. Da wurde das Pferd des heiligen Stephan von einer Krankheit befallen. Wie Christus das Pferd des heiligen Stephan heilte, so heile ich mithilfe von Christus dieses Pferd. Ein Vaterunser. Wohl, Christus, heile durch deine Gnade dieses Pferd, so wie du einst das Pferd des heiligen Stephan heiltest. Amen.

Zit. nach: Karl Wipf, Althochdeutsche poetische Texte althochdeutsch/neuhochdeutsch, Stuttgart 1992, S. 65-67 (vereinfacht)

---

1. *Die beiden Zaubersprüche in M5 sind etwa zur gleichen Zeit entstanden, der eine in ostfränkischem, der andere in sächsischem Dialekt. Vergleiche die Zaubersprüche: Wo liegen Gemeinsamkeiten, wo Unterschiede?*
2. *Erläutere, wie der christliche Glaube in Mitteleuropa verbreitet wurde (M1-M3).*
3. *Beurteile, wie ernsthaft und tief gehend Menschen in Mitteleuropa den christlichen Glauben angenommen haben (M3, M5).*
4. *Überprüfe die Behauptung, dass mit der Missionierung die Zivilisation nach Mitteleuropa gelangt ist (Darstellungstext, M2, M4).*

Karl – der einzige christliche Kaiser?

M 1 Die Ordnung der Macht
Mosaik im Palast des Papstes in Rom, 8. Jh. Der heilige Petrus überreicht Kaiser Karl (re.) eine Fahnenlanze. Papst Leo III. (li.) bekommt das Pallium, ein Stoffband mit Kreuzen. Bedeutung: Der Kaiser erhält vom Himmel die weltliche, der Papst die geistliche Herrschaft.

Karl – König und Kaiser

Im Sommer 812 kamen Besucher von weit her nach Aachen: Gesandte aus Byzanz erklärten, dass der fränkische König Karl in den Augen des oströmischen Kaisers nun ebenfalls „Kaiser" sei. Wie war das zu verstehen? Gab es jetzt zwei Kaiser in Europa? Und wer war dieser König Karl, den man schon zu seinen Lebzeiten „den Großen" nannte? Seit 768 war Karl, Sohn von Pippin[1], König der Franken. Mit Klugheit, Ehrgeiz und Gewalt vergrößerte er das Frankenreich erheblich. Seit 772 gab es kaum ein Jahr ohne Krieg. Durch mehrere Feldzüge gegen die Sachsen wuchs das Reich nach Osten. Im Süden besiegte Karl – wie schon sein Vater – die Langobarden. Er war jetzt „König der Franken und Langobarden". Sein Reich endete vor den Toren Roms. Der Papst, Leo III., wurde damals von aufständischen römischen Adligen bedrängt. Weil Karl ihm in dieser Not half, wurde er zum Schutzherrn der Päpste. Weihnachten 800 krönte Leo ihn in Rom zum **Kaiser**. Karl erhielt den Titel „Augustus **Imperator**". Schon unter Chlodwig[2] ähnelte das Frankenreich in vielen Merkmalen dem untergegangenen Imperium Romanum. Jetzt, nach Karls Krönung, war es Nachfolger des Weströmischen Reiches.

Ein Herrscher auf Reisen

Nicht nur als Feldherr war Karl erfolgreich. In seinem Reich traf er zahlreiche Maßnahmen, um Kultur und Wissenschaft zu fördern. Vermutlich lernte er sogar selbst Lesen, was für einen Frankenherrscher damals sehr ungewöhnlich war. Einige der größten Denker seiner Zeit versammelte er an seinem Hof.
Diesen „Hof" Karls des Großen darf man sich aber nicht als das ständige Zuhause des Königs vorstellen. Die meiste Zeit war Karl unterwegs: Er musste sich an vielen Orten seines Reiches zeigen, um Recht zu sprechen und mächtige Adlige zu treffen. Für dieses „Herrschen aus dem Sattel" ließ Karl in seinem Reich zahlreiche Krongüter oder Königspfalzen als Reisestationen einrichten. In manchen Jahren legte er über 900 km zurück. Ein solches **Reisekönigtum** ist typisch für die Könige des Mittelalters – feste Hauptstädte richtete man erst später ein.

Wie viele Kaiser darf es geben?

Karl der Große war als erster „barbarischer" Herrscher einer der mächtigsten Männer in Europa. In seiner Macht konnte er sich mit dem Kalifen und dem oströmischen Kaiser messen. Die Herrscher in Byzanz nahmen die „Rangerhöhung" Karls durch den Papst als Beleidigung auf. Erst zwölf Jahre nach der Kaiserkrönung erkannten sich beide Kaiser – der alte oströmische und der neue Nachfolger des weströmischen Kaisers – gegenseitig an. Mit Karl entstand ein neues **Kaisertum** – es hielt fast genau 1 000 Jahre!

[1] Siehe S. 164.
[2] Siehe S. 162.

M 2 Zwei Kaiser auf ihren Münzen
① Silbermünze Karls des Großen, geprägt nach 812 in Mainz. Legende: KAROLVS IMP(erator) AVG(ustus).
② Silbermünze des Kaisers Augustus (vgl. S. 137), geprägt um 12 n. Chr. in Rom. Legende: CAESAR AVGVSTVS

M 3 Wenn der König zu Besuch kommt

Der König zieht mit seinem großen Hof umher und lebt auf Krongütern oder Pfalzen. Karl der Große lässt bis ins Detail aufschreiben, wie die Krongüter ausgestattet sein sollen. Hier einige Ausschnitte:

22. Auf jedem unserer Krongüter sollen die Amtmänner einen möglichst großen Bestand an Kühen, Schweinen, Schafen und Ziegen halten.
34. Mit ganz besonderer Sorgfalt ist darauf zu achten, dass alles, was mit den Händen verarbeitet und zubereitet wird, mit der größten Sauberkeit hergestellt wird: Speck, Rauchfleisch, Sülze, Pökelfleisch, Wein, Essig, Most, Senf, Käse, Butter, Met (Honigwein), Wachs, Mehl.
42. Jedes Krongut soll in seinem Lagerraum vorrätig haben: Bettdecken, Matratzen, Federkissen, Bettlaken, Tischtücher, Bankpolster, Gefäße aus Kupfer, Blei, Eisen und Holz, Ketten, Kesselhaken, Hobeleisen, Spitzhacken, Bohrer, Schnitzmesser – kurzum, alles nötige Gerät, sodass man es nicht anderswo zu erbitten oder zu entleihen braucht. Auch Waffen muss man hier verwahren, nach Gebrauch sind sie wieder in den Lagerraum zurückzubringen.

Zit. nach: Carlrichard Brühl, Capitulare de Villis, Stuttgart 1971, S. 56-63 (gekürzt und vereinfacht)

M 4 Bildung wird im Frankenreich wichtig

Mit der „Admonitio Generalis" („Allgemeine Ermahnung") ordnet Karl der Große an, was zur Verbesserung der Kenntnisse von Geistlichen nötig ist:

Es sollen Leseschulen für Knaben entstehen. Psalmen, Liederbücher, Rechenbücher und die biblischen Schriften sollen in den einzelnen Klöstern und an den Bischofssitzen sorgfältig verbessert werden. Denn oft wollen Leute gut zu Gott beten, beten aber schlecht – weil die Bücher nicht verbessert wurden. Und lasst eure Knaben beim Lesen und Schreiben nicht den Text verderben. Und wenn es nötig ist, ein Evangelium, ein Psalmenbuch oder ein Messbuch zu schreiben, sollen dies erwachsene Personen mit aller Sorgfalt tun.

MGH Capitularia I, 22, c. 72, S. 60, leicht vereinfacht

M 5 Thron Karls des Großen im Aachener Dom
Die Marmorplatten des Throns stammen möglicherweise aus Jerusalem, die beiden Säulen aus römischen Bauten.

1. *Vergleiche die beiden Münzen (M2): Warum ließ Karl der Große sich so darstellen?*
2. *Erläutere den Begriff „Reisekönigtum" mithilfe des Darstellungstextes und M3.*
3. *Arbeite aus den Quellen heraus, welche Ziele Karl verfolgte, als er sein Reich mit vielen Gesetzen umgestaltet hat (M3, M4).*
4. *Überprüfe, inwieweit es richtig ist, wenn Karl der Große als „Römischer Kaiser" bezeichnet wird (M1, M2, M5).*
5. *Als Verwalter eines Krongutes sollst du Kaiser Karl für zwei Tage beherbergen. Schreibe eine Anweisung an die Diener, wie sie Karls Zimmer einzurichten haben. Mindestens 20 Wörter aus M3 müssen darin vorkommen.*

800: Kaiserkrönung Karls des Großen
843: Teilung des Frankenreiches
Pippin | Karl (reg. 768-814) | Ludwig
750 800 850 900

Wer hat die besseren Argumente?

Im Fach Geschichte geht es darum, die Vergangenheit zu erkunden. Dazu sind Quellen nötig, die für sich genommen aber erst einmal „stumm“ sind (vgl. S. 20). Erst wenn man weiß, welche Fragen man an die Quellen stellen kann, ist man in der Lage, sie zum Sprechen zu bringen.

Doch selbst dann liegen die Dinge oftmals nicht ganz einfach: Wenn zum Beispiel ein König hingerichtet wird, könnte es sein, dass eine Quelle aussagt, dass er damit seine gerechte Strafe erhält, weil er ein schrecklicher Tyrann war. In einer anderen Quelle könnte zu lesen sein, dass der König unschuldig war und von seinen Gegnern unrechtmäßig ermordet wurde.

Um in solchen Fällen zu einem begründeten Urteil zu kommen, benutzen Historiker die Methode des Historischen Argumentierens.

Wenn du eine historische Argumentation verfassen sollst, kannst du in fünf Schritten vorgehen:

1. Schreibe eine Behauptung zur Frage auf.
2. Gib den wichtigsten Grund („Argument“) an, warum du so denkst. Verwende dazu eine Idee aus einer Text- oder einer Bildquelle. Erkläre, warum diese Idee deine Behauptung stützt.
3. Finde ein weiteres Argument für deine Behauptung. Gehe dabei so vor wie in Schritt 2.
4. Schreibe ein Argument auf, das gegen deine Behauptung spricht. Verwende auch hier Text- oder Bildquellen wie in den Schritten 2 und 3.
5. Fasse kurz zusammen, was du in den Schritten 2 bis 4 herausgefunden hast, und erkläre, warum deine Behauptung (Schritt 1) stimmt.

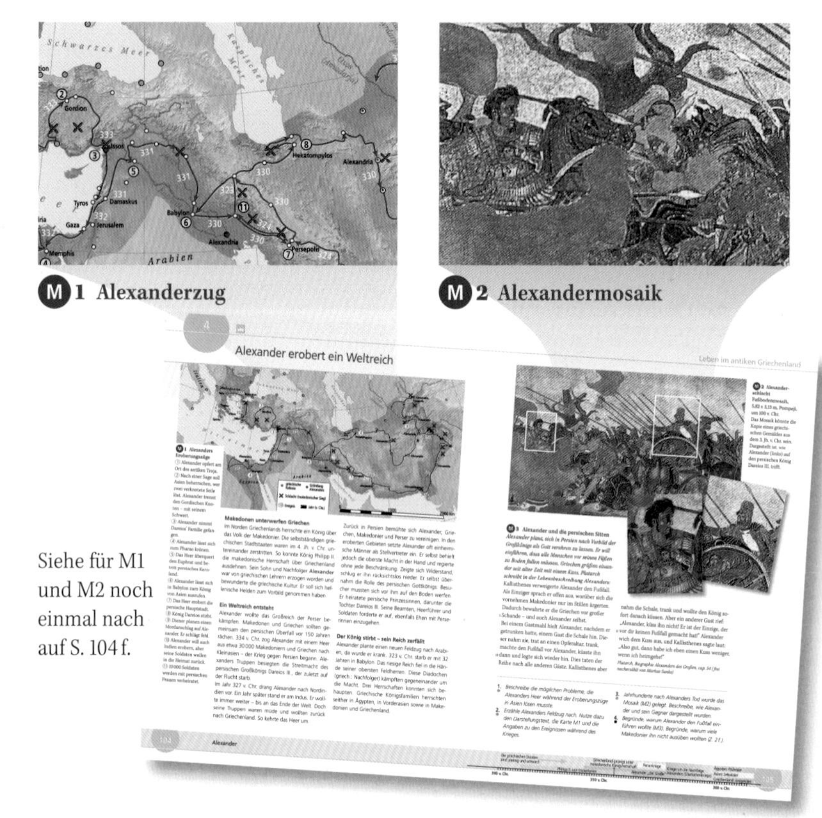

M1 Alexanderzug

M2 Alexandermosaik

Siehe für M1 und M2 noch einmal nach auf S. 104 f.

M3 Den alten Heroen und Halbgöttern gleich

Der griechische Geschichtsschreiber Diodor berichtet über Alexander:

In kurzer Zeit hat dieser König große Taten vollbracht. Dank seiner eigenen Klugheit und Tapferkeit übertraf er an Größe der Leistungen alle Könige, von denen die Erinnerung weiß. In nur zwölf Jahren hatte er nämlich nicht wenig von Europa und (nach damaligem Wissen) fast ganz Asien unterworfen und damit zu Recht weit reichenden Ruhm erworben, der ihn den alten Heroen und Halbgöttern gleichstellte.

Zit. nach: Hans-Joachim Gehrke, Alexander der Große. München 1996, S. 9

M4 Geistig gesund?

Der römische Schriftsteller und Philosoph Seneca schreibt:

Den unglücklichen Alexander trieb seine Zerstörungswut sogar ins Unerhörte. Oder hältst du jemanden für geistig gesund, der mit der Unterwerfung Griechenlands beginnt, wo er doch seine Erziehung erhalten hat? [...] Nicht zufrieden mit der Katastrophe so vieler Staaten, die sein Vater Philipp besiegt oder gekauft hatte, wirft er die einen hier, die anderen dort nieder und trägt seine Waffen durch die ganze Welt. Und nirgends macht seine Grausamkeit erschöpft halt, nach Art wilder Tiere, die mehr reißen als ihr Hunger verlangt.

Zit. nach: Hans-Joachim Gehrke, a. a. O., S. 100 f.

Historische Argumentation:

Überprüfe, ob Alexander zu Recht als bedeutender Herrscher bezeichnet wird.

M 5 Eine mögliche Argumentation:
Alexander war ein bedeutender Herrscher, der beinahe Unglaubliches geleistet hat. Die Karte zeigt, in wie kurzer Zeit Alexander große Gebiete erobert hat (M1). Auch der Geschichtsschreiber Diodor bestätigt dies (M3). Kaum ein anderer Herrscher hat so etwas zuvor oder danach geschafft. Zudem verfügte Alexander über die Eigenschaften, die einen bedeutenden Herrscher ausmachen: Er wurde als klug und tapfer bezeichnet (M3) und auf Bildern als entschlossen und furchtlos dargestellt (M2). Das römische Mosaik unterstreicht den Eindruck von Alexander als einem fast unbesiegbaren Eroberer. Jedoch gibt es bei Alexander auch Eigenschaften, die eher bedenklich sind: So wurde ihm vorgeworfen, er sei rücksichtslos und brutal gewesen (M4). Seneca vergleicht sein Verhalten mit demjenigen wilder Tiere. Doch sind es gerade diese Eigenschaften, denen er auch seinen Erfolg verdankte.
Wenn militärischer Erfolg ein Zeichen für einen bedeutenden Herrscher ist, zählt Alexander wohl zu den bedeutendsten Herrschern aller Zeiten. Dabei muss man aber stets bedenken, dass sein Erfolg auch auf Grausamkeit und Gewalt beruhte.

M 6 Reiterstatuette eines Herrschers
Ostfrankreich, 9. Jh., Bronze, Höhe 24 cm
Die Figur zeigt einen karolingischen König, vielleicht sogar Karl den Großen.

M 7 Papst Leo III. weiht Karl den Großen zum Kaiser
Buchmalerei aus der Sächsischen Weltchronik, um 1270

M 8 Aus den Fränkischen Reichsannalen, zum Jahr 782
Und als der genannte König [Karl] zurückkehrte, traf er einen anderen Teil seines Heeres, das befehlsgemäß an der Weser das Ufer besetzt hielt. Die Sachsen begannen mit diesen den Kampf, doch die Franken behielten mit Gottes Hilfe den Sieg. Als das König Karl hörte, fiel er mit seinem Heer über Sachsen her, brachte ihnen große Verluste bei und gewann reiche Beute. Die unterlegenen Sachsen mussten ihm Geiseln stellen. Dann, nachdem er die Geiseln erhalten, die Beute an sich genommen und drei Mal ein Blutbad unter den Sachsen angerichtet hatte, kehrte er zurück ins Frankenreich.
MGH SS rer. Germ. 6, S. 32 (leicht gekürzt und vereinfacht)

M 9 Aus den Lorscher Annalen, zum Jahr 802
Und der Kaiser [Karl] ließ während dieser Versammlung die Herzöge, Grafen und die Rechtskundigen zusammenkommen. Er sorgte dafür, dass die Gesetze übersetzt überall in seinem Reich vorgelesen wurden. Und er ließ das verbessern, was notwendig war, und das verbesserte Gesetz dann aufschreiben. Die Richter sollten dann nur noch nach dem geschriebenen Recht urteilen und auch keine Geschenke mehr annehmen, damit alle Menschen, Arme und Reiche, vor dem Gesetz gerecht behandelt werden.
Zit. nach: Matthias Becher, Karl der Große, München [6]2004, S. 93

M 10 Die Bedeutung Karls des Großen
Der Historiker Matthias Becher schreibt:
Als Karl der Große starb, war er fast 66 Jahre alt; nahezu 46 Jahre lang war er König der Franken gewesen und hatte in diesem langen Zeitraum eine Epoche geprägt. Den damals lebenden Menschen muss ein Leben ohne Karl unvorstellbar gewesen sein. Die großen Erfolge steigerten sein Ansehen ins Unermessliche. Die Gelehrten an seiner Hofschule lobten den Herrscher über alle Maßen. In ihren Gedichten wird betont, dass Karls Bildung, Weitsicht und Klugheit alles überstrahlte. Ein anderer Dichter nannte Karl „Vater Europas".
Zit. nach: Matthias Becher, a.a.O. S. 118

Jetzt bist du dran: Historisch argumentieren
Kläre, ob es richtig ist, den fränkischen Kaiser Karl als „Karl den Großen" zu bezeichnen.

Anderer Glaube, neue Macht: der Islam

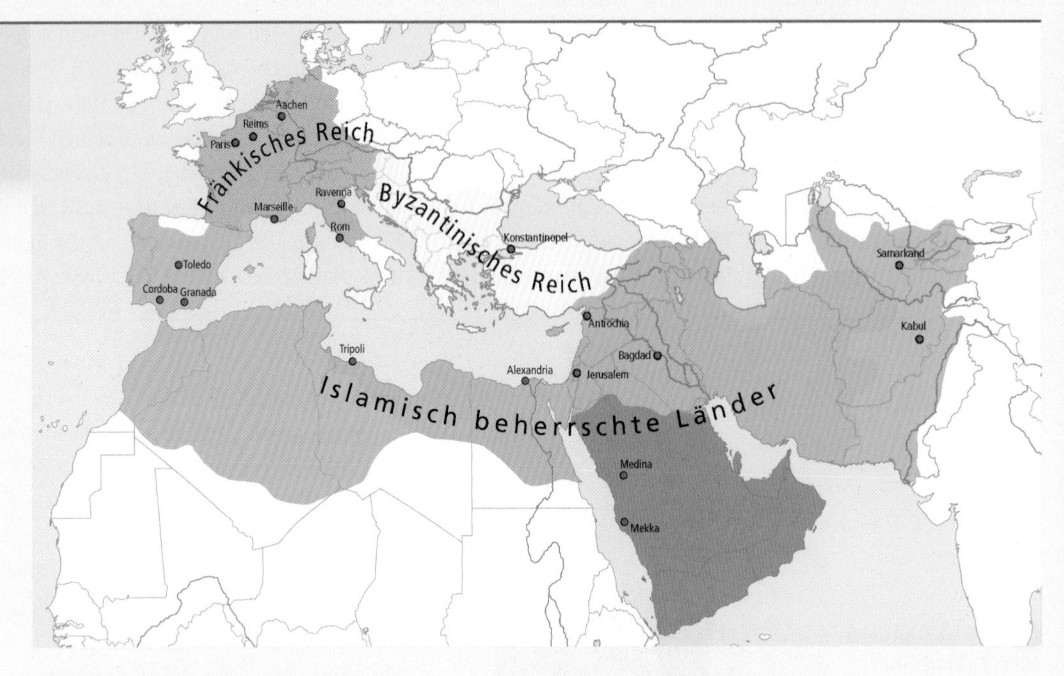

M 1 Drei Reiche teilen sich die Macht im Mittelmeerraum
Der Islam hat sich im Jahrhundert nach dem Tod Mohammeds über eine sehr große Fläche ausgebreitet.

Der Islam breitet sich aus

Im Jahr 732 besiegte der fränkische Hausmeier Karl Martell[1] ein arabisches Heer in der Nähe der Städte Tours und Poitiers. In nur hundert Jahren hatte es der **Islam** geschafft, sich von Arabien bis fast in die Mitte Europas auszudehnen. Wie ist diese ungeheuer schnelle **Expansion** zu erklären?

Der Islam wurde von **Mohammed** begründet. Er lebte in der arabischen Stadt Mekka. Damals glaubten die Menschen in Arabien an viele Götter. Als Mohammed etwa 40 Jahre alt war, erschien ihm der Erzengel Gabriel, den es auch im jüdischen und christlichen Glauben gibt. Er erklärte ihm, was Gott von den Menschen verlangt. Aus diesen Offenbarungen entstand eine neue Religion, der Islam. Etwa 30 Jahre später wurden sie im heiligen Buch des Islam, dem Koran, gesammelt.

In Mekka machte sich Mohammed, der jetzt als Prophet (Verkündiger) des Islam auftrat, viele Feinde. Vor allem die Kaufleute machten mit dem Polytheismus gute Geschäfte. Mohammed floh schließlich mit seinen Anhängern im Jahr 622 nach Medina. Dieses Ereignis nennt man Hedschra. Mit ihm beginnt die islamische Zeitrechnung. Als Mohammed zehn Jahre später starb, gehörten fast alle Araber dem Islam an. Sie waren Muslime geworden.

Einsatz für den Glauben

Der Islam breitete sich vor allem durch Eroberung aus. Die islamischen Krieger waren vom „Einsatz für den Glauben" (Dschihad) angespornt. Ihnen konnten die Nachbarn wenig entgegensetzen. So wurden rasch große Teile des Perserreiches und des Byzantinischen Reiches für den Islam erobert. Die Besiegten wurden relativ tolerant behandelt und nicht gezwungen, Muslime zu werden. „Schriftbesitzer" (Christen und Juden) hatten wenig zu befürchten, waren aber den Muslimen untertan.

Für ärmere Menschen war der Islam interessant, da es für Muslime Pflicht ist, den Bedürftigen zu helfen.

Sunniten und Schiiten

An der Spitze des islamischen Reiches stand der Kalif. Der vierte Kalif, Ali, war Mohammeds Cousin. Nach dessen Tod spalteten sich die Muslime: Ein Teil forderte, dass nur Nachfahren Alis Kalifen sein dürfen. Noch heute ist jeder zehnte Muslim dieser Ansicht und gehört somit zu den Schiiten. Die Mehrheit der Muslime, die Sunniten, erkennen andere Kalifen an.

Trotz dieser Spaltung breitet sich der Islam über Arabien, Nordafrika und Spanien aus – und hätte um 732 beinahe auch das Frankenreich erobert.

[1] Siehe S. 164.

Islam Expansion Mohammed

M2 Moschee von Córdoba („Mezquita")
Foto von 2012
Das islamische Córdoba war eine der reichsten und größten Städte Europas. Die Mezquita wurde 1236 in eine christliche Kirche umgewandelt.

M4 Geburt des Propheten Mohammed
Persische Buchmalerei, 15. Jh.
Der Künstler hat die Gesichter des Propheten und seines Großvaters bewusst ausgelassen, denn die Darstellung heiliger Personen wurde und wird von vielen Muslimen abgelehnt.

M3 Ein Elefant für Karl den Großen

Das Frankenreich und das Kalifat von Bagdad stehen schon um 800 in Kontakt. Der englische Physiker und Historiker Jim Al-Khalili schreibt:

Etwa zur gleichen Zeit wie Karl der Große regierte der ebenso berühmte Kalif Harun Al-Rashid in Bagdad. Sein Name bedeutet übersetzt „Aaron der Gerechte" und er kommt in den Geschichten 5 aus 1001 Nacht sehr häufig vor. Al-Rashid erweiterte sein Reich bis fast nach Konstantinopel und unterhielt Beziehungen nach China und ins Frankenreich Karls des Großen, mit dem er häufig Gesandte austauschte. Sie erkannten einander als 10 mächtigste Männer ihrer jeweiligen Welt an und bauten enge Handelsbeziehungen auf. Karl der Große schickte „friesische" Stoffe nach Bagdad und ließ dafür Seide, Bergkristalle und andere Luxusgüter einführen. Al-Rashid seinerseits sandte 15 Karl dem Großen zahlreiche Geschenke, unter anderem einen lebenden Elefanten und eine komplizierte Uhr aus Messing.

Jim Al-Khalili, Im Haus der Weisheit. Die arabischen Wissenschaften als Fundament unserer Kultur, Frankfurt 2011, S. 39

M5 Die Stadt Bagdad wird gegründet

Kalif al-Mansur (714-775) sucht 762 nach einer passenden Stelle für seine neue Hauptstadt. Der islamische Historiker Al-Tabari schreibt 915:

Er kam in das Gebiet der Brücke und überquerte an der heutigen Stelle von Qasr al-Salam den Fluss. Dann verrichtete er das Nachmittagsgebet. Es war Sommer, und am Ort des späteren Palas- 5 tes stand damals eine christliche Kirche. Dort verbrachte er die Nacht, und als er am nächsten Morgen erwachte, hatte er die sanfteste Nacht auf Erden erlebt. [...] Dann sagte er: „Dies ist der Ort, an dem ich bauen will. Alle Dinge können über 10 den Euphrat, den Tigris und ein Netz von Kanälen hierherkommen. Nur ein Platz wie dieser kann sowohl die Armee als auch die normale Bevölkerung ernähren." So stellte er die Pläne fertig und wies Mittel für den Bau an.

Al-Tabari, Annalen über die Propheten und Könige, in: Al-Khalili, Im Haus der Weisheit, a. a. O., S. 71 (leicht vereinfacht)

1. *Vergleiche Harun Al-Rashid (M4) mit Karl dem Großen. Wo finden sich Ähnlichkeiten?*
2. *Zeige, ausgehend von M1 und M5, warum sich der Islam so schnell und erfolgreich ausbreiten konnte.*
3. *Informiere dich über die wichtigsten Regeln und Gebote im Islam. Beschreibe und erkläre danach das Bild M4.*
4. *Stell dir vor, du lebst mit deiner Familie im Jahr 712 im südlichen Spanien. Dein Heimatdorf wurde erobert und gehört nun zum islamischen Herrschaftsgebiet. – Schreibe einen Brief an einen Verwandten, der in einem noch nicht eroberten Teil Spaniens lebt. Schildere die Vor- und Nachteile, unter muslimischer Herrschaft zu leben (Darstellungstext, M2).*

Arabisches Wissen – von Algebra bis Zucker

M 1 Islamische Gelehrte beobachten den Himmel
Holzschnitt, Venedig, 1513
Der Holzschnitt zeigt arabische Wissenschaftler, die Messungen mit astronomischen Instrumenten durchführen.

Vielfalt und Toleranz

Durch die schnelle und weite Ausdehnung ihres Machtgebietes kamen die Muslime immer wieder in Kontakt mit Christen: in den eroberten Bereichen des Byzantinischen Reiches, in Nordafrika (eine der wichtigsten Regionen des frühen Christentums) und vor allem im Süden Spaniens.
Gerade im muslimischen Spanien, das auf Arabisch al-Andalus genannt wurde, konnten die christlichen Bewohner viel von ihren neuen Herren lernen. Die Muslime waren Experten auf dem Gebiet der Architektur und der Landwirtschaft. Sie ließen prächtige Paläste wie die Alhambra in Granada erbauen, wo es Springbrunnen und kühle Innenhöfe gab. Trotz des sehr heißen und trockenen Klimas konnten die Araber mit ihren Kenntnissen über Bewässerung das südliche Spanien zum Blühen bringen.
Die großen Städte im muslimischen Spanien wie Toledo oder Córdoba waren berühmt für ihre Schulen und erstklassigen Krankenhäuser – und für eine gewisse Toleranz. Mehr als in anderen eroberten Gebieten herrschte hier ein Klima des gegenseitigen Respekts und der **religiösen Vielfalt**.

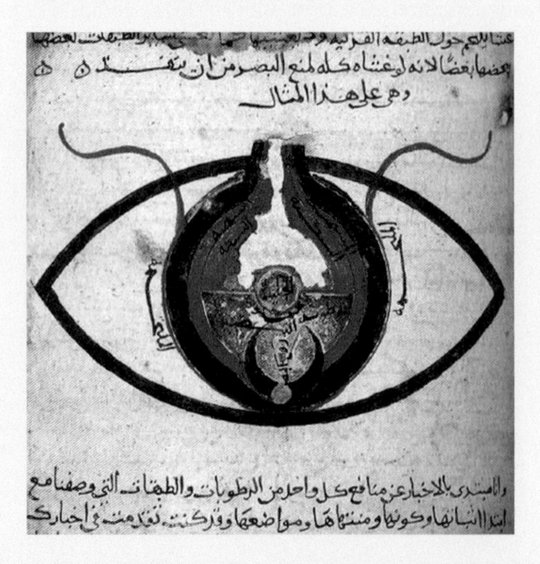

M 2 Beschreibung des Auges
Hunayn ibn Ishaq, Zehn Abhandlungen über das Auge, verfasst um 860; syrische Buchmalerei aus dem Jahr 1197
Das verschollene Original stammt aus dem Jahr 860. Es enthält die älteste bekannte Darstellung der Augenmuskeln.

Das Wissen der Araber verändert Europa

Die arabische **Wissenschaft** war ihrer Zeit weit voraus: In Disziplinen wie Medizin, Geografie, Astronomie oder Mathematik waren die Araber auf einem Kenntnisstand, der in christlichen Gebieten erst viele Jahrhunderte später erreicht wurde. Zahlreiche Schriften der römischen und griechischen Antike wurden von arabischen Gelehrten gesammelt und aufbewahrt. So fanden sie über Umwege ihren Weg ins christliche Europa.
Dadurch, dass es gerade in Spanien einen regen Austausch zwischen Muslimen, Juden und Christen gab, gelangten viele Erkenntnisse und Fertigkeiten in die anderen europäischen Regionen. Oftmals übernahm man dann nicht nur das neue Wissen, sondern gleich die entsprechenden Begriffe mit dazu – man spricht dann von einem **Lehnwort**. Einigen dieser Lehnwörter, die wir heute noch benutzen, sieht man ihre arabische Herkunft gar nicht an: Zucker, Gitarre, Admiral (von arab. *Emir*: Befehlshaber), Algebra, Ziffer.
Die beiden letzten Lehnwörter zeigen, in welchem Bereich wir den mittelalterlichen Arabern am meisten verdanken. Sie haben das indische Zehner-Zahlensystem weiterentwickelt. Zwar dauerte es ungewöhnlich lange, bis die zum Rechnen und Zählen viel unpraktischeren römischen Zahlen wirklich abgelöst wurden. Doch dafür blieben die Arabischen Zahlen dann auch in ganz Europa und in vielen anderen Ländern der Welt in Gebrauch – bis heute.

religiöse Vielfalt Wissenschaft Lehnwort

M3 Ein Krankenhaus aus dem 10. Jh.

Der berühmte arabische Reisende Ibn Dschubair beschreibt 1185 das seinerzeit bereits 200 Jahre alte Al-Muqtadiri-Krankenhaus in Bagdad:

Diese großartige Einrichtung ist ein schönes Gebäude, welches sich entlang des Tigris-Ufers erstreckt. Seine Ärzte machen jeden Montag und Donnerstag Visite, um die Patienten zu untersuchen und ihnen je nach Bedarf etwas zu verschreiben. Den Ärzten stehen Diener zur Verfügung, die Rezepte für Arzneien ausstellen und das Essen bereiten. Das Krankenhaus ist in verschiedene Stationen unterteilt, von denen jede eine Anzahl von Zimmern umfasst. Dies vermittelt den Eindruck, als sei der Ort ein Königspalast, in dem alle Bequemlichkeiten geboten werden.

Ibn Jubayr, The Travels of Ibn Jubayr, Text und Übersetzung nach Al-Khalili, Im Haus der Weisheit, a. a. O., S. 235

M4 Rechnen – römisch oder arabisch?

Bis ins späte Mittelalter ist in Europa fast nur mit Römischen Zahlen gerechnet worden:

Römische Zahlen werden so gebildet: Im Normalfall werden die Zahlzeichen hintereinander geschrieben, die größte zuerst, dann die kleineren. Die Zahlzeichen werden dann im Kopf addiert. XVI wäre also X (zehn) + V (fünf)+ I (eins) = 16. Die Sonderregel lautet: Wenn ein neues Zahlzeichen beginnt, wird das Zeichen der nächstkleineren (oder zweitnächstkleineren) Einheit links davon geschrieben. Dies wird dann subtrahiert: IV ist also V (fünf) – I (eins) = 4, genauso ist XC somit C (hundert) – X (zehn) = 90.
Bei den Arabischen Zahlen gibt es all dies nicht. Sie werden so gebildet, wie du es aus dem Mathe-Unterricht seit der ersten Klasse gewohnt bist.

Eigenbeitrag Markus Benzinger

römische Zahl	arabische Zahl
I	1
II	2
III	3
IV	4
V	5
VI	6
VII	7
VIII	8
IX	9
X	10
XX	20
XL	40
XLIX	49
L	50
XC	90
C	100
CC	200
CD	400
D	500
M	1000
MDCCC	1800

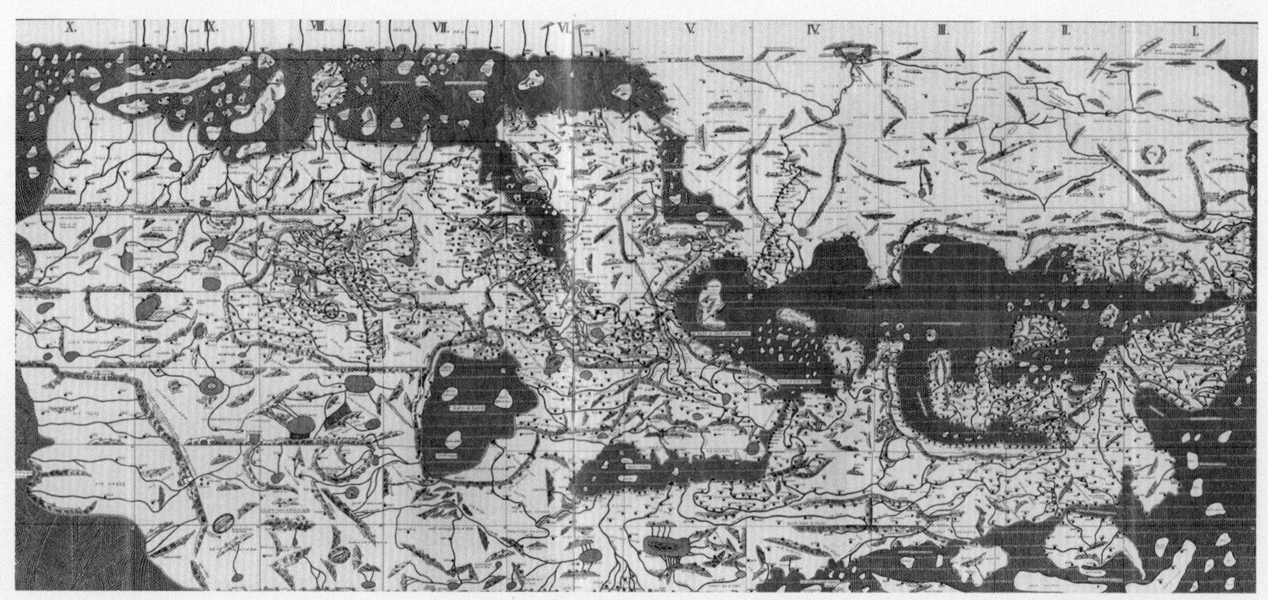

M5 Weltkarte des arabischen Geografen Al-Idrisi, 1154
Die Araber zeichneten Karten so, dass Süden am oberen Kartenrand lag. Heute sind Karten nach Norden ausgerichtet. Wenn du das Buch drehst, erkennst du, wie genau diese Karte die Umrisse Europas zeigt.

1. *Zähle drei dreistellige Zahlen schriftlich zusammen – einmal mit römischen Ziffern, einmal mit arabischen. Was fällt auf? (M4)*
2. *Informiere dich über die medizinische Versorgung im Europa des Mittelalters. Vergleiche danach deine Ergebnisse mit den medizinischen Verhältnissen, die im Bagdader Krankenhaus (M3) herrschten.*
3. *Überprüfe die Behauptung, dass die islamischen Gebiete in der Zeit um etwa 800 bis 1000 deutlich fortschrittlicher waren als die christlichen Gegenden Europas (M1-M3).*
4. *Betrachte die Karte M5 und vergleiche sie mit der heutigen Europakarte hinten im Buch. Bewerte danach die Leistung dieser sehr alten Karte.*

Am Anfang dieses Kapitels steht die Leitfrage:
Von der Spätantike ins Frühmittelalter – Anbruch einer „neuen Zeit"?
Über *Wirtschaft* haben wir in diesem Kapitel nicht viel erfahren. Mit den Arbeitsfragen zu den vier anderen Kategorien auf S. 148 kannst du die Leitfrage beantworten:

Kultur

Neben dem Polytheismus gab es im Römerreich auch
Monotheismus, besonders bei den Juden. Aus ihrem Volk
stammt Jesus Christus, der Gott „Vater" nannte und Ver-
zeihung lehrte. Das Neue Testament berichtet von ihm.
Christen gab es bald im ganzen Reich, trotz der Christenverfolgungen. Märtyrer wurden als Heilige verehrt,
was die Kirche nur stärkte. Schließlich wurde ihre Religion anerkannt (Mailänder Vereinbarung). Konstantin
ließ sich als erster Kaiser taufen (konstantinische Wende). Später wurde das Christentum sogar Staatsreligion.

Herrschaft

395 wurde das Römerreich geteilt. Aus Ostrom wurde
das Byzantinische Reich. Westrom litt unter der Völkerwanderung. Der letzte römische Kaiser trat 476 zurück.
Die Reichsidee blieb in Byzanz lebendig. Der Bischof
von Rom wurde als Papst Führer der Christenheit.
Ein Nachfolgereich Roms war das Frankenreich. Hier
herrschte zuerst die Familie der Merowinger. Sie behauptete, Königsheil zu haben. Die Sippe der Karolinger
setzte sie ab, verbündete sich mit der römischen Kirche
und begründete ihre Macht mit dem Gottesgnadentum.

Vernetzung

Durch die Expansion des Islam nach Europa kamen Muslime und Christen immer wieder in Kontakt. Dies konnte
in Schlachten geschehen, es gab aber auch friedliche Begegnungen, z. B. im muslimisch regierten Spanien. Euro-
päer profitierten vom fortschrittlichen Wissen der Araber. Davon zeugen arabische Lehnwörter und unsere
arabischen Zahlen. – Vernetzung fand in Europa auch
durch christliche Missionierung statt: Nichtchristliche
Gebiete bekamen Pfarreien und Klöster und waren so
mit der Kirche und dem Papst in Rom verbunden.

Gesellschaft

In der Spätantike waren Völker vieler Traditionen, Kulturen und Sprachen in einem Reich vereinigt. Es gab große religiöse Vielfalt. Eine neue Gesellschaftsschicht entstand in der Kirche: die Geistlichkeit. Durch die Völkerwanderung kamen Menschen von außerhalb in das Reich.
Einige suchten Schutz, andere waren gekommen, um zu
erobern. Als das Reich untergegangen war, wurde die
Gesellschaft stärker von germanischen Vorstellungen
geprägt. Der König der Franken herrschte durch persönliche Anwesenheit und zog umher (Reisekönigtum).

Kompetenz-Test
Einen Fragebogen, mit dem du überprüfen kannst, was du schon gut erklären kannst und was du noch üben solltest, findest du unter 31041-24

1. *Stellt euch gegenseitig Fragen zum Inhalt der Karten.*
2. *Vergleichen: Bewerte, welche der Kategorien für den untersuchten Zeitraum die bedeutendste ist. Begründe deine Meinung mit den Angaben im Kapitel.*
3. *Gemeinsamkeiten – Unterschiede: Teilt eure Klasse in zwei Hälften, eine „Das ist noch so"-Gruppe und eine „Das ist jetzt anders"-Gruppe. Sucht für euer Thema in jeder Kategorie so viele Einzelheiten wie möglich. Vergleicht am Ende das Ergebnis und bewertet es.*

M 1 Zwei Elefanten

Links: Reliquienbeutel, 9. Jh., aus einer fränkischen Kirche. Der „Elefantenstoff" war in Byzanz nach persischen Mustern aus Seide gewebt worden.

Rechts: Schachfigur aus Elfenbein, Persien, 8./9. Jh. Aus dem Elefantenkämpfer wurde im europäischen Schachspiel der „Bischof", der später „Läufer" genannt wurde.

Kaiser Karl der Große bekam im Jahr 802 einen lebenden Elefanten vom Kalifen in Bagdad geschenkt. Er hieß „Abul Abbas" und lebte in Aachen bis 810.

M 2 Wo liegt das „neue Rom"?

Londoner Psalterkarte, 170 x 120 mm Kloster in London, 1262 - 1300

Auf Landkarten der Antike und des Mittelalters lag oft diejenige Stadt in der Mitte, die den Menschen am meisten bedeutete. Auf antiken Karten war dies oft Rom, auf Karten, die in Klöstern entstanden, meist Jerusalem. Auf mittelalterlichen Karten sind Wissen und Glauben miteinander vermischt. Sie zeigen nicht nur Länder, sondern auch biblische Geschichten, legendäre Orte und kuriose Lebewesen. Unter 31041-25 kannst du die Karte im Detail erforschen.

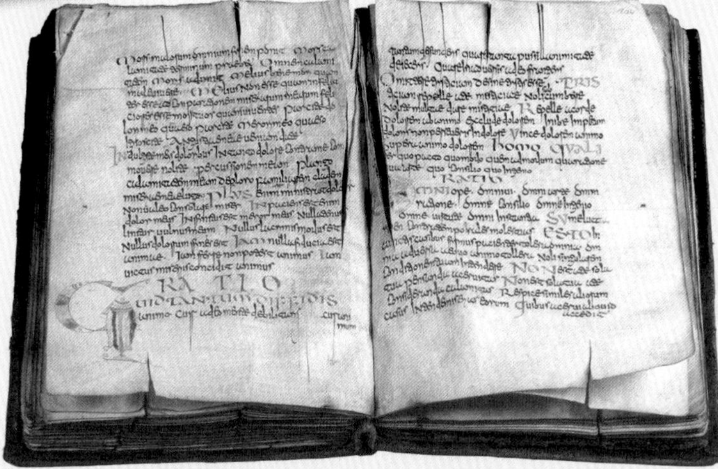

M 3 Ein historischer Kriminalfall

Der „Codex Ragyntrudis" in der Dombibliothek Fulda, ein Buch mit christlichen Texten, geschrieben nach 700

1. *Seidenstoff, Elefant, Schachspiel – finde die Gemeinsamkeit dieser Beispiele (M1). Erzähle mit Hilfe von S. 172 - 175 ihre Geschichte.*
2. *Auf einer Tagung halten ein christlicher und ein muslimischer Historiker Kurzreferate über die Geschichte des Christentums bzw. des Islam bis zum Frühmittelalter. Haltet selbst diese Referate. Diskutiert, ob es einen Unterschied macht, ob ein Historiker der Religion angehört, über die er spricht. Sollte er es vielleicht sogar, oder besser nicht?*
3. *Du bist entweder der Hof-Kartograf des Kalifen, des oströmischen Kaisers oder des Frankenherrschers. Zeichne eine Karte der Welt. Denke daran, was in den Mittelpunkt gehört. Verziere die Karte mit vielen Details, über die du bisher erfahren hast. Wie damalige Karten darf auch deine fantasievoll sein und muss nicht unbedingt „stimmen".*
4. *Am Buch M3 sieht man deutliche Kerben, die von Schwerthieben stammen. Stellt euch vor, ihr müsstet mit diesem Gegenstand als Indiz den dahinterstehenden „Kriminalfall" lösen. Was ist geschehen? Hilft euch das Bild M1 auf S. 166 weiter? Schreibt eine interessante, möglichst glaubwürdige Geschichte, die den Fall erklärt.*

Arbeitsanweisung in der Aufgabe	Was ist genau zu tun?	Was dir zusätzlich helfen kann
analysieren	Du wertest Materialien (Texte, Bilder, Karten usw.) „mit Methode" aus.	In der „Methodenbox" der Methodenseiten in diesem Buch findest du hilfreiche Arbeitsschritte.
begründen	Du untermauerst eine Aussage mit Gründen.	Formulierungen, die du verwenden kannst: *Dafür spricht … – Ein Grund dafür ist …*
beschreiben	Du gibst die wichtigsten Merkmale in ganzen Sätzen und eigenen Worten wieder.	Formulierungen, die du verwenden kannst: *Hier ist abgebildet … – Hier sehe ich … – Hier wird gesagt, dass …*
beurteilen	Du nimmst Stellung zu einer Aussage von anderen oder einem Sachverhalt. Dabei geht es darum herauszufinden, ob diese Aussage überzeugend – also logisch und in sich stimmig – ist. Gib dabei die Gründe für dein Urteil an.	Formulierungen, die du verwenden kannst: *Ich halte die Aussage für überzeugend, weil … – Weniger / nicht überzeugend ist, dass …*
bewerten	Auch hier geht es darum, Stellung zu beziehen. Allerdings kannst und sollst du hier stärker das einbeziehen, was dir persönlich oder unserer Zeit heute wichtig ist.	Formulierungen, die du verwenden kannst: *Ich halte das für richtig (bzw. falsch), weil … – Damit habe ich Schwierigkeiten, weil … – Die Menschen heute sehen das anders, da …*
bezeichnen	Du drückst wichtige Sachverhalte in eigenen Worten aus, die dir z. B. in einer Karte, einer Tabelle oder einem Schaubild aufgefallen sind.	*Achte darauf, möglichst exakt auf den Punkt zu bringen, was dir aufgefallen ist und dabei die entsprechenden Fachbegriffe zu verwenden. Dabei hilft dir z. B. die Legende einer Karte.*
charakterisieren	Du beschreibst etwas, indem du das, was besonders auffällig ist, hervorhebst.	Formulierungen, die du verwenden kannst: *Auffällig ist … – Der Autor benutzt für … die Worte …*
darstellen	Du zeigst Zusammenhänge auf. In der Regel schreibst du dazu einen eigenen, gegliederten Text.	Hier wird eine meist recht ausführliche Schreibarbeit von dir verlangt. Als Vorarbeiten können daher eine *Stichwortsammlung* und eine *Gliederung* hilfreich sein.
ein-, zuordnen	Du stellst etwas in einen Zusammenhang, der dir durch die weitere Aufgabenstellung vorgegeben wird.	Achte darauf, auch zu erklären, *warum* das eine zum anderen passt. Als Vorarbeit kann es wichtig sein, zunächst zu beschreiben, *was* ein- oder zugeordnet werden soll.
entwickeln	Du suchst nach einem Lösungsansatz für ein Problem.	Achte darauf, dass sich dein Lösungsansatz *mit Gründen oder Belegen* aus den vorgegebenen Materialien *untermauern* lässt.
erklären	Du gibst auf der Basis deines Wissens eine Antwort.	Hier sollst du die Gründe für etwas oder die Zusammenhänge von etwas aufzeigen. So kannst du eine Antwort auf die Frage geben, *warum etwas so ist oder war.* Formulierungen, die du verwenden kannst: *weil …; deshalb …; daher …; dadurch …*

Arbeitsanweisung in der Aufgabe	Was ist genau zu tun?	Was dir zusätzlich helfen kann
erläutern	Du erklärst, warum etwas so ist, und nennst dabei Beispiele oder Belege.	Die hier besonders wichtigen Beispiele und Belege sollen deine Erklärung veranschaulichen, also verständlich machen, warum etwas so ist. Formulierungen, die du verwenden kannst: *Dies zeigt sich daran, dass .... – Dies wird belegt durch ...*
erörtern	Dir wird ein Problem vorgegeben. Wie auf einer zweischaligen Waage kannst du das Problem abwägen. Lege die Gründe dafür in die eine Schale, die Gründe dagegen in die andere. Am Ende kommst du zu einem Ergebnis deiner Abwägung. Dabei hilft wieder der Blick auf die Waage: In welcher Waagschale finden sich die gewichtigeren Gründe?	Formulierungen, die du verwenden kannst: *Dafür spricht ... – Dagegen spricht ... – Insgesamt komme ich zu der Einschätzung, dass ...*
erstellen	Du zeigst Zusammenhänge auf – oft mit einer Skizze oder einer Zeichnung.	Hierfür kannst du z. B. Pfeile, Tabellen oder eine Mind-Map verwenden.
gestalten	Du stellst etwas her oder entwirfst etwas, z. B. einen Dialog zwischen zwei Personen oder ein Plakat.	Dabei ist besonders deine Kreativität gefragt. Achte aber darauf, die Aufgabenstellung im Blick zu behalten.
herausarbeiten	Du „filterst" aus einem Material unter bestimmten Gesichtspunkten die wichtigsten Informationen heraus.	Achte auf die in der Aufgabenstellung genannten Gesichtspunkte und vermeide eine reine Inhaltswiedergabe. Gib bei Texten die Zeilen an, auf die du dich bei deiner Herausarbeitung beziehst.
nennen	Du zählst knapp die gefragten Informationen oder Begriffe auf.	Da hier oft mehrere Punkte gefragt sind, ist es sinnvoll, deiner Antwort eine Struktur zu geben: *1. ...; 2. ...; 3. ... usw.*
überprüfen	Du untersuchst, ob eine Aussage stimmig ist, und formulierst ein Ergebnis deiner Überlegungen.	Auch hier hilft das Bild der Waage (s. o.: „erörtern")
vergleichen	Du stellst zwei Aussagen oder Materialen gegenüber und suchst anhand bestimmter Vergleichspunkte nach Gemeinsamkeiten und Unterschieden. Am Schluss formulierst du ein Ergebnis.	Hier kann eine dreispaltige Tabelle hilfreich sein: Spalte 1: Merkmal, das du vergleichen möchtest – Spalte 2: Material 1 – Spalte 3: Material 2. Achte darauf, dass auch die Nennung von Unterschieden zu einem Vergleich gehört.
zusammenfassen	Du stellst in eigenen Worten und auf den Punkt gebracht die wichtigsten Informationen zusammen, die du einem vorgegebenen Material entnommen hast.	Folgende Fragen helfen dir: *Was ist das Wichtigste? – Welche Erkenntnis habe ich gewonnen? – Wie lässt sich das kurz und bündig als „Konzentrat" formulieren?*

Zeitstrahl

s. S. 18f

Ein Zeitstrahl ist ein Hilfsmittel für die Orientierung in der Zeit. Er stellt Ereignisse und Zeiträume grafisch dar. Dabei stellt man sich die Zeit als Pfeil oder Gerade vor.
Meist ist der Zeitstrahl waagerecht angeordnet, die ältesten Ereignisse sind links eingetragen. Je weiter wir uns in Richtung des Endpunktes bewegen, desto näher ist die Gegenwart.
Der *räumliche* Abstand von Punkten auf dem Zeitstrahl zeigt den *zeitlichen* Abstand zwischen den Ereignissen. Je weiter die Punkte voneinander entfernt sind, desto mehr Zeit liegt dazwischen.
Mit einem Zeitstrahl (auch „Zeitleiste") erkennen wir auf einen Blick, in welcher *Reihenfolge* Ereignisse geschahen, ob Entwicklungen *aufeinander* folgten oder zwei Personen *gleichzeitig* gelebt haben. Außerdem können mehrere Zeitleisten parallel angeordnet werden. So können wir feststellen und vergleichen, was *zur selben Zeit an verschiedenen Orten* passiert ist.

Einen Zeitstrahl kannst du in diesen Schritten lesen:
Schritt 1:
- Kläre zuerst, welchem Thema sich der Zeitstrahl widmet. Das sagt dir oft eine Über- oder Unterschrift.

Schritt 2:
- Finde heraus, welche Zeitspanne die Zeitleiste behandelt. Beachte dazu die Jahreszahlen an der Linie, besonders an Anfang und Ende.
- Beschreibe, welche Zeitpunkte oder Zeiträume eingetragen sind.
- Bestimme die Dauer oder den Abstand von eingetragenen Ereignissen, die dir für die Fragestellung wichtig scheinen.

Schritt 3:
- Formuliere deine Ergebnisse in ganzen Sätzen.

Dabei kannst du diese Formulierungen verwenden:
1. *Der Zeitstrahl zeigt die Entwicklung von … / die zeitliche Abfolge von …. Auf der Zeitleiste sind wichtige Schritte der Geschichte des … eingetragen.*
2. *Der Zeitstrahl beginnt im … Jahrhundert / Jahrtausend und reicht bis ins Jahr … / die Gegenwart.*
3. *Wir erfahren die Zeit, zu der es … gab / die Lebenszeit von …. Man sieht, dass … X Jahre früher / später geschah als ….*

Archäologische Spuren

s. S. 34f.

Eine der wichtigen Arbeitsweise von Archäologen ist das „Spurenlesen" im Boden. Die Forscher versuchen, aus *Funden* zu erschließen, wie die Menschen, die sie früher einmal verloren oder vergraben haben, lebten. Archäologen gehen dabei ähnlich vor wie Detektive: Sie sichern den „Tatort", sammeln Spuren und ziehen daraus Rückschlüsse.

Solche Aussagen können Archäologen treffen:
- Aus *Hausresten* schließen sie auf die Größe und Bauweise der Häuser und ihre Aufteilung in unterschiedliche Räume.
- Aus *Knochenfunden* schließen sie darauf, welche Tiere in der Siedlung gehalten oder gegessen wurden.
- Aus *Überresten von Pflanzen* schließen sie, wie die Natur um die Siedlung aussah, welche Pflanzen die Dorfbewohner anbauten und welche Früchte sie sammelten.
- Aus *Gegenständen* (oder ihren Überresten) schließen sie auf Tätigkeiten, die in der Siedlung stattfanden.
- Aus *Gegenständen, die nur an anderen Orten vorkommen oder hergestellt werden*, schließen sie auf Kontakte der Menschen in entfernte Gegenden.
- Aus *Grabbeigaben* schließen sie daraus, welche Stellung in der Gemeinschaft ein Mensch zu Lebzeiten hatte und welche Vorstellungen vom Jenseits die Gemeinschaft hatte.
- Aus *menschlichen Überresten* schließen sie auf Alter, Geschlecht, Gesundheit, Ernährung und Lebensumstände.

Auf der Grundlage von Ausgrabungsergebnissen stellen Archäologen gemeinsam mit Zeichnern dar, wie die untersuchte Siedlung ausgesehen haben könnte (*Rekonstruktion*).
In Freilichtmuseen werden einzelne Häuser einer ausgegrabenen Siedlung nachgebaut. Manche Hausteile müssen sie auch „dazuerfinden". Das machen sie nicht beliebig, sondern sie gehen von ihrem Wissen über die gesamte Epoche aus und beziehen andere Ausgrabungsorte mit ein.

Wenn du für geschichtliche Fragen archäologische Informationen berücksichtigen sollst, kannst du schreiben:
Die Funde der Ausgrabung in … zeigen, dass … – Die Rekonstruktion der Häuser von … berücksichtigt … – Die Menschen in der Siedlung … waren / konnten / lebten …, wie der Funde eines / die Funde von … belegen.

Geschichtskarten

s. S. 76f.

Landkarten informieren über die Lage von Ländern, Orten, Meeren, Flüssen, Bergen und anderen Kennzeichen einer Landschaft. *Karten für den Geschichtsunterricht* enthalten noch mehr: Sie verknüpfen Erdkunde und Geschichte, indem sie zeigen, welche Ereignisse und Entwicklungen in der Vergangenheit in bestimmten Gebieten stattfanden. Wo siedelten die Menschen? Wie veränderten sich Lebensräume von Völkern und Ländergrenzen? Woher kamen Handelsgüter und wohin wurden sie auf welchen Wegen gebracht? Auch genaue Karten geben immer nur einen Teil der Gegebenheiten wieder.

Karten kannst du lesen
Schritt 1:
- Kläre, um welches Thema es in der Karte geht (berücksichtige dabei die Über- oder Unterschrift).
- Beachte die Legende: Sie erklärt dir die verwendeten Zeichen, Farben und Abkürzungen und nennt meist auch den Maßstab.

Schritt 2:
- Kläre zunächst, welches Gebiet die Karte zeigt, welche Zeit sie behandelt und über welche Einzelheiten sie informiert.

Schritt 3:
- Wenn dir Fragen zu Entfernungen zwischen Orten gestellt werden, nutze die Maßstabsleiste.
- Bei Fragen zur Landschaft solltest du Merkmale wie Küstenverlauf, Flüsse und Höhenangaben berücksichtigen.
- Wähle die Informationen aus, die zu den Fragen, die du selbst an die Karte stellst, oder zu den Aufgaben, die du lösen sollst, passen.

Zur Kartenauswertung nützliche Formulierungen:
Der Kartenausschnitt zeigt .... – Der abgebildete Raum ist ungefähr ... x ... km groß. – Die Karte bildet die Verhältnisse im .... Jh. / im Jahr ... ab. – Mit Farben wird angegeben, ... – Aus den Angaben kann man erkennen, dass der Raum über den Landweg / Seeweg ... zu erreichen war. – Symbole zeigen an, wo die Menschen ..., wo sie welche ... anbauten, wo es Orte für die Verehrung von ... gab und wo sie ... förderten. Außerdem sieht man, welche ... es in ... gab. – Die Karte erlaubt also Aussagen über die Lebensbereiche ... .

Bilder

s. S. 60f.

Bilder können uns Geschichten erzählen und uns etwas über die Zeit mitteilen, in denen sie entstanden sind. Du kannst sie zum Sprechen bringen, indem du Fragen an sie stellst. Nicht alle lassen sich bei jedem Bild beantworten. Oft musst du weitere Informationen einholen.
Du kannst bei der Arbeit mit Bildern in drei Schritten vorgehen:

1. Beschreibe das Bild
- Wann und wo wurde es geschaffen oder veröffentlicht?
- Hat es ein besonderes Format?
- Welche Personen erkennst du auf dem Bild?
- Was tun die Personen?
- Wie sind sie gekleidet? Haben sie Gegenstände bei sich?
- Kannst du weitere Dinge oder Tiere auf dem Bild erkennen?
- Wie wirkt das Bild auf dich?

2. Erkläre die Zusammenhänge
- Ist auf dem Bild etwas hervorgehoben? Woran erkennst du das?
- Wie sind die Personen dargestellt? Fällt dir dabei etwas auf? Sind es wirkliche Personen oder stehen sie für etwas?
- In welcher Beziehung zueinander sind die Personen dargestellt?

3. Bewerte das Bild
- Zu welchem Zweck wurde das Bild hergestellt?
- Was sollte es dem Betrachter sagen?
- Welche Ereignisse und Vorstellungen haben für die Darstellung eine Bedeutung? Findest du sie im Bild wieder?

Diese Sätze kannst du bei Bildquellen verwenden:
1. *Das Bild stammt aus dem Jahr .... Es wurde vom Künstler ... gemalt. Von links nach rechts erkennt man .... Die Figur ... ist mehrmals abgebildet. Die Figur des ... ist durch ... besonders hervorgehoben. Auffällig ist .... Einige Figuren tragen ...*
2. *Einige der Figuren sind (Menschen / Götter / Teufel...). Dies erkennt man an .... Die meisten Figuren (blicken / gehen) nach .... Besonders hervorgehoben ist .... Als einzige Figur ist er ... dargestellt. Das Bild zeigt (einen einzigen Moment / einen längeren Zeitraum).*
3. *Das Bild diente als ... / war angebracht am .... Es beschreibt die Vorstellung vom .... Die abgebildete Szene war für die Menschen sehr wichtig, da .... Das Bild ist eine Quelle für die Vorstellungen der Menschen des ... über ....*

Textquellen

s. S. 94 f.

Textquellen sind die wichtigsten geschichtlichen Zeugnisse. Ein Text aus der Vergangenheit kann beim ersten Lesen aber schwierig sein – sogar für Profi-Historiker! Dazu ein paar Tipps:

Schritt 1: Texte verstehen

① Lies den Text sorgfältig durch. Oft erschließt sich sein Sinn beim zweiten Lesen schon besser.
② Notiere dir unbekannte Begriffe und Namen. Kläre sie mithilfe eines Lexikons (Buch, Internet).
③ Ausdrücke, die dir unverständlich bleiben, kannst du im Unterricht klären.

Schritt 2: Texte einordnen

④ Finde heraus, wann und wo der Text entstand.
⑤ Ermittle den Autor. Welchen Beruf, welche Aufgabe hatte er, als er den Text schuf? Was war der Anlass? Ein Lexikon kann dir dabei helfen.
⑥ Lies in deinem Geschichtsbuch nach, was wir über die Zeit der Textquelle wissen.
⑦ Um welche Art von Quelle handelt es sich? Ein Gesetz hatte andere Absichten als ein Gedicht oder eine Rede.
⑧ Manchmal ist wichtig, wie ein Text in unsere Zeit kam (Historiker nennen das „Überlieferung"). So klärst du, wie zuverlässig der Inhalt ist.

Schritt 3: Texte deuten

⑨ Arbeite die wichtigen Aussagen des Textes heraus.
⑩ Stelle fest, was der Autor in seiner Zeit mit dem Text bewirken wollte und warum.
⑪ Finde heraus, ob die beabsichtigte Wirkung erzielt wurde (etwa: „Was geschah nachher?").

So kannst du dich bei Texten ausdrücken:

- *Bei dem Text handelt es sich um eine Rede / eine Inschrift / ein Gesetz / ... .*
- *Der Text soll von ... im Jahr ... aufgeschrieben worden sein.*
- *Er stammt aus der Stadt ... / dem Land ... .*
- *Zur dieser Zeit war für die Menschen ... wichtig, weil ... .*
- *Der Text wurde vom Autor aufgeschrieben / von ... überliefert.*
- *Die wichtigsten Stellen / Kernaussagen des Textes sind: a) ..., b) ..., c) ... .*
- *Der Autor möchte mit seinem Text (wahrscheinlich) erreichen, dass ... .*

Münzen

s. S. 136 f.

Münzen sind nicht nur Zahlungsmittel. Mit ihnen wurden zu allen Zeiten politische Botschaften und Meinungen unters Volk gebracht. Für Geschichtsforscher sind Münzen deshalb ergiebige Quellen, die Aufschluss geben über Zeitumstände, Ereignisse und Entwicklungen oder Absichten und Haltungen der Auftraggeber.

Zur Analyse von Münzen kannst du so vorgehen:
Schritt 1: Was sehe ich? Was bedeutet das?
(beschreiben und entschlüsseln)
Welche Personen, Gegenstände, Symbole, Inschriften (Legenden) usw. sind zu erkennen? Wofür stehen die Bilder, was besagt die Legende?
Schritt 2: Was weiß ich über die Hintergründe?
(in Zusammenhang einordnen)
Aus welcher Zeit stammt die Münze? Auf welche Personen oder Ereignisse bezieht sie sich? Welche politischen Verhältnisse herrschten damals?
Schritt 3: Was ist die Botschaft?
(Aussage formulieren)
Was soll dem Betrachter mitgeteilt werden? Welche Überzeugung soll ihm nahe gebracht werden?
Schritt 4: Was lerne ich daraus?
(Fazit ziehen)
Welche neuen Erkenntnisse habe ich gewonnen? Wo sehe ich Verbindungen zu bereits Gelerntem? Welche grundlegenden Fragen kann ich nun besser beantworten als zuvor?

Nützliche Sätze zur Auswertung von Münzen:
Schritt 1: *Die Vorderseite / Rückseite der Münze zeigt ... – Folgende Legenden kann ich lesen: ... – Das Symbol ... bedeutet ... – Die abgebildete Person ist ...*
Schritt 2: *Die Münze stammt aus der Zeit ... – Wichtige Personen waren damals ... – Die Situation / das Problem zu dieser Zeit war ...*
Schritt 3: *„Ich bin ...", „Wir wollen ...", „Ich kann ..." (Lass den / die Urheber der Münze zu Wort kommen.)*
Schritt 4: *Die Münze hat mir verraten, dass ... – Dies kenne ich schon aus der Beschäftigung mit ... – Dies lässt sich vergleichen mit ... – Durch die Beschäftigung mit der Münze ... – Zu diesem Thema wüsste ich gern noch ...*

Bilderzählungen

s. S. 158f.

Menschen beantworten die Frage „Wer bist du?" oft mit einer *Erzählung*. Sie bringt zur Sprache, was ihnen wichtig ist. Dies verbindet Menschen aller Zeiten und Kulturen. Erzählungen, in denen Menschen im Rückblick ihr Leben deuten, sind daher auch für Historiker interessant.
Sinn gebende Erzählungen wurden oft aufgeschrieben. Die Schriftreligionen kennen viele solche Geschichten. Als viele Menschen nicht lesen und schreiben konnten, nutzten sie zum Erzählen auch Bilder. Sie können erzählen, welchen Sinn Menschen ihrem Leben gegeben haben. Diesen Sinn kann man entschlüssseln. Dafür muss man die Erzählung in ihrem Zusammenhang (*Kontext*) verstehen. Dies kann in drei Schritten gelingen.

1. Schritt: Wie wird die Erzählung „aufbewahrt"?
- Um welche Quellengattung handelt es sich?
- Warum wurde gerade diese Quellengattung gewählt?
- Tipp: Auf den Methodenseiten findest du Hinweise, wie verscheidene Quellen nach ihren Eigenarten genauer untersucht werden können.

2. Schritt: Von wem und wovon wird erzählt?
- Von welchen Personen wird erzählt?
- Welche Ereignisse werden in den Mittelpunkt der Erzählung gestellt?
- Tipp: Kontext beachten, Zusatzinformationen nutzen

3. Schritt: Warum wird erzählt?
- Warum erinnern sich die Menschen an diese eigentlich längst vergangene Geschichte?
- Wie deuten sie dadurch die Zeit, in der sie leben?
- Wie versuchen sie, ihrem Leben damit Sinn zu geben?
- Tipp: Kontext beachten, Zusatzinformationen nutzen

Wenn du eine Bildezählung deuten sollst, kannst du diese Ausdrücke verwenden:
Das Bild erzählt die Geschichte von ... – Die Menschen kannten diese Erzählung, weil ... – Die Geschichte war den Menschen wichtig, denn ... – Aus der Erzählung lernen wir, dass ...

Historisch argumentieren

s. S. 170f.

Im Fach Geschichte geht es darum, die Vergangenheit zu erkunden. Dazu sind Quellen nötig, die für sich genommen aber erst einmal „stumm" sind. Erst wenn man weiß, welche Fragen man an die Quellen stellen kann, ist man in der Lage, sie zum Sprechen zu bringen.
Doch selbst dann liegen die Dinge oftmals nicht ganz einfach: Wenn zum Beispiel ein König hingerichtet wird, könnte es sein, dass eine Quelle aussagt, dass er damit seine gerechte Strafe erhält, weil er ein schrecklicher Tyrann war. In einer anderen Quelle könnte zu lesen sein, dass der König unschuldig war und von seinen Gegnern unrechtmäßig ermordet wurde.
Um in solchen Fällen zu einem begründeten Urteil zu kommen, benutzen Historiker die Methode des *Historischen Argumentierens*.

Wenn du eine historische Argumentation verfassen sollst, kannst du in fünf Schritten vorgehen:
1. Schreibe eine *Behauptung* zur Frage auf.
2. Gib den *wichtigsten Grund* („Argument") an, warum du so denkst. Verwende dazu eine Idee aus einer Text- oder einer Bildquelle. Erkläre, warum diese Idee deine Behauptung stützt.
3. Finde ein *weiteres Argument* für deine Behauptung. Gehe dabei so vor wie in Schritt 2.
4. Schreibe ein Argument auf, das *gegen deine Behauptung* spricht. Verwende auch hier Text- oder Bildquellen wie in den Schritten 2 und 3.
5. *Fasse kurz zusammen*, was du in den Schritten 2 bis 4 herausgefunden hast, und erkläre, warum deine Behauptung (Schritt 1) stimmt.

Kapitel 1: Wir begegnen der Vergangenheit

S. 17, A2 *Erklärt, warum wir heute den Gregorianischen Kalender verwenden (M2) und nicht mehr den der Römer oder Ägypter.*

- Lies in M2 Z. 25-33, was geschehen wäre, wenn Papst Gregor 1582 nicht den „Gregorianischen Kalender" eingeführt hätte.

S. 21, A2 *In M1 fehlt auch Wichtiges, wenn die Arbeit des Historikers dargestellt werden soll. Ergänze.*

- Sicher hast du in Aufgabe 1 erkannt, dass die drei Gesichter in unterschiedliche Richtungen blicken: zurück in die Vergangenheit, in die Gegenwart und nach vorn in die Zukunft. All das macht ein Historiker. Zum Sehen gehören aber nicht nur Augen, sondern auch etwas, was die Augen ansehen können ...

S. 22, A3 *„Die Geschichte ist doch kein fest vorgezeichneter Weg!" So könnte ein Historiker kritisch über unsere „Straße der Geschichte" urteilen. Diskutiert darüber in der Klasse.*

- Unsere „Straße der Geschichte" macht den Eindruck, als würde der Steinzeitmensch ganz hinten schon den Weg erkennen, den die Menschheitsgeschichte nehmen wird. Er muss einfach nur geradeaus laufen. War das so? Bleibt im Bild der Straße und denkt an Sackgassen, Irrwege, Straßensperrungen, Abkürzungen ...

Kapitel 2: Menschen der Ur- und Frühgeschichte

S. 29, A3 *Erkläre, weshalb der Fund von „Shanidar I" (M4) frühere Vorstellungen über die Neandertaler (M3) stark veränderte.*

- Viele Menschen stellen sich die Neandertaler bis heute vor wie in M3. Lies M4, Z. 14-20, und überlege, welche Beobachtungen am Skelett von „Shanidar I" dazu führten. Passt das zu M3?

S. 31, A3 *Erkläre, welche Bestandteile der Geschichte M3 auf Funden beruhen könnten und welche vermutlich frei erfunden sind.*

- Aus der Urgeschichte haben wir keine schriftlichen Quellen, sondern nur Sachquellen. Achte daher in der Geschichte auf die Nennung von Gegenständen. Wie sieht es mit Worten, Gedanken und Gefühlen aus?

S. 33, A3 *Vergleiche die Schaubilder in M4. Erkläre, warum Forscher einen Zusammenhang zwischen der Klimaveränderung und der Entstehung der bäuerlichen Lebensweise vermuten.*

- Achte auf die Beschriftung der Achsen, besonders der Zeitachse. Versuche, die Angaben aus der Zeitleiste S. 33 einem der Diagramme zuzuordnen. Welchen Zusammenhang stellst du fest?

S. 37, A2 *Arbeite aus M3 - M4 Hinweise heraus, die folgende Fragen beantworten können: War „Ötzi" auf die Gewinnung von Kupfer spezialisiert? Hat er sein Beil möglicherweise selbst hergestellt? Begründe deine Auswahl.*

- Lies in M4 nach, wie aus Kupfererz Gegenstände hergestellt wurden. Nun kannst du manche Eintragungen der Tabelle vielleicht mit dem Metallhandwerk in Verbindung bringen. Berücksichtige auch, dass Kupfer zu dieser Zeit noch selten war.

S. 41, A3 *War die Heuneburg eine Stadt, ein Handelsknotenpunkt oder nur ein Wohnort weniger reicher Menschen? Begründe mit dem Darstellungstext, M3 und M5.*

- Im Darstellungstext (Abschnitt „Eine keltische Stadt?") und in M3 (Bildunterschrift) findest du Angaben, die dir helfen, die Frage zu beantworten. Wodurch „fremde Merkmale" auf die Heuneburg gekommen sein können, zeigt dir auch M5. Ob es nur reiche Menschen oder auch einfache Leute gegeben hat, kannst du vielleicht aus dem Bild M3 ableiten.

Kapitel 3: Ägypten – eine frühe Hochkultur

S. 49, A2 *Erkläre die „drei Jahreszeiten" (M2). Begründe die Notwendigkeit des Bewässerungssystems am Nil (M1).*

- Du kannst so formulieren: „Wenn der Nil anstieg, ... Dadurch hatte man zur Zeit ... genug ..., um ..." Überlege, welche Zone in M1 sich ohne Bewässerung ausdehnen würde.

S. 49, A3 *Beurteile, ob der Nil zu Recht als Lebensader bezeichnet wird.*

- Erstelle dazu eine Tabelle mit Vor- und Nachteilen des Flusses. Danach kannst du abwägen, was der Nil für die ägyptische Hochkultur bedeutete.

S. 51, A3 *Erstelle eine „Berufsbeschreibung" für den Pharao. Überlege, welche Eigenschaften und Fähigkeiten ein guter Herrscher haben sollte.*

- Lies nochmals den Darstellungstext und notiere alle Aufgaben eines Pharaos, die darin vorkommen. Schreibe dann hinzu, welche Fähigkeiten die jeweilige Aufgabe erforderte.

S. 51, A4 *Erkläre die besondere Bedeutung der Entdeckung des Grabes von Tutanchamun.*

- Du kannst so vorgehen: Beschreibe zuerst, was das Grab des Tutanchamun alles enthielt (M2) und beschreibe einige besondere Grabbeigaben (M3, M4). Berücksichtige dann die letzten sieben Zeilen des Darstellungstextes.

S. 55, A2 *Erläutere die Vorteile und die Einsatzmöglichkeiten der Schrift sowie ihre Bedeutung für die ägyptische Hochkultur. Erstelle einen kurzen Sachtext über die Bedeutung der Erfindung der Schrift für die Menschen bis heute.*

- Finde mithilfe des Darstellungstextes heraus, zu welchen Zwecken die alten Ägypter ihre Schrift einsetzten. Bei der Erstellung des Sachtextes kannst du dich an dieser Liste orientieren. Schreibe etwa: „Die Ägypter nutzten Hieroglyphen, um auf Gefäßen ... Das gibt es noch heute, wie ... zeigt. – Sie schreiben auf, ... – So wie wir heute ..."

S. 63, A5 *Arbeite aus dem Codex Hammurapi heraus (M5), auf welchen Vorstellungen das babylonische Recht beruht. Beurteile die Gesetze aus heutiger Sicht.*

- Vergleiche dazu die Straftat und die Strafe – was fällt in vielen Fällen auf? Fällt dir übrigens ein Sprichwort dazu ein (Z. 23-25)? – Zur Beurteilung frage dich, warum unsere Gesetze heute mildere Strafen vorsehen.

S. 69, A4 *Untersucht die Kultur, aus der die Beispiele M1b-M6b stammen. Prüft, welche Elemente einer Hochkultur (vgl. S. 64) ihr für diese Kultur vermuten könnt. Die Texte und Bilder in Kapitel 2 helfen euch dabei. Notiert Fragen, die für euch offen bleiben.*

- Sicher ist euch aufgefallen, dass die Beispiele a und b jeweils aus einem ähnlichen Bereich stammen. Denkt dennoch daran, auch Unterschiede zu berücksichtigen.

Kapitel 4: Leben im antiken Griechenland

S. 75, A1 *Nenne die Gründe, weshalb in Griechenland kein großer, zusammenhängender Staat entstand, sondern viele Stadtstaaten.*

- Sieh dir nochmals die Karte auf S. 73 an. Suche nach Merkmalen, die eine Zersplitterung in kleine Stadtstaaten begünstigten.

S. 75, A4 *Um seine Geschichte spannend zu machen, lässt Homer Odysseus von einäugigen Riesen (Kyklopen) erzählen. Prüfe mit M3 c folgende Aussage: „Die Griechen sind das positive Gegenteil der Kyklopen."*

- Forme jeden Satz über die Kyklopen in sein Gegenteil um. Überprüfe, ob diese Aussage nach deinem Wissen auf die Griechen zutrifft und warum. Schreibe dann: „Nach Homer sind/haben/machen die Griechen ..."

S. 79, A4 *Erkläre, warum Helden bei den Pharaonen im alten Ägypten keine Rolle spielten.*

- Achte auf den letzten Satz von M2. Lies auf S. 50 nach und überlege, ob eine solche Geschichte über einen Pharao denkbar wäre.

S. 81, A2 *Begründe, warum Athleten abgeworben und Schiedsrichter bestochen wurden (M3). Recherchiere, was heute gegen Betrug getan wird.*

- Lies nach, was ein Olympiasieger erwarten durfte (Darstellungstext, Abschnitt „Traum vom Olympiasieg"). Überlege zusätzlich, ob auch die Polis eines Gewinners Vorteile von dessen Sieg haben könnte.

S. 81, A4 *Jedem freien griechischen Mann standen die Olympischen Spiele offen. Begründe, warum dennoch mehr Reiche teilnahmen.*

- Finde heraus, wo Olympia liegt und wie weit die Athleten aus anderen Poleis anreisen mussten (Karte S. 73). Lies nach, wie lange sie in Olympia bleiben mussten (M3). Überlege, was das für einen einfachen Bauern, was für einen reichen Mann bedeutete.

S. 83, A2 *Entwickle eine Geschichte: Der Bauer Kylos und seine Frau Aglaia aus der Polis Athen haben sich mit ihren Kindern in Sizilien niedergelassen.*

- Am besten erzählst du in zeitlicher Reihenfolge: Wovon lebte die Familie in Griechenland (als Anregung nutze die Karte S. 76, M2). Was erlebte sie dort? Was unternahm sie dagegen? Wie wanderte sie aus? Was machte sie am neuen Siedlungsort? Wie erging es ihr nach der Aussiedlung? – Berücksichtige den Darstellungstext und M1 - M7.

S. 85, A3 *Erläutere an Beispielen, woher wir einige unserer Kenntnisse über die Schifffahrt und den Handel der Griechen haben.*

- Ein Tipp: Damalige Unglücke sind heute unser Glück. Beachte deshalb M1. Was sagt M2, was sagt M5 über das Thema?

S. 87, A2 *Du bist Spartaner. Ein Soldat aus Athen erzählt dir voller Stolz von Herodots Urteil (M2). Entwirf eine Gegenrede.*

- Dich als Spartaner ärgert natürlich besonders Z. 18f. des Herodot-Textes. Suche daher im Darstellungstext nach dem Anteil deiner Polis am Sieg über die Perser.

S. 89, A3 *Du lebst im 5. Jh. v. Chr. in Athen und bekommst Besuch von Freunden aus Korinth. Sie möchten wissen, wie ihr Athener eure Polis regiert. Biete den Gästen eine Stadtführung zu den wichtigsten Orten Athens (M4).*

- Nutze dazu M4. Nicht alle Orte, die dort genannt sind, haben etwas mit der Regierung von Athen zu tun. Wähle die fünf Einrichtungen aus, die dir am wichtigsten erscheinen, und erläutere sie deinem Gast.

S. 89, A6 *Diskutiert, ob in Athen wirklich „das Volk" herrschte. Berücksichtige M3.*
- Arbeitet aus M3 den ungefähren Anteil der Einwohner Athens heraus, die keinerlei Mitbestimmungsrechte hatten.

S. 93, A1 *Der Schreiber eines Leserbriefes fordert: „Die heutigen Schulen sollten sich ein Beispiel an den Spartanern nehmen und ihre Erziehung daran ausrichten!" Schreibt eine Entgegnung (M3).*
- Berücksichtigt, was ihr über die Erziehung von Kindern und Jugendlichen in Sparta und die Gründe dafür wisst. Bestehen diese Gründe noch heute?

S. 93, A3 *Diskutiert die Besonderheiten der Regierung von Sparta (M5). Vergleicht mit Athen (S. 88 f.).*
- Beispiele: In Sparta gab es zwei Könige. Ihre Aufgabe im Krieg war ... Die höchste Einrichtung in Athen war ...

S. 97, A3 *Fasse zusammen, wie Xenophon (M4) die unterschiedlichen Rollen von Frauen und Männern begründet. Vergleiche seine Meinung mit unserer heutigen Ansicht über die Rechte und Pflichten der Geschlechter.*
- Du kannst in diesen Schritten vorgehen:
  a) Finde heraus, warum sich Frauen und Männer nach Xenophon binden.
  b) Nenne Arbeiten, die Männer, und solche, die Frauen verrichten sollen.
  c) Suche im Text nach Gründen für diese unterschiedliche Arbeitsverteilung.
  d) Beantworte die gleichen Fragen aus unserer heutigen Sicht (Perspektive).

S. 99, A2 *Erkläre, warum Hegeso auf ihrem Grabstein (M2) zusammen mit ihrer Dienerin gezeigt wird.*
- Frage dich, wer oder was sonst noch auf einem Grabdenkmal abgebildet sein könnte.

S. 99, A3 *Beurteile, ob das Bild M2 eine zuverlässige Quelle für den Umgang der Griechen mit ihren Haussklaven ist.*
- Berücksichtige, dass die Grabstele auf einem Friedhof öffentlich aufgestellt war. Überlege, was der Auftraggeber wohl über sich aussagen wollte.

S. 99, A4 *Vergleiche M3 mit M1. Begründe, wofür Griechen so viel Ton brauchten.*
- Hinweise geben dir Bilder auf S. 72, 75 und 84, aber auch 81 M2, 89 M4 und 96 M2.

S. 101, A3 *Beurteile die Entwicklung der Kunst in der Zeit zwischen M2 und M3. Welches der beiden Kunstwerke gefällt dir besser? Begründe.*
- Lies noch einmal den Abschnitt „Künstler entdecken das ‚Ich'". Kannst du einzelne Aussagen in den Kunstwerken wiederfinden? Bestimme den zeitlichen Abstand zwischen beiden Kunstwerken (Zeitleiste). – Für den zweiten Teil der Frage können wir natürlich keine Hilfestellung geben. Du solltest dein persönliches Urteil nur begründen, etwa: Die Statue Mx gefällt mir besser als die Statue My, weil sie ...

S. 101, A4 *Versetze dich in die Rolle des Perikles um 450 v. Chr. Der Neubau der Akropolis-Bauten wird die Bürger sehr viel kosten. Versuche, die Athener in der Volksversammlung von deinem Plan zu überzeugen.*
- Finde Gründe, die an die Religion der Athener anknüpfen, und solche, die sich auf Macht und Ansehen der Polis Athen beziehen. Vielleicht willst du den Athenern bereits von der goldenen Athena-Statue des Phidias berichten (M4)?

S. 103, A2 *Erkläre mit M2 und M3, warum manche Athener Sokrates für gefährlich hielten und vor Gericht stellten.*
- Versetze dich in die Lage von Trasybulos (M2) und in die der Athener (M3, Z. 8-11). Beurteile, wie diese Sokrates' Fragen empfunden haben könnten.

S. 103, A4 *Sokrates sagte einmal: „Ich weiß, dass ich nicht weiß." („... dass ich ein Nichtwissender bin"). Erkläre, was er damit gemeint haben könnte.*
- Berücksichtige die „Frage-Technik" des Sokrates (M2).

S. 105, A1 *Beschreibe die möglichen Probleme, die Alexanders Heer während der Eroberungszüge in Asien lösen musste.*
- Berücksichtige die Zahl der makedonisch-griechischen Soldaten (Darstellungstext), die feindliche Bevölkerung und die Größe des eroberten Raumes (M1, Maßstab!).

S. 105, A2 *Erzähle Alexanders Feldzug nach. Nutze dazu den Darstellungstext, die Karte M1 und die Angaben zu den Ereignissen während des Krieges.*
- Die Ereignisse auf dem Feldzug kannst du so erzählen: Im Jahr ... entschied Alexander/kämpfte das Heer / ..., weil ... Das führte zu ...

S. 105, A3 *Jahrhunderte nach Alexanders Tod wurde das Mosaik (M2) gelegt. Beschreibe, wie Alexander und sein Gegner dargestellt wurden.*
- Vergleiche die Gesichtsausdrücke. Welcher Moment der Schlacht ist zu sehen? Kannst du erkennen, auf welcher Seite der Künstler steht (seine Perspektive)?

S. 107, A1 *Weise anhand der Münze M2 nach, dass die Toleranz ein wesentliches Merkmal der hellenistischen Kultur war.*
- Was ist Toleranz? – Zähle auf, welche verschiedenen Kulturen auf der Münze vertreten sind. Beurteile, ob eine über die anderen herrscht.

S. 107, A4 *Der Leuchtturm von Alexandria (M5) ist eines der Sieben Weltwunder der Antike. Informiert euch über die anderen Weltwunder. Sucht Bilder und schreibt erläuternde Texte dazu.*
- Berücksichtigt den Internettipp. – Bei der Beschreibung der Weltwunder könnt ihr auch eine Vermutung äußern, warum den Menschen der Antike das jeweilige Bauwerk als „Wunder" vorkam.

Kapitel 5: Rom – ein Weltreich auf drei Kontinenten

S. 115, A3 *Arbeite mithilfe von M2 und M5 heraus, welche Vorteile die Landschaft für die Entwicklung einer Stadt bot. (Nutze dazu auch die Karten auf S. 112 f.)*
- Frage dich: Was benötigt eine Stadt, damit sie wachsen kann und ihre Einwohner in Wohlstand leben können? Welche dieser Bedingungen hängen mit der Landschaft zusammen? Denke an: Sicherheit – Verkehr – Nahrungsmittel.

S. 117, A3 *Arbeite aus dem Text M2 heraus, inwiefern die etruskische Kultur die römische beeinflusste.*
- Wenn eine Kultur von einer anderen beeinflusst wird, dann werden dort Neuigkeiten aus der anderen Gegend eingeführt. In Texten, die davon handeln, achte besonders auf Worte wie „Neuerung", „Anfang", „aus der Fremde", „nach deren Sitte", „nachahmen", „einführen", „weiterentwickeln" ...

S. 119, A3 *Nenne die Hauptaussage der Geschichte M2 und erkläre, was Menenius Agrippa den Plebejern mit der Geschichte sagen wollte.*
- Sicher wollte Menenius Agrippa den Plebejern nichts über Körperteile erzählen! Redner verwenden oft einen Trick: Sie erzählen schwierige Zusammenhänge in Form eines Gleichnisses. Die Dinge, die sie darin erwähnen, stehen für etwas anderes, meist aus dem Bereich des menschlichen Verhaltens. Frage dich: Wer könnte in der damaligen

Situation mit den Gliedern gemeint sein, wer mit dem Magen, wer mit dem ganzen Körper? Was empfiehlt Menenius?

S. 121, A4 *Vergleiche die Machtverteilung in der Römischen Republik mit der in der Athener Demokratie. Welche Ordnung war demokratischer?*

- Lies noch einmal nach, wie in Athen politische Entscheidungen zustande kamen (S. 88f. und S. 91, M5). Berücksichtige dann die Stellung des römischen Senats (S. 120, Abschnitt „Die Machtzentrale"). Hilfreich ist auch das Material M2. Fälle dann ein Urteil: „Ich halte die Ordnung in ... für demokratischer, weil ..."

S. 123, A4 *Vergleiche die Ergebnisse aus Aufgabe 3 mit den Eigenschaften, die der Sohn an seinem Vater lobt (M4). Begründe die Unterschiede mit der Rolle von Frau und Mann.*

- Sicher hast du in A3 herausgefunden, dass der Mann an seiner Frau vor allem Eigenschaften lobt, die sich im Haus zeigen: häusliche Tugend, Beständigkeit beim Arbeiten, Liebe zur Familie, Bescheidenheit, Bewahren des Vermögens. Außerdem lobt er die Unterordnung seiner Frau: Folgsamkeit, umgängliches Wesen, Angebot der Scheidung wegen fehlender Kinder. Damit hast du typische Tugenden einer römischen Frau herausgearbeitet. – Überlege, wo der römische Mann aus M4 seine lobenswerten Eigenschaften zeigte: Krieger – Redner – Senator ...

S. 125, A2 *Der Darstellungstext enthält Tatsachen und Werturteile. Analysiere den Text und schreibe jene Stellen heraus, die Wertungen enthalten.*

- Tatsachen sind eindeutig und können mit Quellen belegt werden. Werturteile hängen von Standpunkt des Urteilenden ab und sind daher nie eindeutig, sondern können diskutiert werden. Lies besonders den Abschnitt „Gerechte Kriege?".

S. 125, A4 *Beurteile, wessen Urteil deiner Meinung nach am ehesten zutrifft. Berücksichtige auch die Herkunft der beiden Autoren.*

- Untersuche jede der Quellen, ob ihr Autor Rom nur positiv, nur negativ oder positiv und negativ beurteilt. Welche Einschätzung scheint dir plausibler? Wie passt das zur Herkunft der Autoren?

S. 129, A5 *Jeder der Pfeile in M4 stellt eine Rückwirkung der Expansion des Römischen Reiches auf die Republik dar. Zeichne das Schema in dein Heft und beschrifte die Pfeile mithilfe des Darstellungstextes.*

- An den Pfeilen sollten Sätze stehen wie: „Weil Rom ... ist/geschieht ..."
  Du könntest u.a. folgende Begriffe verwenden: Grenzen – Germanen – Feldherr – Getreide – Heeresklientel – Soldaten – Land erobert – Stadt – Piraten – immer mehr Soldaten – wird immer wichtiger – eher für ihn als für die Republik – verarmen immer mehr – Schulden.

S. 133, A4 *Beurteile die Aussage von Paterculus, Augustus habe die Republik „erneut aufgerichtet" (M3, Darstellungstext).*

- Dazu musst du die Behauptung in der Quelle mit den gesicherten Fakten (Darstellung) vergleichen. Wie Historiker die Geschichte heute einschätzen, liest du v.a. im Abschnitt „... und hat Erfolg".

S. 135, A3 *Vergleiche die Meinungen Ciceros (M2) und Senecas (M3) zu Gladiatorenkämpfen und Circusspielen.*

- Vergleiche M2, Z. 7-11, mit M3, Z. 6-9. Welche Einschätzung der Gladiatoren und der Zuschauer nehmen beide Autoren vor?

S. 139, A3 *Beschreibe M4 und stelle dar, welche Haltung der Römer gegenüber den Provinzialen hier veranschaulicht wird. Beurteile, welche der Quellen, M2 oder M3, in ihrer Gesamtaussage am besten zu M4 passt. Begründe deine Wahl.*

- So kannst du das Bild befragen: Welche Figuren im Bild sind Römer? Woran erkannt man das? Welche Funktion hat die Figur mit Lorbeerkranz und Toga?
  An der Wand hängen Bilder. Ihr Text lautet auf Deutsch: Brite Römer – Ein Gegensatz – Schifffahrt – Gebrauch von Ziegelsteinen. Sieh dir auch die anderen Bilder an. Wer ist das „Publikum" im Vordergrund und wie ist es gezeichnet?
  Wenn du die Karikatur mit den beiden antiken Quellen vergleichen willst, frage dich: Wie bewerten die drei Autoren jeweils die Romanisierung?

Kapitel 6: Von der Spätantike ins Mittelalter

S. 151, A2 *In dem Auszug M3 aus einem Brief des Apostels Paulus zeigt sich das „Neue", zugleich aber auch das „Problem" des frühen Christentums. Erkläre dies.*

- Beachte, was man sich vor dem Christentum unter einem „Gott" vorgestellt hat. – Das „Problem" des frühen Christentums hängt damit zusammen, was Paulus als „unsinnig" bezeichnet (Z. 2 und 9).

S. 151, A3 *Alexamenos ärgert sich über die Kritzelei seines Mitschülers. „Warum hat er das getan?" Da kommt ihm die Bibelstelle M3 in den Sinn. Er beginnt zu verstehen. Stelle den Gedankengang von Alexamenos dar.*

- Du könntest schreiben: Für einen Nichtchristen muss unser Glaube ... sein. Für uns aber bedeutet er ...

S. 153, A3 *Die antiken Quellen zur Christenverfolgung der Zeit Neros füllen bestenfalls einige Seiten. Das Buch „Als Rom brannte" (M1) behandelt die Ereignisse aber auf über 200 Seiten. Erkläre, wie dies möglich ist. Vergleiche anschließend, wie ein Schriftsteller in einem historischen Jugendbuch und wie ein Historiker erzählt.*

- a) Der Schriftsteller möchte mit seinem historischen Jugendbuch ... Dazu muss er Dinge, für die es keine Quellen gibt, ...
  b) Der Historiker muss sich streng ... Er darf nichts ...

S. 155, A3 *Das Wandbild M1 befindet sich im Papstpalast in Rom in einem Saal für offizielle Empfänge. Stell dir vor, der Auftrag an Raffael, das Bild zu malen, ist verlorengegangen. Darin werden das Motiv und der Ort des Bildes begründet. Verfasse diesen Auftrag.*

- Frage dich: 1.) Warum wollte ein Papst in viel späterer Zeit ein Bild von Konstantin und der Erscheinung des Kreuzes malen lassen? Was bedeutete dieser Augenblick für ihn? 2.) Was geschah in diesem Raum, wer konnte das Bild also sehen?
  Diese Überlegungen kannst du in den „Auftrag" des Papstes an Raffael hineinschreiben, z. B. so: „Weil wir uns erinnern ... und auch wollen, dass alle ..., erteilen wir unserem treuen Diener Raffael ...

S. 161, A3 *Erörtere, welchen Begriff für das Ende des Weströmischen Reiches du passender findest – Zusammenbruch oder Umwandlung (M4 - M5).*

- Hinweis: Hier gibt es keine eindeutige Lösung. Sowohl die zeitgenössische Quelle M4 als auch die wissenschaftliche Darstellung M5 enthalten Argumente für das eine und das andere Urteil (M4, Z. 2 - 5 <-> Z. 7 - 10; M5, Z. 7 f. <-> Z. 10 - 12).

S. 163, A2 *Warum ist Chlodwig Herrscher der Franken? Begründe mithilfe von Darstellungstext, M1 und M2.*

- Aus dem Darstellungstext kannst du die Begriffe „Königsheil", „katholisches Christentum" und „Reichsidee" verwenden. M1 zeigt ein besonderes Bündnis, das Chlodwig einging, M2 eine besondere Funktion eines fränkischen Königs.

S. 165, A3 *Vergleiche die Idee des Königsheils mit derjenigen des Gottesgnadentums. Worin liegen die jeweiligen Vorteile und Nachteile?*

- Überlege, wie jemand zum „Königsheil" kommt und wer sich „Herrscher von Gottes Gnaden" nennen darf. Verwende die Begriffe „Kirche" und „Abstammung".

S. 167, A3 *Beurteile, wie ernsthaft und tief gehend Menschen in Mitteleuropa den christlichen Glauben angenommen haben (M3, M5).*

- M3 belegt, was um 600 in England noch üblich war. – Welche Götter ruft M5a an? M5b ruft Christus und den christlichen Heiligen Stefan an und beinhaltet das Vaterunser. Handelt es sich um ein Gebet, oder eher um einen Zauberspruch? Fasse den Umgang der nichtchristlichen Völker mit dem neuen Glauben zusammen.

S. 169, A3 *Arbeite aus den Quellen heraus, welche Ziele Karl verfolgte, als er sein Reich mit vielen Gesetzen umgestaltet hat (M3, M4).*

- M3 enthält verschiedene Anordnungen. Ergänze jede Vorschrift Karls um eine Begründung: „... Schweinen, Schafen und Ziegen halten, weil ..." M4 enthält neben den Anordnungen bereits eine Begründung (Z. 5-7). Fasse zusammen: Karl erließ Gesetze, die ...

S. 173, A3 *Informiere dich über die wichtigsten Regeln und Gebote im Islam. Beschreibe und erkläre danach das Bild M4.*

- www.schule-bw.de/unterricht/faecher/ethik/materialien/ue_islam Nr. 1 und 2
  Fragen zum Bild: Was könnte der goldene Strahl hinter dem jungen Mohammed bedeuten? Rechts kniet Mohammeds Großvater. Wer könnten die drei Personen links sein (achte auf Kopfbedeckungen und Flügel)? Erinnert dich das Bild an eine andere religiöse Szene, die du sicher kennst?

S. 175, A2 *Informiere dich über die medizinische Versorgung im Europa des Mittelalters. Vergleiche danach deine Ergebnisse mit den medizinischen Verhältnissen, die im Bagdader Krankenhaus (M3) herrschten.*

- Ein Video zur Geschichte der Krankenhäuser in Europa hilft dabei: www1.wdr.de/fernsehen/wissen/quarks/sendungen/krankenhausnebenwirkungen102.html
  Schau dir das Video von Minute 7:44 bis etwa Minute 9:15 an.

S. 175, A4 *Betrachte die Karte M5 und vergleiche sie mit der heutigen Europakarte hinten im Buch. Bewerte danach die Leistung dieser sehr alten Karte.*

- Zur Bewertung dieser islamischen Karte kannst du sie mit einer alten europäischen Weltkarte vergleichen (sie ist sogar etwa 200 Jahre jünger als M5): de.wikipedia.org/wiki/Hereford-Karte

Lexikon zur Geschichte: Begriffe

In allen Darstellungstexten sind wichtige Begriffe **hervorgehoben** *und auf der jeweiligen Seite unten wiederholt. Erklärungen für diese wichtigen Worte gibt dir unser „Lexikon zur Geschichte". Die Begriffe, die der Bildungsplan als besonders wichtig bezeichnet, sind* **fett** *hervorgehoben. Manche Begriffe hängen miteinander zusammen oder erklären einander.*

Wenn wir bei der Erklärung eines Wortes einen anderen Eintrag in das Lexikon verwenden, machen wir dies mit dem ▸ Pfeilsymbol deutlich. Dies kannst du dir beim Nachschlagen zunutze machen: Folge einfach den Pfeilen, dann erschließt du ein ganzes zusammenhängendes Themenfeld. Probier es einmal aus, zum Beispiel mit dem Begriff „Kaiserkult".

Ackerbau und Viehhaltung: Lebensweise, in der Menschen ihre Nahrung durch Aussäen von Pflanzen und die Haltung von Nutztieren gewinnen und nicht als ▸Jäger und Sammler.

Agora (griech. Versammlung, Markt): Zentraler Fest-, Versammlungs- und Marktplatz einer antiken griechischen Stadt. Die A. war täglicher Treffpunkt der Einwohner einer griechischen Stadt und trug zum Gemeinschaftsgefühl der ▸Bürger einer ▸Polis bei.

Alphabet: Anordnung aller Buchstaben einer Sprache in einer festgelegten Reihenfolge. Der Begriff „Alphabet" stammt von der Reihenfolge der Buchstaben der griechischen Sprache: Die ersten beiden Buchstaben heißen hier „Alpha" und „Beta". Das Alphabet der deutschen Sprache heißt nach seinen ersten drei Buchstaben auch „ABC".

Altsteinzeit: ältester Abschnitt der Geschichte, der vor rund 2,5 Millionen Jahren begann. Die Menschen lernten, das Feuer zu gebrauchen und Werkzeuge und Waffen aus Stein, Knochen und Holz herzustellen. Sie lebten als ▸Jäger und Sammler.

Amphitheater (griech. *amphi* zwei, *theater* Spielstätte): Ovale Spielfläche mit ringsum ansteigenden Sitzreihen und steilen Außenmauern. Im Römischen Reich waren A. Schauplätze für Gladiatoren- und Tierkämpfe, große Theateraufführungen und sportliche Wettkämpfe. Nach dem Motto ▸„Brot und Spiele" bereiteten hier einflussreiche Römer, seit der Kaiserzeit v. a. die ▸Kaiser, dem Volk Vergnügungen.

Aquädukt (lat. *aquaeductus* Wasserleitung): Steinernes Bauwerk der Römer zum Transport von Wasser in die Städte. Ein A. wurde errichtet, wenn die Wasserleitung ein Tal überqueren musste. Das Wasser floss in einer offenen Rinne und gelangte nur durch sanftes Gefälle von der Quelle in die Stadt.

Arbeitsteilung: Jede Gemeinschaft teilt ihre Arbeiten wie Jagen, Sammeln, Kochen, Herstellen von ▸Werkzeugen nach Fähigkeiten untereinander auf. In den ▸Hochkulturen entstanden so die Berufe.

Aristokratie (griech. *aristos*: Bester, *kratia*: Herrschaft; „Regierung der Besten"): Ordnung des Zusammenlebens, in der die Abstammung von einer vornehmen Familie (Adel) Voraussetzung für Macht war.

Barbar: ursprünglich eine Bezeichnung der antiken Griechen für alle nicht-griechisch sprechenden Menschen. Später abwertend für die Perser und sogar für griechisch sprechende Spartaner (▸Spartiat).

Bronzezeit: Abschnitt der Geschichte, der in Mitteleuropa um 2200 v. Chr. die ▸Jungsteinzeit ablöste. In dieser Zeit stellten die Menschen Waffen, Geräte und Schmuck aus Bronze her.

„Brot und Spiele": Formulierung, mit der ein römischer Dichter der Kaiserzeit (▸Prinzipat) kritisiert, dass in Rom mächtige Männer das einfache Volk durch Getreidespenden („Brot") und kostenlose öffentliche Veranstaltungen („Spiele") bei Laune halten und bestechen, um so ihre Macht zu erhalten.

Bürger: Einwohner einer ▸Stadt oder eines ▸Staates, der darin ▸Bürgerrecht genießt.

Bürgerrecht: Rechte eines Menschen im ▸Staat, in dem er lebt. In der Antike und im Mittelalter genoss häufig nur derjenige Bürgerrechte, der von Bürgern abstammte, Haus- und Grundbesitz hatte und die Gemeinschaft durch Steuern und Wehrdienst unterstützen konnte. Wichtigstes Bürgerrecht war das Recht, im Staat durch Wahlen und Abstimmungen mitbestimmen zu dürfen (▸Volksversammlung).

Byzantinisches Reich, Byzanz: die östliche, griechisch-orientalisch geprägte Hälfte des Römischen

Reiches mit der Hauptstadt Konstantinopel (▸Ostrom). Das Byzantinische Reich endete erst 1453. Aus Konstantinopel wurde das heutige Istanbul.

Chinesisches Reich: 211 v. Chr. von Kaiser Qin Shihuangdi gegründet, indem er alle anderen chinesischen Könige unter seine Herrschaft brachte. Das C. R. war ein ▸Kaisertum, sein erster Kaiser gab sich den Titel ▸Erster erhabener Gottkaiser.

Christentum: ▸Religion, die auf die Lehre von ▸Jesus Christus zurückgeht. Das C. lehrt Nächstenliebe und Liebe zu Gott, Vergebung und ein ewiges Leben nach dem Tod. Es ging aus dem ▸Judentum hervor, von dem es den ▸Monotheismus übernahm.

Christenverfolgungen: in der römischen Kaiserzeit Versuche des römischen ▸Staates, das Christentum gewaltsam zurückzudrängen oder auszurotten. Christen wurden verfolgt, wenn sie sich weigerten, den Kaiser als Gott zu verehren (▸Kaiserkult). Wenn die Bevölkerung Not litt oder das Reich in Gefahr war, sahen viele in den Christen die Ursache oder benutzten sie als „Sündenbock". Die Christenverfolgungen endeten mit der ▸konstantinischen Wende.

Demokratie (griech. *demos*: Volk; *kratia*: Herrschaft): Herrschaft des Volkes über sich selbst. In Athen konnten sich seit Mitte des 5. Jh. v. Chr. die wehrfähigen Bürger an der Regierung und Rechtsprechung beteiligen. Bei Abstimmungen in der ▸Volksversammlung entschied die Mehrheit der Stimmen.

Eisenzeit: Zeitraum, in dem die Menschen gelernt hatten, Eisen aus Gesteinen herauszulösen und daraus Waffen und Gerätschaften herzustellen. Die Eisenzeit folgt auf die ▸Bronzezeit. In Mitteleuropa beginnt sie etwa mit dem 8. Jh. v. Chr.

Epoche (griech. Haltepunkt, (Zeit-)Abschnitt): längerer Zeitraum in der Geschichte, der durch klar erkennbare, gleich bleibende Merkmale gekennzeichnet ist, wie z. B. ▸Jungsteinzeit, ▸Bronzezeit, ▸Eisenzeit, Altertum, Mittelalter, Neuzeit.

Erster erhabener Gottkaiser: Titel, den sich Qin Shihuangdi, der erste Kaiser des ▸Chinesischen Reichs, gab, um seine Herrschaft als gottgewollt zu begründen.

Erzählung: Wiedergabe eines Geschehens oder Ereignisses in mündlicher oder schriftlicher Form. Oft schmückt eine Erzählung das tatsächliche Geschehen aus, um zu unterhalten oder um Spannung zu erzeugen. Aber auch ▸Historiker bringen bei ihrer Arbeit Erzählungen hervor, wenn sie ihre persönliche Sichtweise der Vergangenheit (▸Perspektive) in einem Text darstellen. Sie versuchen bei ihrer Art der Erzählung jedoch, nichts hinzuzudichten und sich auf ▸Quellen zu beziehen.

Etrusker: Volk, das vom 9. bis 3. Jh. v. Chr. weite Teile Mittel- und Norditaliens bewohnte. ▸Kunst, ▸Religion und Bräuche der Etrusker beeinflussten die Römer. Diese eroberten Schritt für Schritt deren Lebensraum und gliederten ihn in ihr Herrschaftsgebiet (▸Imperium Romanum) ein.

Expansion (lat. Ausdehnung): Vergrößerung des Herrschaftsgebietes eines Staates. Beispiele sind die Expansion Roms vom kleinen ▸Stadtstaat zum ▸Imperium Romanum, die Entstehung und Ausdehnung des ▸Frankenreiches oder die Ausbreitung des ▸Islam vom 7. bis 10. Jh.

Familie (lat. *familia*): heute Bezeichnung für Menschen verschiedener Generationen, die miteinander verwandt sind. Die kleinste Familie besteht aus Eltern oder nur Vater oder Mutter sowie Kind(ern). In der Antike und im Mittelalter verstand man unter F. alle Menschen, die zum Haushalt eines F.oberhauptes (in der Regel der älteste Mann) gehörten und von diesem abhängig waren (▸Pater familias).

Forum (lat. Marktplatz): Im römischen Reiches ein Platz, der das politische, rechtliche, wirtschaftliche und religiöse Zentrum einer Stadt bildete. Hier fanden Volksversammlungen, Gerichtssitzungen und Märkte statt. Am F. standen auch die wichtigsten Tempel der Stadt. Vorbild aller Foren ist das F. Romanum in Rom. Vgl. ▸Agora.

Frankenreich, Fränkisches Reich: Gebiet, das Könige aus den fränkischen Königsfamilien der ▸Merowinger und ▸Karolinger vom 5. bis 9. Jh. erobert hatten und beherrschten. Das Fränkische Reich war das größte Reich, das Germanen auf dem Gebiet des ehemaligen ▸Imperium Romanum errichteten. Aus ihm entstanden später u. a. das heutige Frankreich und das Deutsche Reich.

„Fürstengrab": Der Begriff „Fürstengrab" wurde früher für alle Gräber mit sehr reichen Grabbeigaben oder besonders aufwändiger Bauweise verwendet. Ein „Fürst" ist ein Herrscher über eine größere Gegend. Weil wir nicht wissen, ob in reichen Gräbern wirklich solche Fürsten bestattet wurden oder ob der Reichtum andere Gründe hatte, setzt man das Wort heute in Anführungszeichen.

Gastmahl (griech. *Symposium*): festliche Versammlung griechische Männer im Haus eines Gastgebers. Es wurde geopfert, gegessen, getrunken und diskutiert. ▸Sklaven bedienten die Männer, Ehefrauen waren nicht zugelassen.

Geometrie (griech. *geometria* Erdmessung): Teilbereich der Mathematik, der sich mit Maßen, Eigenschaften und Verhältnissen aller zwei- und dreidimensionalen Gebilde befasst. G. wurde wichtig, als die Menschen begannen, das Land zu vermessen und zu verteilen.

Gesellschaft: alle Menschen in einem Reich (▸Imperium), einem ▸Staat oder einem ▸Stadtstaat.

Gottesgnadentum: Begründung der Herrschaft eines Monarchen (▸Monarchie) als direkt von Gott verliehen. Das Gottesgnadentum verknüpfte die Herrschaft der Könige mir der christlichen ▸Kirche und tritt an die Stelle der älteren Form des ▸Königsheils (▸Karolinger).

Großkönig: ein König, der über mehrere Reiche herrscht. Die Könige des ▸persischen Großreiches nannten sich so, nachdem sie Königreiche in Asien und Ägypten erobert hatten (vgl. ▸Kaiser, ▸Imperium).

Gründungsmythos: Erzählung über den Anfang einer ▸Stadt wie Rom (▸Romulus und Remus), eines Reiches oder einer ▸Familie. Sie enthält oft übernatürliche Erklärungen (▸Mythos). ▸Historiker betrachten sie deshalb nicht als Wirklichkeit.

Harmonie (griech. *harmonia*: Ebenmaß): Verhältnis der Teile eines Ganzen zueinander, das als schön, ausgewogen und angenehm empfunden wird. Die Griechen versuchten, Harmonie durch bestimmte Verhältnisse von Maßen und Formen zu erreichen. Streben nach Harmonie ist auch in der chinesischen Kultur wichtig.

Heeresklientel: römische Soldaten, die ihrem Feldherrn bedingungslos ergeben sind und gehorchen. Dieses Verhältnis entwickelte sich aus der römischen ▸Tradition von ▸Patron und Klient. Die Soldaten der Heeresklientel bilden die Grundlage der Macht eines Feldherrn. Für ihre Treue erwarten sie von diesem aber Beute, Sold und Versorgung nach ihrer Militärzeit. Die Herrschaft von ▸Caesar und ▸Augustus beruhte auf ihrer riesigen Heeresklientel.

Hellenismus: Zeit zwischen dem 3. und 1. Jh. v. Chr., in der die griechische Architektur, ▸Kunst und Sprache über den Mittelmeerraum und Nordasien verbreite wurden.

Heros (griech. Held): Held in den griechischen Mythen (▸Mythos). Heroen stammen meist von einem Got und einem Menschen ab, daher heißen sie auch „Halbgötter". Sie haben übermenschliche Kräfte und bestehen große Gefahren. Heroen wurden wie Götte verehrt. Viele ▸Gründungsmythen berufen sich au Heroen.

Hierarchie (griech. *hieros*: heilig; *archè*: Herrschaft) Stufen einer ▸Gesellschaft. Menschen aus oberen Stufen dürfen denen aus unteren Stufen Befehle erteilen sind angesehener und wohlhabender. In Ägypten stand der ▸Pharao auf der obersten Stufe.

Hieroglyphen (griech. *hieros*: heilig; *glyphe*: Eingeritztes): Schriftzeichen der alten Ägypter. Die Bilde und Symbole stehen für Wörter, Laute und Silben. Es gab etwa 700 verschiedene Zeichen (▸Schrift, ▸Alphabet).

Historiker (lat. *historia*: Geschichte): andere Bezeichnung für Geschichtswissenschaftler (▸Wissenschaft).

Hochkultur: Kennzeichen einer Hochkultur sind Städte, große Bauwerke (▸Pyramiden), ▸Schrift (▸Hieroglyphen), Verwaltung, ▸Religion, ▸Recht, Handwerk Handel und ▸Arbeitsteilung. Erste Hochkulturen entstanden in Mesopotamien (heute Türkei, Irak und Syrien), am Nil (Ägypten), am Indus in Indien und am Hwangho (Gelben Fluss) im Norden Chinas.

Imperator (lat. *imperator* Befehlshaber, Herrscher) Ursprünglich Titel eines römischen Militärbefehlshabers. Später Ehrentitel, der einem siegreichen Feldherrn von seinen Legionären verliehen wurde. Sei ▸Augustus schließlich erster Bestandteil des Titels römischer ▸Kaiser.

Imperium (lat. Befehlsgewalt): großes, mächtige Reich. Das Wort Imperium bezeichnete ursprünglich die Amtsgewalt hoher römischer Beamter (▸Magistrat), die über Leben und Tod ihrer Untergebenen entscheiden konnten. Als Imperium wird nicht nur da ▸Imperium Romanum bezeichnet, sondern z. B. auch das ▸persische Großreich oder das chinesische Kaiserreich.

Imperium Romanum: das Römische Reich, da durch die ▸Expansion Roms entstanden war. Zur Zei der ▸Völkerwanderung wurde es in eine östliche und eine westliche Reichshälfte geteilt. ▸Westrom zerfiel als dort germanische Reiche wie das ▸Frankenreich entstanden. ▸Ostrom existierte als ▸Byzantinisches Reich noch viele Jahrhunderte länger.

Islam (arab. Unterwerfung unter Allah): ▸Monotheistische ▸Religion, die um 620 n. Chr. durch ▸Mohammed verkündet wurde. Heiliges Buch des Islam ist der Koran, der die Verkündung Gottes (Allahs) an den Propheten ▸Mohammed enthalten und seine letzte Offenbarung sein soll.

Jäger und Sammler: Menschen, die in der Natur umherzogen (Nomaden), um sich von wilden Tieren und Pflanzen zu ernähren. Diese Lebens- und Wirtschaftsform dauerte von der ▸Altsteinzeit bis zur ▸Jungsteinzeit an.

Jetztmensch: Mensch, der sich körperlich nicht vom heute lebenden Menschen unterscheidet. Jetztmenschen gibt es seit etwa 200 000 Jahren.

Judentum: ▸Monotheistische ▸Religion, die im vorderen Orient entstanden ist. Juden glauben an einen Gott, der die Welt erschaffen und ein besonderes Bündnis mit seinem Volk Israel geschlossen hat. In den Lehren und ▸Traditionen des J.s war auch ▸Jesus Christus aufgewachsen.

Jungsteinzeit: Zeitabschnitt, der in Mitteleuropa nach der letzten Eiszeit um 6000 v. Chr. begann und in dem die Menschen keine umherziehenden ▸Jäger und Sammler mehr waren, sondern ▸Ackerbau und Viehhaltung betrieben und sesshaft waren.

Kaiser(tum) (von ▸Caesar): Herrschaftstitel, der die oberste Befehlsgewalt über ein großes Reich beschreibt. Erster römischer Kaiser war Caesars Adoptivsohn ▸Augustus. Im Römischen Reich herrschten Kaiser bis 476 n. Chr. Aber auch nach dem Ende der Römerzeit gab es noch Kaiser, die über mehrere Königreiche herrschten und sich auf die römische Kaiseridee bezogen (▸Reichsidee).

Kaiserkult: verschiedene Bräuche, mit denen die römischen ▸Kaiser göttlich verehrt wurden (z. B. Opfer). Teilnahme am Kaiserkult war für alle Bewohner des ▸Imperium Romanum Pflicht. Wer sie verweigerte, wie etwa Juden und Christen (▸Monotheismus), wurde bestraft (▸Christenverfolgungen).

Kalender: Übersicht der Tage, Wochen und Monate eines Jahres. Ein Kalender soll nicht nur Termine eindeutig beschreiben. Er soll auch eine Aussage über jährlich wiederkehrende Ereignisse erlauben, etwa die ▸Nilschwemme oder den Frühlingsbeginn.

Kaltzeit: Zeitraum der Geschichte, in dem die durchschnittlichen Temperaturen niedriger waren als in einer Warmzeit. Im Gegensatz zu einer Eiszeit waren jedoch nicht weite Teile der Erdoberfläche ständig mit Eis und Schnee bedeckt (▸Altsteinzeit).

Karolinger: Herrscherfamilie, die seit dem Jahr 751 das ▸Frankenreich regierte und sich nach einem ihrer Stammväter, Karl, benannte. Sie war im Dienst der ▸Merowinger mächtig geworden und entmachtete diese schließlich. Bekanntester Herrscher der Karolinger war Karl der Große, der das Fränkische Reich in zahlreichen Kriegen und Feldzügen noch einmal stark vergrößerte.

Keilschrift: ▸Schrift, die seit dem späten 4. Jahrtausend v. Chr. im Vorderen Orient verwendet wurde. Die Schriftzeichen bestehen aus keilförmigen Teilen, die waagerecht und senkrecht aneinandergereiht werden. Sie wurden oft mit einem Holzstäbchen in weichen Ton gedrückt. Neben den ▸Hieroglyphen der Ägypter ist die Keilschrift die älteste Schrift.

Kelten: Volk der Antike, das in Europa von Schottland bis Norditalien und von Portugal bis Rumänien Spuren hinterlassen hat. Sogenannte keltische ▸„Fürs-tengräber" enthalten wertvolle Gegenstände aus der späten ▸Bronzezeit und aus der ▸Eisenzeit in Europa. Im heutigen Frankreich besiegte ▸Caesar die keltischen Gallier. Im heutigen Deutschland waren die Kelten fast verschwunden, als die Römer kamen. In vielen unserer heutigen Flussnamen leben allerdings keltische Bezeichnungen weiter.

Kirche (aus griech. *kyriakon*: dem Herrn gehörig): Gebäude, in dem Christen Gott verehren. Zugleich die Bezeichnung für eine Gemeinschaft von Menschen, die an ▸Jesus Christus glaubt („katholische Kirche").

klassisch: Bezeichnung einer ▸Epoche der griechischen Geschichte, etwa von 500 v. Chr. bis zum Tod ▸Alexanders des Großen 323 v. Chr. In dieser Zeit schufen Künstler besonders in der ▸Polis Athen hervorragende ▸Kunstwerke. Diese werden wegen ihrer ▸Harmonie als „klassisch" bezeichnet. Auf die klassische Zeit folgte der ▸Hellenismus.

Klient ▸Patron und Klient

Kolonie ▸Tochterstadt (Kolonie)

Kolonisation (von lat. *colere*: Land bebauen): Seit dem 8. Jh. v. Chr. wanderten Griechen aus. Sie gründeten rund ums Mittelmeer und an den Küsten des

Schwarzen Meeres ▸Tochterstädte. Gründe waren Bevölkerungswachstum, Landknappheit, Streit zwischen ▸Aristokratie und Volk, Kriege, Handelsinteressen und Abenteuerlust.

Königsheil: Vorstellung, dass Könige besondere Eigenschaften haben, die sie zum Wohl oder „Heil" ihres Volkes nützen. Das Königsheil wird vererbt. Es zeigt sich z. B. in siegreichen Feldzügen, gutem Wetter, reichen Ernten und dem Ausbleiben von Seuchen. Tritt all dies nicht ein, hat der König sein Heil verloren. Dies kann zu seiner Absetzung führen. Die Entmachtung der ▸Merowinger durch die ▸Karolinger ist hierfür ein Beispiel.

konstantinische Wende: Bezeichnung für die völlig neue Haltung ▸Kaiser Konstantins gegenüber dem Christentum: Er gestattete in der ▸Mailänder Vereinbarung den Christen die freie Ausübung ihrer ▸Religion. Dies bedeutete das Ende der ▸Christenverfolgungen.

Kunst: Jede schöpferische Tätigkeit, die nicht auf die Befriedigung notwendiger Bedürfnisse (Essen, Trinken, Wohnen ...) gerichtet ist, sondern geistigen Zielen dient (Verschönerung, Verehrung der Götter, Eindruck auf andere Menschen ...).

künstliche Bewässerung: Anlagen, die das Wasser von Flüssen aufstauen, zurückhalten oder umleiten. Dadurch konnten Bauern größere Felder nutzen und hatten noch Wasser, wenn der Fluss zurückging (▸Nilschwemme). Sie war ein Merkmal früher ▸Hochkulturen.

Landreform: neue Verteilung des Landbesitzes. Großgrundbesitzer müssen Teile ihres Landes abgeben, Kleinbauern und landlose Proletarier bekommen Land zugeteilt. Im alten Rom scheiterte eine Landreform der Brüder Tiberius und Gaius Gracchus. In der Folge verschärfte sich der Bürgerkrieg.

Lehnwort: Wort, das aus einer anderen Sprache in die eigene Sprache übernommen wird („entlehnt" heißt „ausgeliehen"). In europäische Sprachen wurden viele lateinische Lehnwörter übernommen. Einige Lehnwörter in unserer Sprache stammen auch aus dem Arabischen. Heutzutage kommen viele Lehnwörter aus dem Englischen.

Limes: durch Wälle und Wachtürme gesicherte Grenze des Römischen Reiches (▸Imperium Romanum), hinter der militärische Befestigungsanlagen (Kastelle) lagen. Auf germanischem Gebiet wurde Ende des 1. Jh. mit dem Bau des insgesamt 550 Kilometer langen Limes begonnen. An anderen Stellen begrenzten Rhein und Donau das Reich („nasser Limes"). Der Limes war keine undurchlässige Sperre. Menschen und Waren konnten sie überqueren.

Logik (griech. *logos*: Sprache, Vernunft): Verfahren des Denkens über Gegenstände und ihre Beziehung. Die Logik sucht nach vernünftigen Beweisen für alle Behauptungen. Sie steht dem ▸Mythos entgegen.

Losverfahren: Verfahren zur Besetzung eines Amtes. Beim L. bestimmt der Zufall, wer das Amt bekommt, nicht eine Mehrheit (▸Wahl) oder eine besondere Fähigkeit oder die Abstammung.

Magistrat: ursprünglich Bezeichnung für die römischen Beamten. Im Mittelalter und in der Neuzeit wird der Begriff für Beamte in ▸Städten, manchmal auch als gleichbedeutend mit „Stadtrat" verwendet.

Mailänder Vereinbarung: Vereinbarung, die ▸Kaiser Konstantin im Jahr 313 mit seinem Mitkaiser in ▸Ostrom schloss. In ihr wurde den Christen die freie Ausübung ihrer ▸Religion gestattet. Diese ganz neue Haltung gegenüber dem Christentum wird als ▸Konstantinische Wende bezeichnet und führte zum Ende der ▸Christenverfolgungen.

Märtyrer: Menschen, die für ihren Glauben und für ihre Überzeugungen leiden und sogar sterben. Als Märtyrer wurden die Christen im Römischen Reich bezeichnet, die auch in Zeiten der ▸Christenverfolgungen bei ihrer ▸Religion blieben, den ▸Kaiserkult verweigerten und dafür getötet wurden.

Merowinger: Herrscherfamilie im ▸Frankenreich. Nach Eindringen der Franken in das heutige Belgien und Nordfrankreich (▸Völkerwanderung) traten ihre Führer aus der ▸Familie der Merowinger zunächst in römischen Dienst. Als das ▸Imperium Romanum zusammenbrach, errichteten sie eine eigene Herrschaft. Durch ▸Expansion entstand im 5. und 6. Jh. das Fränkische Reich. Als sich Misserfolge schwacher Könige häuften, galt dies als Verlust des ▸Königsheils. Dies ermöglichte es den ▸Karolingern im Jahr 751, die Merowinger zu stürzen.

Metallverarbeitung: Vorgang, bei dem Menschen Gegenstände aus Metall herstellen. Voraussetzung ist, dass sie erkennen, in welchen Gesteinen Metalle vorkommen, dass sie diese aus dem Gestein gewinnen und anschließend schmelzen, in Formen gießen oder schmieden können. Zuerst bearbeiteten die Menschen Kupfer, später lernten sie, Bronze herzustellen und Eisen zu bearbeiten. Auf diese Weise können wir die

▸Bronzezeit und ▸Eisenzeit als geschichtliche ▸Epochen unterscheiden.

Metöke (griech. *meta*: inmitten; ▸*oikos*: Wohnung, Haus): in griechischen ▸Stadtstaaten ein zugezogener Bürger, ein „Fremder". Er hatte gegenüber den dort geborenen Menschen weniger Rechte (▸Bürgerrecht), er durfte nicht in der ▸Volksversammlung abstimmen.

Missionierung: Verbreitung eines Glaubens unter Menschen, die vorher einen anderen oder keinen Glauben hatten. In der Antike und im Mittelalter sahen Christen und Muslime es als ihre Aufgabe, ihre ▸Religion zu verbreiten. In der Folge wurde Europa christianisiert, während sich in Nordafrika und im Orient der ▸Islam ausbreitete. Missionierung kann auf friedlichem Weg, aber auch durch Krieg geschehen.

Mittelsteinzeit: Zeitabschnitt der Ur- und Frühgeschichte, der auf die ▸Altsteinzeit folgt. Die Mittelsteinzeit dauerte etwa von 10000 v. Chr. bis 5500 v. Chr., in Norddeutschland bis 4300 v. Chr. Sie ist eine ▸Epoche des Übergangs: Die letzte Eiszeit war beendet, die Menschen lebten aber noch als ▸Jäger und Sammler. Erst in der ▸Jungsteinzeit wurden sie sesshaft und betrieben ▸Ackerbau und Viehhaltung.

Monarchie (griech. *mon-archia*: Allein-Herrschaft): Herrschaft eines Königs oder ▸Kaisers. Monarch wurde man in der Regel durch Erbfolge oder Wahl.

Monotheismus (griech. *monos*: einzig; *theos*: Gott): Glaube an einen einzigen Gott. Juden, Christen und Muslime verehren einen einzigen Gott und lehnen jede Form von ▸Polytheismus ab.

Mythos (griech. Rede, sagenhafte Geschichte): ▸Erzählung, mit denen sich Menschen die Welt durch das Handeln von Göttern erklären. Die Griechen der Antike glaubten, ihr höchster Gott Zeus sei verantwortlich für Regen, Donner und Blitz. Im Gegensatz zum Mythos steht die ▸Logik.

Neandertaler: ausgestorbene Art des Urmenschen. Neandertaler lebten vor etwa 100000 bis 30000 Jahren in Europa und Teilen Asiens. Ihr Körperbau war an kaltes Klima angepasst. Eine Zeit lang lebten sie gemeinsam mit ▸Jetztmenschen.

„Neolithische Revolution": Veränderungen in Wirtschaft und Gesellschaft beim Übergang von ▸Alt- und ▸Mittelsteinzeit zur Jungsteinzeit: Jagen und Sammeln (▸Jäger und Sammler) wurde abgelöst von ▸Ackerbau und Viehhaltung. Die Menschen wurden sesshaft, bauten Häuser und gründeten Dörfer. Heute wissen wir, dass diese Umwandlung nicht schnell und auch nicht überall zur gleichen Zeit geschah, sondern viele hundert Jahre dauerte. Daher setzen Archäologen den Begriff „N. R." heute oft in Anführungszeichen.

Neues Testament: zweiter Teil der Bibel, der aus Schriften des frühen Christentums besteht, die in griechischer Sprache verfasst wurden. Zusammen mit dem ersten Teil der Bibel, dem Alten Testament (Abk. AT), ist das Neue Testament (Abk. NT) die Grundlage der christlichen ▸Religion.

nichtschriftliche Quellen: Überreste aus der Vergangenheit, die nicht (oder nicht hauptsächlich) durch geschriebenen Text Auskunft über ihre Zeit geben. Dazu gehören etwa ▸Werkzeuge, Münzen, Bilder, auch Hausgrundrisse und Gräber. Nichtschriftliche Quellen werden auch „Sachquellen" genannt. (▸schriftliche Quellen)

Nilschwemme: jährliches Hochwasser des Nils. Das Wasser stieg von Juni bis Ende August um 1-5 m an und ging im September wieder zurück. Um es auf Äckern zu verteilen und länger nutzen zu können, erfanden die Ägypter die ▸künstliche Bewässerung.

Oikos (griech. Haushalt, Wohnung): Gemeinschaft von Menschen, die in einem Haus oder auf einem Hof lebten. Dazu gehörten der Hausherr und seine Frau, ihre Kinder, bei erwachsenen Söhnen auch deren Frauen, sowie Diener und ▸Sklaven (vgl. ▸Familie). Der Oikos war die Grundlage der griechischen ▸Gesellschaft.

Olympische Spiele: Seit etwa dem 11. Jh. v. Chr. fanden in Olympia Feiern zu Ehren der Götter statt, zu denen Sportwettkämpfe wehrfähiger Männer gehörten. 394 n. Chr. wurden die Spiele von den Christen als heidnisch verboten. 1896 fanden die ersten Olympischen Spiele der Neuzeit in Athen statt.

Orakel (lat. *oraculum*: „Sprechstätte", Göttersspruch): Ort, an dem durch eine Person die Zukunft gedeutet, Unbekanntes erklärt und Verborgenes aufgedeckt wird (▸Wahrsagekunst). Durch Orakelpriester sollen die Götter selbst gesprochen haben. Orakel wurden befragt, um in unsicheren Lagen die richtige Handlung zu finden.

Ostrom / Westrom: Die beiden Teile, in die das Römische Reich zerfiel und die sich unterschiedlich entwickelten. In Westrom war Latein, in Ostrom Griechisch die Hauptsprache. Das Oströmische Reich wird auch als ▸Byzantinisches Reich bezeichnet.

Papsttum: Der Papst ist nach Lehre der römisch-katholischen Kirche der Nachfolger des Apostels Petrus, der als erster Bischof von Rom gilt. Das Papsttum hat sich im Laufe der Antike und des Mittelalters zu umfassender Bedeutung und Macht entwickelt. Noch heute ist der Papst das Oberhaupt der römisch-katholischen ▸Kirche.

Pater familias (lat. *pater*: Vater; *familia*: Hausgemeinschaft, ▸Familie): Oberhaupt der römischen familia. Er hatte große Macht über seine Ehefrau, seine Kinder und deren Ehefrauen sowie seine ▸Sklaven. Er vertrat die Familie nach außen, stand dem Kult vor und durfte Kinder verheiraten oder töten.

Patrizier (lat. *patres*: Väter): die Nachkommen der ältesten adligen ▸Familien, die zu Beginn der Römischen ▸Republik allein regierten. Sie übernahmen wichtige Staatsaufgaben und stellten die Priester. Gegen die Macht der Patrizier kämpften seit dem 5. Jh. v. Chr. die ▸Plebejer („Ständekämpfe").

Patron und Klient: Ein Patron war ein angesehener, reicher römischer Bürger (▸Patrizier), der für abhängige Personen (seine Klienten) als Schutzherr auftrat. Der Patron verteidigte sie bei Streit und vor Gericht. Klienten unterstützten ihren Patron bei Geschäften oder bei der Bewerbung um ein Amt.

persisches Großreich: Großreich, das sich um 500 v. Chr. von der Küste Kleinasiens bis nach Indien erstreckte und Ägypten einschloss. Herrscher des Reiches waren ▸Großkönige. Ihre Herrschaft umfasste viele früher selbstständige Königreiche.

Perspektive: die persönliche Sichtweise auf die Vergangenheit. Sie ist abhängig vom Standpunkt und den Eigenschaften der Person, die sich mit der Vergangenheit beschäftigt (▸Historiker).

Pharao: zunächst der Name des Königspalastes; seit dem 2. Jahrtausend v. Chr. einer der Titel des ägyptischen Herrschers. Pharaonen galten als göttlich.

Philosophie (griech. „Liebe zur Weisheit"): ▸Wissenschaft, die sich um Erkenntnisse über die Natur, ▸Religion und das Zusammenleben der Menschen bemüht. Die einflussreichsten Philosophen der Antike sind Sokrates, Platon und Aristoteles.

Plebejer: römische Bürger, die keine ▸Patrizier waren. Sie bekamen Ende des 3. Jh. v. Chr. nach den „Ständekämpfen" dieselben Rechte wie die Patrizier.

Polis ▸Stadtstaat (Polis)

Polytheismus (griech. *poly*: viel; *theos*: Gott): Glaube an viele Götter. Ägypter, Griechen und Römer verehrten zahlreiche Götter. Gegenteil: ▸Monotheismus.

Prinzipat: Bezeichnung für die 27 v. Chr. von ▸Augustus begründete Herrschaftsform, in der der ▸Kaiser den Titel „princeps" (dt. „erster Mann im ▸Staat") trug und weitestgehend unumschränkt regierte.

Pyramide: Grabmal über einer quadratischen Grundfläche mit spitz zulaufenden Flächen. Zwischen 3000 und 1500 v. Chr. wurden fast 100 Pyramiden für die ▸Pharaonen erbaut.

Quellen ▸nichtschriftliche Quellen, ▸schriftliche Quellen

Recht: Ordnung, die das menschliche Zusammenleben regeln soll und oft durch Gesetze greifbar wird. Das deutsche Wort stammt von dem alten Adjektiv „reht", was „recht, gerade, richtig" bedeutet. In der Antike war es zunächst ohne niedergeschriebene Gesetze aus langjähriger Gewohnheit entstanden. Im Mittelalter meint „Recht" eine göttlich gesetzte Ordnung, die für jeden Menschen einen unveränderbaren Stand und die daraus abgeleiteten Rechte und Pflichten begründete.

Reichsidee: Vorstellung von der Wiederherstellung und Fortsetzung des ▸Imperium Romanum (lat. renovatio imperii) durch ein Reich nördlich der Alpen (▸Frankenreich) seit Karl dem Großen.

Reisekönigtum: Im frühen Mittelalter gab es noch keine Hauptstädte. Die Könige übten ihre Herrschaft vor Ort aus. Viele Monate im Jahr zogen sie umher, hielten Gerichts- und Hoftage ab und regelten die Angelegenheiten ihres Königreiches.

Religion: der Glaube an einen Gott oder mehrere Götter, der sich im Alltag der Menschen unterschiedlich stark auswirkt und ihr Leben prägt. Beispiele sind Opferhandlungen und Gebete, Besuch von Messen und Gottesdiensten.

religiöse Vielfalt: heutige Bezeichnung für das gleichzeitige Bestehen mehrerer ▸Religionen nebeneinander. Jede von ihnen hat unterschiedliche Werte, Lebensformen und Glaubenshaltungen.

Republik (lat. *res publica*: öffentliche Angelegenheit): Staatsform mit jährlich wechselnder Regierung hoher Beamter (▸Magistrat), die nach der Vertreibung der ▸etruskischen Könige in Rom um 500 v. Chr. entstand. Sie endete mit der Kaiserzeit (▸Kaiser; ▸Augustus).

Romanisierung: Übernahme der lateinischen Sprache und der Kultur der Römer durch andere Völker. Die Anpassung der (meist unterworfenen) Völker beinhaltete die Aufgabe eigener ▸Traditionen und die Übernahme römischer Lebensweisen. Romanisierung konnte unterschiedlich tief greifend sein.

Romulus und Remus: Zwillingspaar, das nach dem ▸Gründungsmythos 753 v. Chr. die Stadt Rom gegründet haben soll. Besonders bekannt ist die Darstellung, in der beide von einer Wölfin gesäugt werden.

Schrift: Verfahren, um Sprache aufzuzeichnen. Die älteste Schrift war ab 3300 v. Chr. die ▸Keilschrift der Sumerer. Um 3000 v. Chr. erfanden die Ägypter ihre ▸Hieroglyphen. Beide Schriftarten hatten viele hundert Zeichen. Um 1000 v. Chr. dachten sich die Phönizier eine Schrift aus, die weniger Zeichen hatte: Jeder gesprochene Laut hatte einen Buchstaben. Aus ihr entwickelten sich alle späteren ▸Alphabete.

schriftliche Quellen: alle Textarten, aus denen ▸Historiker Wissen über die Vergangenheit beziehen. Wie für die ▸nichtschriftlichen Quellen gilt auch für Texte, dass sie durch bestimmte Auslegungsschritte (= Methoden) „zum Sprechen gebracht" werden müssen.

Seidenstraße: zusammenfassender Begriff für ein Netz von vielen verzweigten Karawanenwegen. Die „Seidenstraße" verband das östliche Mittelmeer mit China und war seit der Antike bis weit ins Mittelalter wichtig für den Austausch von Waren und Ideen. Im weiteren Sinne zählen auch die Schifffahrtswege dazu.

Senat (lat. *senatus*: Rat erfahrener Politiker): Seine Mitglieder bestimmten die Politik. Senatoren stammten vor allem aus adligen Familien (▸Patrizier) und waren vorher Regierungsbeamte. In der Kaiserzeit (▸Kaiser) verloren die Senatoren ihre Macht.

Sklave: unfreier und rechtloser Mensch. Der Eigentümer konnte über ihn wie über eine Sache verfügen. Kriegsgefangene wurden oft zu Sklaven gemacht. Auch bei Zahlungsunfähigkeit konnten Menschen versklavt werden (Schuldknechtschaft). Eigentümer konnten ihre Sklaven freilassen.

Spartiat: Bewohner des ▸Staates Sparta, der die vollen ▸Bürgerrechte hatte. Die Spartiaten waren in der Minderheit gegenüber den Periöken und den Heloten, über die sie herrschten. Sie waren nur Krieger, niemals Bauern oder Handwerker.

Staat: Menschen, die in einem Gebiet unter einer Herrschaft leben.

Staatsreligion: meist eine einzige ▸Religion, die ein ▸Staat gegenüber allen anderen Glaubensformen bevorzugt. Der Staat gibt der Staatsreligion bestimmte Rechte und erkennt sie dadurch als „seine" Religion an. Dies führt zu einer unterschiedlich stark ausgeprägten Vermischung der religiösen und der politischen Macht.

Stadt: zentraler Ort, an dem sich vergleichsweise viele Menschen angesiedelt haben. Die Ansammlung vieler Menschen erfordert besondere Regeln und Organisationsformen, um das gemeinsame Leben zu gestalten (▸Arbeitsteilung). Seit der ▸Jungsteinzeit sind Städte bedeutende Zentren des menschlichen Lebens.

Stadtstaat (Polis): zunächst die griechische Bezeichnung für eine Burg mit einer Siedlung, ab etwa 800 v. Chr. für einen Ort, der aus einer ▸Stadt und ihrem Umland bestand. Das Zentrum war geschützter Wohnort, Sitz der Regierung und Mittelpunkt der ▸religiösen Feiern. Im Umland wurde die Nahrung angebaut.

Statthalter: Römischer ▸Magistrat, der vom ▸Senat mit der Verwaltung einer Provinz beauftragt war. Er hatte dort für das Eintreiben der Steuern und für die Rechtsprechung zu sorgen. Dem S. unterstanden auch die in seiner Provinz stationierten Legionen.

Theater (griech. *théatron* Schaustätte, Theater): ▸Kunstform, bei der Schauspieler vor Publikum eine Rolle spielen, sprechen, tanzen. Im antiken Griechenland in die Richtungen Tragödie und Komödie entwickelt. T. bezeichnet auch das für die Aufführung von T.stücken eingerichtete Gebäude. Vgl. ▸Amphitheater.

Thermen (lat. *thermae*): größere öffentliche Badehäuser im Römischen Reich. Ihr Besuch war kostenlos. Die Römer richteten im Zuge der ▸Romanisierung T.n in allen größeren Städten und auch in ihren Militärlagern ein. Die schnelle Verbreitung von T. zeigt die Übernahme der Badesitte durch die einheimische Bevölkerung.

Tochterstadt (Kolonie): Siedlung ausgewanderter Griechen einer ▸Polis an einem anderen Ort.

Totenkult: Die Art und Weise, wie Menschen in der jeweiligen Kultur mit ihren Toten umgingen, gibt Auskunft darüber, wie sie das Leben vor und nach dem Tod verstanden haben. Im Totenkult drückt sich das

Bedürfnis der Menschen aus, sich an die verstorbenen Vorfahren zu erinnern.

Tradition (lat. *tradere*: überliefern): Weitergabe von Überzeugungen, Wertvorstellungen, Bräuchen u.a. von Generation zu Generation. Die Überlieferung kann mündlich oder schriftlich geschehen. Hierbei spielen ▸Erzählungen eine wichtige Rolle. In einer „traditionsbewussten" ▸Gesellschaft (etwa im ▸Imperium Romanum) werden überlieferte Werte und Bräuche durch ihr hohes Alter als besonders wichtig angesehen.

Troja: Ort in Kleinasien, von dem der Grieche Homer im 8. Jh.v. Chr. in seinen Dichtungen „Ilias" und „Odyssee" erzählt (▸Erzählung). Um diese ▸Stadt habe ein jahrelanger Krieg getobt. Ob er wirklich stattfand oder ein ▸Mythos ist, ist unsicher. Der Deutsche Heinrich Schliemann entdeckte Troja durch Ausgrabungen wieder.

Tyrannis: Herrschaft eines Einzelnen (Tyrann), der mit Gewalt an die Macht gelangt ist und sie eigennützig und grausam ausnutzt. Viele ▸Stadtstaaten erließen Gesetze gegen den Versuch, eine Tyrannis zu errichten.

Völkerwanderung: Hinter dem Ausdruck steht das Bild unterschiedlicher Wanderungsbewegungen vor allem germanischer Stämme in Mittel- und Südeuropa in der Spätantike und dem frühen Mittelalter. Einige ▸Historiker sehen den Begriff heute kritisch: Nach ihrer Meinung sind nicht ganze „Völker" durch Europa gewandert, sondern kleine, bunt gemischte Menschengruppen auf der Suche nach besseren Lebensbedingungen.

Volksversammlung: Zusammenkunft von Bürgern eines ▸Staates (in Athen Männer ab 20 Jahren), um zu beraten, abzustimmen oder Personen in Ämter zu wählen. Viele griechische ▸Stadtstaaten hielten Volksversammlungen ab, auch Rom zur Zeit der ▸Republik.

Vorratshaltung: Zurücklegen eines Teils der Nahrung für später. Dies setzt voraus, dass eine Gemeinschaft Überschüsse besitzt, die sie nicht sofort benötigt. Der Vorrat sichert das Überleben in Zeiten, in denen Lebensmittel knapp sind. Erste Hinweise auf Vorratshaltung gibt es aus der ▸Altsteinzeit. Üblich wurde sie bei ▸Ackerbau und Viehhaltung seit der ▸Jungsteinzeit.

Wahl: Verfahren zur Besetzung eines Amtes. Bei der W. entscheidet eine Gruppe von Menschen (Wähler, vgl. ▸Bürgerecht) darüber, wer ein Amt bekleiden soll. Wer sich zur Wahl stellt, muss die Mehrheit der Stimmen bekommen. Durch W.en wird gewährleistet, dass die Mehrheit der Bürger mit der getroffenen Entscheidung einverstanden ist. (vgl. ▸Volksversammlung)

Wahrsagekunst: Ihr geht es darum, zukünftige Ereignisse vorherzusagen. Wahrsager gaben Erscheinungen der Natur (Wetter, Vogelflug) eine Bedeutung für die Zukunft. So versuchten sie, Voraussagen zu treffen. Die Griechen besuchten dazu ▸Orakel. Wahrsager der ▸Etrusker erkundeten u.a. die Form der Leber. In der Antike wurde so oft „der Wille der Götter" ermittelt. In den ▸Religionen Judentum, Christentum und Islam ist Wahrsagerei verboten, weil allein Gott die Zukunft offenbaren kann.

Werkzeug: Gegenstand, mit dessen Hilfe der Mensch ein bestimmtes Ziel leichter oder überhaupt erst erreichen kann. Oft hilft ein Werkzeug dabei, etwas zu bewegen, umzuformen, abzutrennen oder zu verbinden. Als ▸nichtschriftliche Quellen geben Werkzeuge Auskunft, über welche Fähigkeiten die Menschen zu einer bestimmten Zeit verfügten.

Westrom ▸Ostrom/Westrom

Wissenschaft: Sammelbegriff für das Wissen, das nach festen Regeln gezielt erworben, gesammelt und gelehrt wird. Das Einhalten von Regeln und die Überprüfbarkeit der Aussagen unterscheidet Wissenschaft von Vermutungen. Die Wissenschaft teilt sich meist in verschiedene „Fächer" auf. Eines davon ist die Geschichtswissenschaft (▸Historiker).

Zeitrechnung (auch „Chronologie"): Mit ihrer Hilfe versucht der Mensch, sich in der Zeit zurechtzufinden, also die Zeit zu ordnen und zu strukturieren. In der Geschichte geht es dabei meist um Fragen des ▸Kalenders, der Ordnung und Einteilung von wiederkehrenden Ereignissen, aber auch um bestimmte Bezugspunkte der Vergangenheit (z.B. Christi Geburt). Für ▸Historiker ist die Chronologie wichtig, weil sie nur mit ihr Ereignisse in die richtige Reihenfolge bringen können.

Zivilisation (lat. *civis*: Bürger): Bezeichnung für ▸Gesellschaften, in denen die menschlichen Lebensbedingungen als relativ hoch entwickelt bewertet werden, z. B. durch ▸wissenschaftliche, technische und wirtschaftliche Errungenschaften (▸Hochkultur). Die Bewertung als Zivilisation ist immer auch abhängig von der ▸Perspektive des ▸Historikers.

Lexikon zur Geschichte: Personen

Alexander „der Große" (356-323 v. Chr.): König des nordgriechischen ▸Staates Makedonien, Feldherr und Herrscher über ein Reich auf den Kontinenten Europa, Asien und Afrika. Alexanders Vater Philipp hatte fast alle griechischen ▸Stadtstaaten unter makedonische Herrschaft gebracht. Alexander selbst eroberte in nur elf Jahren, 334 bis 323 v. Chr., mit einem makedonisch-griechischen Heer ein riesiges Reich bis nach Indien. Nach seinem Tod zerfiel es in zahlreiche Nachfolgestaaten.

Augustus (63 v. Chr.-14 n. Chr.): geboren als Octavian, Adoptivsohn ▸Caesars. Nach Caesars Ermordung verbündete sich Octavian mit dessen Anhängern und verfolgte die Mörder. Alle römischen Feldherren, die über Truppen verfügten, besiegte er nach und nach. 31 v. Chr. war er in Rom der „erste Mann im Staat" (Princeps). Der ▸Senat verlieh ihm 27 v. Chr. den Ehrentitel „Augustus" („der Erhabene"). Er wird als erster römischer ▸Kaiser angesehen und vererbte die Macht in seiner ▸Familie. Damit endete die ▸Republik und begann die römische Kaiserzeit.

Caesar (Gaius Julius Caesar, 100-44 v. Chr.): römischer Politiker, Feldherr und Autor. Er nutzte seine politischen Ämter, um den Oberbefehl über die Truppen zu bekommen. Mit diesen brachte er dem Römischen Reich große Gewinne. Das Heer unterstütze ihn auch, als er im Bürgerkrieg alle konkurrierenden Politiker bekämpfte und besiegte. Vom ▸Senat ließ er sich zum Diktator ausrufen. Seine Gegner befürchteten, er wolle eine Königsherrschaft (▸Monarchie) errichten, und töteten ihn.

Jesus Christus (ca. 6 v. Chr.-ca. 30 n. Chr.): Er wurde in Israel geboren. Mit etwa 30 Jahren begann er, als jüdischer Wanderprediger vom Reich Gottes zu erzählen. In Jerusalem wurde Jesus von vielen als Erlöser (Messias) begrüßt. Weil seine Lehre den Priestern des Tempels nicht gefiel, wurde er verhaftet und von den Römern gekreuzigt. Das ▸Neue Testament berichtet, dass Jesus am dritten Tag ins Leben zurückkehrte und später in den Himmel aufstieg. Seine Anhänger, die Christen, sehen in Jesus den Sohn Gottes, der für alle Menschen starb.

Mohammed (um 570-632): Als junger Mann lernte Mohammed die Lehren von Juden und Christen kennen. Er fühlte sich zum Gesandten Gottes (Allahs) berufen. Er gründete eine neue ▸Religion, den ▸Islam, dessen Lehre im Koran festgehalten ist. Bald folgten viele Menschen dem neuen ▸monotheistischen Glauben. Die Anhänger Mohammeds breiteten sich aus und kontrollierten große Gebiete. Mohammed war somit nicht nur Religionsstifter, sondern mit der ▸Expansion des Islam auch Herrscher über weite Teile Arabiens.

Sachregister

Die **hervorgehobenen** Seitenzahlen verweisen auf Begriffe, die im Bildungsplan als besonders wichtig bezeichnet werden. Sie werden in der Fußzeile des Darstellungstextes durch Fettdruck hervorgehoben und im „Lexikon zur Geschichte" erläutert.

Personenregister

Die **hervorgehobenen** Seitenzahlen verweisen auf wichtige Personen, die in der Fußzeile des Darstellungstextes genannt und im „Lexikon zur Geschichte" erläutert werden.

Bildnachweis

© 2014 Woods Hole Oceanographic Institution – S. 109 • © 2015 Museum of Fine Arts / Henry Lillie Pierce Fund, Boston – S. 81 • © Ägyptisches Museum, Kairo – S. 46, 59 • © digitales forum romanum, Projektleitung Susanne Muth, 3-D-Visualisierung Armin Müller; http://www.digitales-forum-romanum.de/gebaeude/concordiatempel/ – S. 118 • akg-images, Berlin – S. 65, 102, 126, 154, 155, 162, 166, 174, 200; / - Album / Oronoz – S. 149; / - André Held – S. 159; / - Andrea Jemolo – S. 168; / - Bildarchiv Steffens – S. 99; / - De Agostini Picture Library / D. Dagli Orti – S. 135 (2); - / De Agostini Picture Library / S. Vanini – S. 49; - / Erich Lessing – S. 67, 79, 105, 148, 170; - / Gerard Degeorge – S. 54; - / IAM – S. 174; - / John Hios – S. 100; - / Nimatallah – S. 98; - / Pirozzi – S. 158; - / Werner Foreman – S. 66 • alamy / © Danita Delimont, Abingdon – S. 37; - / © TravelCollection / Gerald Hänel – S. 69 • Als Rom brannte, Hans Dieter Stöver, dtv, München 2005 – S. 152 • Aquarelle de Jean-Claude Golvin. Musée départemental Arles Antique © Jean Claude Golvin / Editions Errance, Arles – S. 81, 107 • Archäologische Staatssammlung, München – S. 132 • Archäologisches Landesmuseum Konstanz (Hrsg.), Eiszeit. Kunst und Kultur. Katalog zur Landesausstellung Stuttgart, S. 92 – S. 31 • Archäologisches Museum der WWU Münster / Foto: M. Wilke / CC BY-SA 4.0 – S. 156 • Winfried Aßfalg, Riedlingen – S. 5, 146/147 • ASTERIX ® / OBELIX ® / LES ÉDITIONS ALBERT RENÉ / GOSCINNY-UDERZO, Paris – S. 131, 138 • © BA Antiquietes Museum / C. Gerigk, Alexandria – S. 17 • © Flemmig Bau / Museum Moesgård, Aarhus – S. 68 • Markus Benzinger, Bad Wurzach – S. 160 • Bildarchiv Preußischer Kulturbesitz / Bayerische Staatsbibliothek, Berlin – S. 21; - / Margarete Büsing – S. 9; - / Museum für Vor- und Frühgeschichte, SMB / Klaus Göken – S. 66; - / RMS – Grand Palais / Ayman Khoury – S. 50; - / Scala – S. 130, 200; - / The Metropolitan Museum of Art / Schecter Lee – S. 75 • Nadja Braun, Naila – S. 51 • Campus Galli / „Karolingische Klosterstadt e.V.", Meßkirch – S. 3, 6, 10/11 • Carnyx / Joachim Rehmet, Rottenburg a.N. – S. 40 • © Mark Cartwright – S. 109 • Citadelles & Mazenod, Paris – S. 123 • Deutsche UNESCO-Kommission e.V., PM-Archiv, Bonn – S. 26 • Deutsches Brotmuseum, Ulm – S. 43 • © Deutsches Archäologisches Instiut, Berlin – S. 92 • Diözesanmuseum, Rot-tenburg – S. 167 • Dorling Kindersley, London – S. 67 • dpa Picture-Alliance / akg-images, Frankfurt – S. 165; - / ap / aris saris – S. 4, 70/71; - / APimages / Winfried Rothermel – S. 3; - / Artcolor / Toni Schneiders – S. 165, 169; - / Bildarchiv Hansmann – S. 156; - / Erich Lessing – S. 59; - / Lad Esslingen / Muehleis Yam – S. 31; - / Mary Evans Picture Library – S. 29; - / Pedro Saura – S. 28; - / Susannah V. Vergan – S. 46; - / Uwe Anspach – S. 3, 44/45; - / Winfried Rothermel – S. 25 • epd-Bild / Peter Roggenthin, Frankfurt – S. 23 • © James Field, Llanelli, Carmarthenshire, Wales – S. 32, 67 • © Filmakademie, Ludwigsburg – S. 41 • Forschungs- und Landesbibliothek, Gotha – S. 171 • Getty Images, München – S. 126; - / camerique – S. 131; - / Peter Willi – S. 148, 171; - / Werner Forman – S. 126 • © PLAYMOBIL. PLAYMOBIL ist ein eingetragenes Markenzeichen der geobra Brandstetter GmbH & Co.KG, Zirndorf – S. 23 • © Helms-Museum, Hamburg – S. 30 • Dr. Volker Herrmann, Freiburg – S. 4, 111, 117, 142 • Norman Bancroft Hunt – S. 96, 98, 101, 113 • © Hilde Jensen, Universität Tübingen – S. 31 • © Johannes Gutenberg-Universität Mainz / Altorientalisches Lehrsammlung, Foto: Monika Gräwe, Arbeitsbereich Digitale Dokumentation, Mainz – S. 63 • Michael L. Katzer, Arlington, Vermont – S. 84, 109 • Julian Kümmerle, Ditzingen – S. 151 • © laif / Martin Kirchner, Köln – S. 56 • Landesamt © Landesamt für Denkmalpflege / Regierungspräsidium, Stuttgart – S. 34 (2) • © Landesmuseum Württemberg, Stuttgart – S. 32; - / © H. Zwietasch – S. 36; - / © P. Frankenstein, H. Zwietsch – S. 26 • Library of Congress, Prints and Photographs Division, Washington, D.C. / LC-DFIG-det-4a16094 – S. 18 • © Metropolitan Museum of Art, New York – S. 72, 97 • Musée du Pays, Châtillonais / © Alfredo Dagli Orti, Paris – S. 93 • Museo Archeologico, Rom – S. 119 • Museo Historico de Mallorca, Palma de Mallorca – S. 84 • © Museum Zitadelle, Jülich – S. 28, 43 • © Naturhistorisches Museum, Wien – S. 38; - / Hans Reschreiter – S. 39 • © H. Neumann / Neanderthal Museum, Mettmann – S. 29 • Dagli Orti, Paris – S. 78 • Mary Pope Osborne, Das magische Baumhaus – Abenteuer in Olympia. Titel der Originalausgabe: Hours of the OlympicS. Coyiright Text: © 1998 Mary Pope Osborne. Copyright Illustrationen: © 2004 Loewe Verlag GmbH, Bindlach. © für die deutsche Ausgabe 2004

Loewe Verlag GmbH, Bindlach. Umschlagillustration: Jutta Knipping – S. 12 • Photo Courtesy of Israel Antiquities Authority – S. 109 • Photo Scala / De Agostini Picture Library, Florenz – S. 52 • © Karl-Heinz Raach, Sölden – S. 61 • Rosengarten Museum, Konstanz – S. 43 • Semmel Concerts GmbH, Bayreuth – S. 51; - / Photo; A.-M. Sarasoy, Bayreuth – S. 51 • St. Gallen, Stiftsbibliothek, Cod. Sang. 731, p. 159 – Lex Romana Visigothorum, Lex Salica, Lex Alamannorum (http://www.e-codices.unifr.ch/de/list/one/csg/0731) – S. 163 • St. Gallen, Stiftsbibliothek, Cod. Sang. 731, p. 234 – Lex Romana Visigothorum, Lex Salica, Lex Alamannorum (http://www.e-codices.unifr.ch/en/list/one/csg/0731) – S. 163 • St. Gallen, Stiftsbibliothek, Cod. Sang. 916, p. 38 – Regula S. Benedicti (http://www.e-codices.unifr.ch/de/list/one/csg/0916) – S. 167 • Südtiroler Archäologiemuseum, Bozen / www.iceman.it – S. 36 • © The British Museum, London – S. 40 (2), 46 (2), 61 • The Metropolitan Museum of Art / Gift of Edward S. Harkness, 1917, New York – S. 46 • Ullstein-Bild / Granger, NY, Berlin – Umschlag; - / Iberfoto – S. 67; - / Imagno – S. 149; - / Pictures from History – S. 30 • United States Army Aviation Museum, Fort Rucker, Alabama – S. 19 • © Universität Leipzig / Ägyptologisches Institut, Leipzig – S. 54, 57 • www.bayerischer-limes.de – S. 113 • www.wikimedia.org – S. 14, 43, 65, 72 (3), 74, 95, 100, 112, 131, 150 (2), 157 (5), 177; - / © Aiden – S. 200; - / Al-Idrisi – S. 175; - / © Andreas Praefcke – S. 153; - / © Andrew Dunn / website: http://www.andrewdunnphoto.com / CC BY-SA 2.0 – S. 200; - / Bildarchiv Preußischer Kulturbesitz – S. 18; - / Classical Numismatic Group, http://www.cngcoins.com / CC BY-SA 1.2, 2.5, 3.0 – S. 137; - / © Daderot – S. 109; - / © DaimlerChrysler AG / CC BY-SA 3. 0 – S. 18; - / © ESA – S. 55 (2); - / © Frank Vincentz / CC BY-SA 1.2, 3.0 – S. 20; - / © Gryffindor / CC BY-SA 1.2, 2.5, 3.0 – S. 113; - / © Gun Powder Ma / CC BY-SA 1.2, 3.0 – S. 19; - / © I. Sailko / CC BY-SA 1.2, 3.0 – S. 116; - / © Jastrow – S. 115; - / © Jastrow – S. 155, 156; - / © Karora – S. 19; - / © Lalupa / CC BY-SA 1.2, 3.0 – S. 122; - / © Lokilech / CC BY-SA 2.5, 3.0 – S. 117; - / Märkisches Museum Berlin – S. 21; - / © Marie-Lan Nguyen – S. 95, 106; - / © Marie-Lan Ngyuen / CC BY-SA 2.5 – S. 200; - / © Marsyas / CC BY-SA 2.5 – S. 17; - / © Marsyas / CC BY-SA 3.0 – S. 109; - / © Matthias Kabel / CC BY-SA 3.0 – S. 109; - / © Mbzt / CC BY-SA 1.2, 3.0 – S. 63; - / © Miguel Hermoso Cuesta / CC BY-SA 3.0 – S. 91; - / © Mimova – S. 112; - / © Nicolas von Kospoth / Triggerhappy / CC BY-SA 1.2, 2.5, 3.0 – S. 19; - / © Nino Barkieri / CC BY-SA 1.2, 2.5, 3.0 – S. 160; - / © Norbert Nagel / CC BY-SA 3.0 – S. 82; - / © Ophelia2 – S. 157; - / © PHGCOM / CC BY-SA 1.2, 3.0 – S. 169; - / © Schorle / CC BY-SA 3.0 – S. 13; - / Sémhus / translated by Jka / CC BY-SA 1.0, 2.0, 2.5, 3.0 – S. 164; - / © Steven Fruitsmaak – S. 142; - / TheYorkProject – S. 19; - / © William M. Connolley / CC BY-SA 1.2, 3.0 – S. 19; - / wlb, hb ii 54 – S. 151; - / © yuichi / CC BY-SA 1.0 – S. 74

NORWEGEN
Oslo
FINNLAND
Helsinki
GROSSBRITANNIEN UND NORDIRLAND
IRLAND
Dublin
Stockholm
SCHWEDEN
Tallinn
ESTLAND
DÄNEMARK
LETTLAND
Riga
RU
Kopenhagen
LITAUEN
Vilnius
London
NIEDER-LANDE
Amsterdam
Brüssel
BELGIEN
Berlin
DEUTSCH-LAND
Minsk
WEISSRUSSLAND
Warschau
POLEN
Paris
LUXEMBG.
FRANKREICH
Prag
TSCHECH.REP.
Kiew
PORTUGAL
Bern
SCHWEIZ
Wien
SLOWAKEI
UKRAINE
ÖSTERREICH
Budapest
UNGARN
Kischinau
MOLDAU
SPANIEN
Lissabon
Madrid
KROATIEN
Belgrad
RUMÄNIEN
San Marino
BOSNIEN-HERZEG.
Sarajewo
SERBIEN
Bukarest
MONTE-NEGRO
KOSOWO
BULGARIEN
Sofia
Rom
ITALIEN
Tirana
ALBA-NIEN
MAZE-DONIEN
Rabat
MAROKKO
Algier
Ankara
GRIECHENLAND
TÜRK
Tunis
TUNESIEN
MALTA
Valetta
Athen
ALGERIEN
Lefkosia
ZYPERN
Tripolis
LIBANO
ISRAE
Jerusale
LIBYEN
Kairo
ÄGYPTEN
MALI
NIGER
TSCHAD
SUDAN
0
500
1000
2000 km